Als ik auto had kunnen rijden
was ik nu niet zwanger
(van mijn beste vriend)

Bezoek onze internetsite www.awbruna.nl
voor informatie over al onze boeken en dvd's.

Katy Regan

Als ik auto had kunnen rijden was ik nu niet zwanger (van mijn beste vriend)

A.W. Bruna Uitgevers B.V., Utrecht

Oorspronkelijke titel
One Thing Led to Another
© 2009 Katy Regan
Vertaling
Mieke Vastbinder
Omslagontwerp en omslagbeeld
Ingrid Bockting
© 2010 A.W. Bruna Uitgevers B.V., Utrecht

ISBN 978 90 229 9611 9
NUR 302

Voor Louis en Fergus

Proloog

Twee minuten wachten, staat er. Twee minuten en beng! Je leven staat op zijn kop. Stel je voor. Ho, nee. Bij nader inzien, doe toch maar niet. Laten we rustig blijven, diep ademhalen en ons concentreren. Ik doe mijn horloge af. Het is zo'n waterdicht duikhorloge. Prima om eieren mee te koken en bij te houden hoe lang mijn moeders monoloog aan de telefoon duurt terwijl ik iets anders aan het doen ben.

Nooit gedacht dat ik het hiervoor zou gebruiken.

Ik stel het in: twee minuten. De cijfers gloeien op in het donker, tellen af naar mijn lot. Zou het kunnen? Als ik echt dacht dat ik het was, zou ik toch wel een andere plek hebben gekozen dan een zelfreinigend toilet ergens in het midden van SE1 om zo'n ingrijpende ervaring door te maken.

1:45

Het was maar één keer. Eén keertje. Van de keren dat we het sowieso hebben gedaan – dat we dachten dat... hoe zal ik het zeggen... dat we het aan Jims onfeilbare timing konden overlaten en ervoor gaan.

1:40

Maar je hebt ervoor gaan en ervoor gaan, nietwaar? En hoe meer beelden ik van die nacht voor me zie als filmopnamen die versneld worden afgespeeld, hoe meer ik denk dat het er niet best uitziet voor ons.

1:35

Om te beginnen heb je het standje. O shit. Ik op mijn rug met mijn benen om zijn nek geslagen in de meest sperma-ontvankelijke houding aller tijden, op dag zestien (ik kan het weten, ik heb wel duizend keer geteld) van mijn cyclus.

1:00

En dan is er het slipje: zwart satijn met dichtbindstrikjes aan de zij-kanten, op een werkdag nog wel. Ik bedoel maar, wat voor slet ben ik? En het feit dat ik geen rijbewijs heb. Als ik maar kon rijden, had dit allemaal voorkomen kunnen worden. Als mijn moeder me op mijn zeventiende gewoon rijlessen cadeau had gegeven zoals alle moeders ter wereld doen, als ze me gewoon had vertrouwd, niet had aangenomen dat ik een nog niet gebeurd ongeluk was (letterlijk), dan was ik naar huis gereden, veilig naar huis en had ik om elf uur waarschijnlijk in een zeer onverleidelijke onderbroek in bed gelegen in plaats van op mijn rug met mijn benen om de nek van Jim Ash-croft.

0:40

Alstublieft God, ik smeek het U. Ik mag niet zwanger zijn. Ik heb niet eens een vriendje. Jim en ik zijn gewoon goede vrienden. Zo goed dat we, dat geef ik toe, op vrijdagavond, als we er een te veel op hebben bij elkaar in bed belanden als een knuffelpartij een goed idee lijkt, maar toch, we zijn alleen 'goede vrienden'.

0:27

Dat weet ik omdat we na elke keer (en voor de goede orde: dat zijn er te veel om te kunnen spreken van een incident, en te weinig om te kunnen spreken van een relatie) niet het hele weekend bij elkaar blijven. We gaan niet samen naar het tuincentrum en praten niet met lieve stemmetjes met elkaar aan de telefoon. En ik heb absoluut nog nooit namens hem een cadeautje voor zijn moeder gekocht.

Als we bij elkaar zijn blijven slapen, staan we op en gaan we ieder ons weegs. Ik naar mijn meidenhuis in Islington en Jim naar zijn vrijge-zellennest in Zuid-Londen. Twee singles, twee uiteinden van Lon-den, twee verschillende levens. Dus je begrijpt dat als deze test posi-tief is, het niet bepaald de familie Robinson wordt.

0:15

Maar het hoeft maar één keer raak te zijn, hè? Stel nou dat de man met wie ik heb besloten een gokje te wagen een superzaadje had? Zo'n verhipt onaangepaste zaadcel die, als de massa de ene kant op draait, zich eigenwijs op zijn staartje omdraait en met vlinderslag de andere kant op zwemt met de kreet '*Vive la révolution!*' Dat zou ty-pisch iets voor Jim zijn. Dat is de grootste onaangepaste vrije geest die ik ooit heb gekend. En eentje is genoeg. Eén zaadje, één kans, één moment, waarna alle momenten in je leven voorgoed veranderen. Maar goed...

0:07

Straks weten we meer...

0:05

Ik pak het staafje.

0:04

Ik hou het bij het licht van mijn mobieltje.

0:03

Ik kijk er nu naar en lees het koortsachtig af, zoals ik vroeger tussen de duizenden namen zocht naar mijn tentamencijfers op het prikbord.

0:02

Ik kan me alleen maar concentreren op mijn bonkende hartslag, maar ik kijk ernaar, klem het ding in mijn hand en ik probeer het goed te zien...

0:00

Piep, piep, piep.

Het is waar! Het is zo! Er staan twee streepjes! Twee...!

O. Nee.

Maar dat niet.

Het is niet waar. Want er staan twee streepjes, maar geen kruis. Dat betekent dat hij negatief is. Geen baby. Dank u, Heer.

1

'Zeven weken voordat ik uitgerekend was, ging die sukkel op één knie toen ik stond af te wassen. We hebben in het gemeentehuis van Lancaster ja gezegd, met de dame van de snoepwinkel als getuige en Eddie met een narcis in zijn knoopsgat. Net toen we ons huwelijk in een B&B in Lytham St Anne's wilden consumeren, braken mijn vliezen. Eddie heeft het Joel nooit vergeven dat hij dat moment had uitgekozen, en Joel is nu drieëndertig.'
Linda, 56, Preston

Ik heb altijd gedacht dat naar bed gaan met je beste vriend op twee verschillende manieren kan uitpakken. Of het wordt een regelrechte ramp waarvan je vriendschap nooit meer herstelt. Of het wordt een openbaring. Je vraagt je af waarom je dit in hemelsnaam niet eerder hebt gedaan.

Ik had de eerste optie al meegemaakt: Gavin Stroud op Manchester University in 1998. Gavin was mijn beste vriend tijdens de cursus Frans, tot het moment van opperste waanzin – rond het vierde biertje, het punt waarop ik kennelijk altijd geloof dat ik onweerstaanbaar ben voor alle leden van de andere sekse. Dat is ook het punt waarop ik naar bed had moeten gaan; een waardige aftocht. Maar nee, ik was op het punt waarop ik besloot dat Gavin Stroud hoorde te weten dat mijn Frans in de slaapkamer stukken beter klonk en dat ik er erotisch uitzag als ik op *Purple Rain* danste. We gingen naar mijn kamer op de campus, trokken de oranje met bruine gordijnen dicht en schonken het ene glas witte wijn na het andere voor elkaar in. De contouren van zijn gezicht werden bij elk glas waziger, net als mijn beoordelingsvermogen. Na een uur *Purple Rain* op repeat en nog een uur proberen de erectie van een ladderzatte Gavin lang genoeg overeind te houden om hem een condoom om te doen, werd de drank ons te veel en vielen we in slaap. Toen ik wakker werd met een hoofd dat voelde alsof iemand er met een grasmaaier overheen was gegaan en zijn mee-eters onsmakelijk scherp in beeld waren, wist ik dat ik een grote, grandioze, nee... kolossale fout had gemaakt. De vijf minuten lopen naar ons eerste college die dag waren zo ongeveer de meest tenenkrommende van mijn hele leven. Hoe kun je normaal doen als je de nacht hebt doorgebracht met een gevecht met de onwillige penis van je (ik kan nu wel zeggen) éx-vriend? Echt. Daarna wordt het nooit meer wat.

Maar met Jim is het anders. Seks met hem is nooit rampzalig, ook al is het ook nooit wereldschokkend geweldig. Het is gewoon lekker. Alsof je na een ijskoude dag in een warm bad stapt of een briefje van twintig pond in je spijkerbroek vindt.

We hebben elkaar in november 1997 leren kennen, op de tweede verdieping van Rylands Library van Manchester University, waar we ons allebei door ons allereerste essay Engels heen werkten voor Kritische Theorie (eerder kritische idioterie). Als achttienjarige was ik op dat moment tegelijkertijd in de wolken en doodsbang vanwege mijn officiële onafhankelijkheid. Jim was twee jaar ouder en zag eruit alsof hij al zijn hele leven op eigen benen stond. Hij zat tegenover me over *De dood van de auteur* van Roland Barthes gebogen, net als ik (en waarschijnlijk alle andere eerstejaars studenten Engelse Literatuur). Maar het was de diepe frons waar ik om moest lachen. Daaruit sprak opperste en volledige verbijstering. Precies wat ik voelde!

'Snap jij er net zoveel van als ik?' vroeg ik in de hoop dat deze jongen, wiens benen zo lang waren dat zijn voeten onder de tafel bijna de mijne raakten, ook toe was aan een beetje afleiding.

Jim keek op.

'Je bedoelt onwijs weinig?'

'Dat bedoel ik!'

Hij glimlachte breed.

'Laten we het zo zeggen,' zei hij. 'Als die onzin over *De dood van de auteur* betekent dat de inhoud van een tekst alleen maar van de interpretatie van de lezer afhangt, dan heb ik een probleem, want ik heb geen flauw idee waar die maffe fransoos het over heeft.'

'Ik ook niet,' fluisterde ik terug. 'Ik dacht dat ik boeken zou bestuderen, literatuur – je weet wel, romans. Ja toch?' Jim lachte. 'Maar

het is alleen maar structuralisme zus en post-structuralisme zo, semiologie...'

'Semiologie,' verbeterde hij.

'Ja, dat bedoel ik,' zei ik, ineens in verlegenheid gebracht.

Dat was het begin, we raakten aan de klets. Hielden twee uur lang
onze mond niet meer. We besloten het voor gezien te houden en
gingen uiteindelijk een biertje drinken omdat we geen van beiden
konden doorgronden waar Barthes Simpson, zoals we hem die dag
hadden genoemd, het over had en we te gezellig met elkaar aan het
praten waren. Toen ik vanuit de sociëteit de frisse novemberlucht in
stapte, had ik het idee dat we die middag een geheim hadden ontra-
feld, Jim en ik. Van het leven, waarschijnlijk, of misschien kwam het
alleen door het bier. Maar hoe goed het ook tussen ons klikte, ik viel
die dag niet op Jim. Nog steeds niet, en misschien is daarom de seks
nog nooit erg bijzonder geweest. Niet dat Jim geen lekker ding is,
integendeel; hij is gewoon mijn type niet. Hij is graatmager, heeft
een bleke huid en donker haar dat aan de zij- en bovenkant van zijn
hoofd uitstaat door allerlei dubbele kruinen. Hij heeft mooie, volle
lippen – die hem soms wel een beetje sloom doen lijken; een forse,
geprononceerde neus – wat aantrekkelijk is bij een man, vind ik altijd; en groene, glinsterende ogen die hij zo ver dichtknijpt als hij
lacht dat ze bijna verdwijnen. Maar ik heb nooit de neiging gehad
om hem de kleren van het lijf te rukken.

Dus als je op de dag dat we elkaar leerden kennen (of welke dag
dan ook van de acht jaar en zes maanden vóór onze eerste kus, laat
staan vrijpartij) tegen me had gezegd dat James Ashcroft en ik ooit
af en toe samen het bed in zouden duiken, dan had ik je nooit ge-
loofd. Maar zo staan de zaken wel en het is vooral raar omdat ik niet
snap waarom het zo lang heeft geduurd. Tot een warm weekend in
mei vorig jaar, om precies te zijn.

Het moest een weekend ploeteren worden om de caravan van mijn
ouders een schoonmaakbeurt te geven. Het ding stond met ongeveer vijftig andere caravans op een kleine camping in Whitby, dat als
een verdwaald schaap tegen de rotswand lag. Ik had beloofd hem
grondig aan te pakken voor de honderd pond die mijn vader me had
beloofd, en Jim was de enige die ik kende die een boormachine had.
Maar zodra we daar aankwamen, hadden we meer het gevoel dat we
op vakantie waren dan dat we hard moesten werken.

Ik heb bier nog nooit zo lekker gevonden als uit dat eerste glas dat ik, volledig uitgeput, met Jim aan het eind van de eerste dag dronk. We zaten op een bankje voor een pub in het dorp – de Flask and Dolphin – een plek met prachtig uitzicht over de haven, waar meeuwen zo dik als ganzen krijsend om ons heen hupten. Ik herinner me de zurige azijngeur van fish-and-chips in de lucht, het rustgevende dobberen van de boten, de warmte van de zon op mijn borst en het gevoel dat ik in geen eeuwen zo gelukkig was geweest. Ik vertelde hem over de vakanties die ik als kind in Whitby had doorgebracht. Hij vertelde me over de eindeloze zomers waarin hij vastzat in Stoke-on-Trent, vier op een rij speelde en zich te pletter verveelde.

Het eerste biertje werd gevolgd door een tweede, een derde en een vierde, tot het ineens donker was en we werden omringd door torens lege glazen en er een prettige spanning in de lucht hing.

Jim zuchtte. 'Wat geweldig,' zei hij, en hij hief zijn gezicht op naar de zon. 'Dit was de leukste dag die ik in tijden heb meegemaakt.' Toen keek hij me aan, liet zijn hoofd tegen de muur rusten en voegde eraan toe: 'Met jou.' En het was helemaal niet raar. Ik kreeg niet dat gevoel dat ik er de volgende ochtend spijt van zou hebben. Ik zette mijn glas neer, gooide mijn benen over zijn knie en kuste hem eens goed, alsof we al twintig jaar een relatie hadden en dit zo'n zeldzame romantische avond was die bij uitstek geschikt was om het vuur nieuw leven in te blazen.

We hadden nu gezoend, ach wat – nu leek seks in de caravan een logische volgende stap. Naderhand zaten we op het strand te praten tot het water roze kleurde door de zonsopkomst. 'Ik heb nog nooit iemand als jij ontmoet,' zei Jim. 'Ik denk dat ik met jou intiemer ben dan met wie dan ook.' En op dat moment had ik precies hetzelfde gevoel.

Toen ik de volgende ochtend mijn ogen opendeed, streepjes zonlicht op het gebloemde dekbedovertrek zag vallen en de Noordzeewind door de ramen floot, voelde ik me op een vreemde, haast heerlijke manier thuis en ontspannen.

Ik weet nog dat ik Jim hoorde mompelen: 'Ja, Jarvis, dat zat er al die tijd aan te komen, hè?' Hij stond in zijn palmboomboxer koffie in te schenken in twee mokken waar stukjes uit waren. En ik was het met hem eens. 'Zo voorspelbaar als wat,' was wat ik van onder het dekbed vandaan mompelde.

Als je elkaar genoeg waardeert om goede vrienden te zijn, en je bent van verschillende geslachten, dan is de kans groot dat het een kwestie van tijd is. Dat wil niet zeggen dat er geen consequenties aan vastzitten. Na een blik op het slagveld toen ik die ochtend eindelijk opstond zag ik dat mijn beha over de rugleuning van een stoel hing en mijn slipje met het kruis naar boven over de trekhaak van de caravan. Overal op de grond lagen cd's die we in onze dronken feeststemming overhoop hadden gehaald, en niet één in zijn hoesje. We hadden gedanst op Take That, George Michael en op Billy Joel, godbetert. Ik had mezelf duizend keer zo erg voor schut gezet als toen met Gavin Stroud, en toch schaamde ik me helemaal niet.

Ik weet niet wat ik na die nacht nou eigenlijk verwachtte. Volgens mij had ik een relatie wel willen proberen, maar ik was ook als de dood dat dat onze vriendschap zou bederven. Uiteindelijk nam Jim die beslissing voor me, en ik zou liegen als ik zei dat ik niet een beetje teleurgesteld was.

Ik belde hem maandag, de avond nadat we waren teruggekomen. 'Ik heb een fantastisch weekend gehad,' zei ik. Goede opening, vond ik. Misschien is dit wel het moment waarop hij zegt dat hij het roerend me me eens is en me uit vraagt.

Of niet.

'Ik ook,' giechelde hij. 'Ik heb in een deuk gelegen. Ik heb vooral goede herinneringen aan jouw optreden op *Relight My Fire* in je onderbroek.'

Geweldig, dacht ik. Heb ik weer. Zou het misschien kunnen dat ik niet de juiste signalen heb gegeven?

Maar misschien was het niet zo erg. Misschien is er een reden dat we ons helemaal niet schaamden voor onze fratsen. We hadden zo weinig schaamte dat we er een jaar later min of meer een gewoonte van hadden gemaakt om het 'gewoon te doen' als we zin hadden in een ongebonden wip.

'Je moet het zien als een manier om de lol nog wat langer te laten duren,' zei Jim altijd, meestal naakt, wat het er niet echt beter op maakte, 'net alsof je na sluitingstijd naar een nachtcafé gaat.'

En mij komt het ook goed uit, want volgens mij weet ik niet wat ik wil. En eerlijk gezegd kan ik hem ook niet helemaal volgen. Ik weet alleen dat Jim Ashcroft en ik de grens hebben overschreden. We hebben niet langer iets puur platonisch, maar zijn ook geen minnaars. We zijn gewoon twee verwarde zielen die wat ronddollen op de immense, uitgestrekte savanne die ook wel bekendstaat als het Grijze Gebied.

De zwangerschapsstress ligt nu een week achter me en eigenlijk is het maar goed dat het bij de stress is gebleven, want ik lijk er sinds-dien een dagtaak van gemaakt te hebben om met mensen naar de pub te gaan. Dat is de vloek van de ongebondenen, heb ik altijd ge-dacht. Zonder smoes – geen flat/bruiloft/hond om voor te sparen – wordt er van ons, de Vrije Vogels, verwacht dat we aan alles mee-doen.

Neem nu vanavond. 'Ik bega een moord als ik me niet vanavond nog kan bezatten,' zo luidde Vicky's rasperige dreiging door de hoorn die ik in een aanval middagmoeheid tussen mijn hoofd en het bu-reau had gelegd. Dylan had de muren behangen met macaroni met kaas, zei ze, en Richard was – na een dag hard werken in London Zoo, waar hij kinderen vertelde over de paargewoonten van kamelen – thuisgekomen waar hij zijn eigen tweebenige neushoorn in een vlaag peuterwoede door de kamers zag walsen en zijn lieve vrouwtje opgekruld als een cobra aantrof, klaar om toe te slaan.

Ik ben dol op Vicky, en dat is vreemd omdat het niet echt liefde op het eerste gezicht was. Als ik terugdenk aan de eerste keer dat we el-kaar ontmoetten, toen ze zich voorstelde op haar manier van 'dit ben ik en als het je niet aanstaat lazer je maar op', moet ik tot mijn schande bekennen dat ik me voelde verschrompelen van teleurstel-ling.

Hoe kon ik, Tess Jarvis, eigenaresse van:
- Oldskool-sportschoenen (een hele collectie)
- Nieuw (maar met geraffineerd sleetse look) leren jack
- De hele collectie van Bob Dylan
- *Ministry of Sound: The Annual*, delen twee en drie (want op mijn achttiende ben ik zowel gewild intellectueel als doorsnee genoeg, snap je)
- Poster van Che Guevarra (want ik ben geïnteresseerd in andere landen en politiek)
- Obsessieve belangstelling voor Ewan MacGregor
- Gewoonte af en toe wat wiet te roken, wat binnenkort gepromo-veerd zal worden naar dagelijks gebruik,
nu hopen een kamer te delen met Victoria Peddlar, eigenaresse van:
- Pluizige pinguïnpantoffels

- Nepdesignersweaters gedragen op stonewashed spijkerbroeken (een hele collectie)
- Alles van Take That
- *That's What I Call Power Ballads,* deel één, twee en drie
- Poster van Patrick Swayze (want Vicky Peddlar trekt zich van niemand iets aan)
- Obsessieve belangstelling voor *Dirty Dancing*
- Bescheiden horoscoopleesgewoonte, wat binnenkort gepromoveerd zal worden tot borderline verslaving.

Maar het was waar en ik was er kapot van. Vooral nu ik net een meisje had leren kennen dat Gina heette die haar kamer al had omgedoopt tot rookhoofdkwartier. Een kamer die ik dolgraag met haar wilde delen. Gina was het coolste meisje van onze campus en zat altijd vol wilde plannen, elke avond weer. Ze had een woeste bos krullen die ze in twee lage staartjes droeg, had een drakentatoeage op haar buik, zei vaak 'cool, man' en had een waterpijp. En alsof dat nog niet genoeg was om een onschuldige eerstejaars bijna te laten betalen om maar haar vriendin te mogen zijn, had ze ook nog eens hordes vriendinnen van de kostschool die allemaal even cool waren als zij.

Het sprak vanzelf dat dat Peddlar-meisje de eerste paar dagen op de universiteit geen blik waardig werd gekeurd.

'Van Rich mag ik vanavond uit... ik moet alleen iemand hebben om mee te gaan en raad eens? Jij bent de gelukkige!' riep Vicky boven Dylan uit. Ik vind het niet erg, Vicky inspireert me vaak tot onbaatzuchtige daden van vriendschap. Toen ze aan het bed gekluisterd lag in het ziekenhuis, zevenendertig weken zwanger, met olifantenenkels en een bloeddruk die de pan uit rees, doorkruiste ik heel Londen om haar het enige te brengen wat haar zwangerschapslusten kon bevredigen: gefrituurde aubergines op een zilveren dienblad (nou ja, plastic, dan).

Ik was er al snel achter dat dit meisje uit Huddersfield een veel diepere bodem had dan je zou denken. Ze kon bijvoorbeeld behoorlijk wat achteroverslaan. Daar had een jeugd in de pub van haar ouders voor gezorgd. Ze had ook echt talent, en ik heb altijd gevonden dat wie dan ook met zoiets hoge ogen gooit.

Ik zal de laatste avond van de introductiedagen, de avond van de talentenjacht in het Owens Park nooit vergeten. Vicky stond op, in haar Benetton-sweater en zwaaide haar vaalblonde staartje op haar rug. Ze pakte de microfoon in de ene hand, had in de andere een pint cider en begon te zingen. Het was *Cry Me a River* en het klonk echt briljant. Niemand verroerde zich of zei een woord; iedereen staarde naar dat meisje, die vierkante meid die ineens werd bezeten door de geest van Ella Fitzgerald. Ze zong het nummer uit, zette de microfoon op de tafel, sloeg de rest van de cider achterover en ging zitten. Vijf seconden lang was iedereen met stomheid geslagen, behalve Gina, die naast me 'god, jezus' fluisterde. Toen begonnen we te klappen; eerst langzaam, en toen werd het een applaus op orkaansterkte. Het was briljant, onvoorstelbaar en bezorgde me kippenvel, en zelfs op dat moment wist ik, hoe dom, egocentrisch en onervaren ik toen ook was, dat je zo'n doorleefd nummer niet zo kon zingen als je zelf niet dingen had meegemaakt die ik, zo wist ik instinctief, niet had meegemaakt. Dingen zoals je moeder die wegloopt met een man die haar zoon kon zijn en een halfjaar later aan eierstokkanker overlijdt; dingen als zien hoe je vader van een joviale pub-eigenaar verandert in een kluizenaar met zelfmoordneigingen; dingen als je kleine broertje bijna in je eentje opvoeden en in je vaders pub zingen om wat bij te verdienen. Dus er was inderdaad meer over Victoria Peddlar te vertellen. Gina viel uiteindelijk ook voor Vicky, en in die tijd konden we heel wat van elkaar leren. Gina en ik leerden Vick hoe ze haar huid moest verzorgen, hoe ze haar geweldige boezem kon accentueren met andere dingen dan sweaters en gewoon een onverantwoordelijke tiener moest zijn – dat had ze min of meer overgeslagen. En Vicky was, denk ik, onze surrogaatmoeder als we er één nodig hadden. Altijd degene met een plan en de beste middeltjes tegen een kater. En vergeleken bij alles wat ze in haar korte leven al had meegemaakt, verzonk het wakker worden naast een of andere enge sukkel zonder dat je je iets van de avond ervoor kunt herinneren natuurlijk in het niet. 'Luister, er zijn geen doden gevallen, toch?' zei Vicky dan, terwijl ze op mijn bed zat en ik uit schaamte onder mijn dekbed lag te kreunen. 'En je moet het positief bekijken, je bent tenminste niet zo dronken geweest dat je in je broek heb gescheten.' (Sinds een meisje dat Julianne Breeze heette, echt zo dronken was geweest dat ze in haar broek had gepoept, was dat de maatstaf geweest waaraan we onze schandelijke gebeurtenissen afmaten. Per slot van rekening kon niets ooit zo erg zijn als dat.)

Na twee weken waren Gina, Vicky en ik nagenoeg onafscheidelijk.

Eind november had ik Jim ingebracht en waren we een hechte ben-
de. Of, zoals mijn vader het uitdrukte: 'iets waar je rekening mee
moest houden'.

Ik was dol op mijn vrienden, ik verafgoodde hen, en dat doe ik nog
steeds. Vanavond vraagt een van hen me om gewoon mee te gaan
naar de pub, op haar eerste babyvrije avond in weken, om op een
donderdagavond in alle rust een paar biertjes te drinken. Meestal
doe ik niets liever, maar vanavond kan ik wel wat hulp gebruiken. Ik
heb Jim nodig.

Van: tess jarvis@giant.co.uk
Aan: james ashcroft@westminster.edu.uk
Peddlar heeft bier nodig. Ik heb slaap nodig. Help?

Het duurde maar een paar seconden voor ik een antwoord in mijn
inbox zag floepen, wat betekende dat Jim in de docentenkamer
was.

Van: james ashcroft@westminster.edu.uk
Aan: tess jarvis@giant.co.uk
*Helaas, heb spannende date. Ik kan het eerste uur het leed komen
verzachten, maar daarna moet ik ervandoor. We gaan naar het Zwanenmeer??! (help)*

Bij de gedachte aan Jim die naar de stervende zwaan kijkt, terwijl hij
zich afvraagt wat het beste moment is voor een biertje en een vrijpartij moet ik stilletjes lachen. Maar een uur lang bijstand is beter
dan niets, dus ik bel Vick terug en zeg: 'Ik ga mee.'

2

'De dag dat we met Jen en Ming uit China thuiskwamen was de geluk-kigste dag van ons leven. Ik was vierenveertig. We hadden al twintig jaar geprobeerd kinderen te krijgen en hadden nu de halve wereld rondgereisd om een baby te adopteren. Drie maanden later had ik een routineonderzoek vanwege mijn polycystische eierstokken. "Mevrouw Freed," zei de dokter met een doodsbleek gezicht. "Wist u dat u zwanger was? Van een tweeling?"'
Jenny, 46, Southampton

Daar zit ik dan, voor de vijfde avond op rij aan de boemel, in de Coach and Horses in Soho, een warme, rokerige pub die naar vochtige jassen en verschaald bier ruikt, met mijn beste vrienden, Vicky en Jim.

'Wijn voor de dame, een Stella voor meneer in de hoek,' zeg ik terwijl ik Jim zijn bier doorgeef.

'O, dank je, je bent een schat.' Hij slaat de helft in één slok achterover. 'Chaucer en pubers van veertien, daarvoor ga ik elke keer weer voor de bijl, echt.'

'En Jimbo,' zegt Vicky, die een groot glas wijn voor zichzelf inschenkt. 'Hoe komt het dat jij met je minnares, of is het je vriendin...' Jim kreunt bij die woorden, 'hoe komt het dat ze het klaarspeelt je naar het *Zwanenmeer* mee te krijgen? Toen we naar *Les Misérables* waren geweest, zei jij, en ik citeer: "Het waren gewoon een hoop oude vrouwen die maar met enorme bierkroezen over het podium heen en weer bleven stampen".'

Jim kijkt op van zijn glas bier, met een schuimsnor op zijn bovenlip. Ik trek een wenkbrauw op.

'Echt?' zegt hij oprecht ongelovig. 'Sorry, Vick. Wat onbenullig.'

'Al goed – ook al was het mijn verjaardag, als ik het me goed herinner – maar goed, je hebt de vraag nog niet beantwoord.'

'Welke vraag?'

'Hoe komt het dat je naar het ballet gaat als je nog niet eens van musicals houdt?'

'Ik heb geen hekel aan musicals,' zegt Jim, nerveus aan de kraag van zijn jack pulkend. 'Ik vind ze alleen niet allemáál leuk.'

'En van welke musicals hou je wel?' vraagt Vicky. Ik zie dat ze geniet van haar ondervraging.

'*Chicago*,' zegt Jim schouderophalend.

'*Chicago*?' sputtert Vicky.

'Ja, *Chicago*. Je weet wel, de musical waar ze een gangsterfilm van hebben gemaakt.'

'Met al die vrouwen in jarretellen en kousen, bedoel je?' doe ik mee.

'Die bedoel ik,' zegt Jim met een knipoog.

Vicky knikt wijs.

'Ah, ja,' zegt ze. 'Dat kun jij wel waarderen, ja.'

Jim kijkt ons aan, lacht kort en wendt dan hoofdschuddend zijn blik af.

Dat is zijn 'docentengezicht'. Het zegt: word nou eens volwassen. En het irritante is, het staat hem eigenlijk wel. Wij hebben allemaal het stadium 'ik wil leraar worden' doorgemaakt (gedreven door fantasieën over op tafel staan en inspirerende speeches afvuren, net als Robin Williams in *Dead Poets Society*) en zijn er weer uitgekomen, maar Jim heeft het echt gedaan. En hij is een natuurtalent. Zozeer zelfs dat hij na nog geen drie jaar Engels geven aan kleine monsters op de Westminster City School hoofd van de vakgroep is geworden. Jim kan over Shakespeare praten alsof hij het over *Neighbours* heeft: hij weet waar hij het over heeft, is echt enthousiast over zijn onderwerp en weet desondanks te voorkomen dat hij als een betweter klinkt. Nou ja, meestal.

'Luister,' zegt Jim vermoeid. 'Dit is een lieve meid, en toevallig vindt ze ballet leuk en ze vindt mij leuk en wil dat ik meega. Sinds wanneer mag een man niet wat cultuur tot zich nemen, en waar zijn we hier eigenlijk mee bezig? Een inquisitieondervraging?'

'Nee, het klinkt alleen alsof het toch je vriendin is, als je met haar naar het ballet gaat omdat zij het zo leuk vindt.' Ik geef hem een speelse por. 'Onbaatzuchtigheid is het eerste symptoom van echte liefde, zou ik zeggen.'

Vicky slaat omstandig haar armen over elkaar.

'Daar zal Annalisa niet blij mee zijn,' zegt ze behulpzaam.

Annalisa is iets zeldzaams: een vakantieliefde die een vakantieliefde is gebleven. Jim heeft haar een paar jaar geleden tijdens een mannenvakantie in Rimini leren kennen. Sindsdien hebben ze een 'verhouding' (die erop neerkomt dat ze elkaar trakteren op een portie ongebonden lol als hij in Italië is of zij in Londen).

'Hou er toch over op.' Jim laat zich tegen zijn rugleuning vallen. 'Annalisa zou het toch niets kunnen schelen, bovendien is Claire echt een schat van een meid, maar hoeft ze net zo min als ik een serieuze relatie. Jullie twee zijn gewoon jaloers. Ik heb een afspraakje en ik ga iets interessants doen. Intussen zitten jullie in deze waardeloze tent over make-up en menstruatie te praten. Waarschijnlijk.'

Dat doen we vaak, wij vieren, elkaar op de kast jagen. Soms vergeet ik dat ik met Jim naar bed ben geweest. Dat hij me naakt heeft gezien, in allerlei compromitterende standjes. Ik vergeet dat hij mijn borsten heeft gestreeld, met me in bad is geweest en commentaar heeft geleverd op mijn ontspannen houding ten aanzien van ontharen. Het is alsof we experts zijn in compartimenteren. Als we samen in bed bezig zijn, zijn we teder en intiem. Zo niet, dan zijn we gewoon vrienden. Niet meer en niet minder. Gewoon vrienden.

Ik kijk Jim aan.

'En wat trek je aan voor deze belangrijke afspraak?'

'Hoe bedoel je?'

'Ik bedoel, wanneer ga je je omkleden, je weet wel, om je uitgaanskleren aan te trekken?'

Jim bekijkt zijn outfit. Dan kijkt hij Vicky aan. Hij kijkt echt een beetje gekwetst. Eigenlijk wil ik een arm om hem heen slaan.

'Dit zijn mijn uitgaanskleren,' zei hij. 'Dit doe ik aan.'

'Dat meen je niet,' zeg ik. Vicky proest het uit en sproeit gebakken scampi's in het rond. 'Het is ballet, Jim. In die kleren sta je zo weer op straat.'

'Hoezo? Wat is ermee aan de hand?'

'Je ziet eruit als een kruising tussen Austin Powers en een raver.'

'O, hou toch op, Tess. Hij ziet er best uit. Toch, Jimbo?' Vicky legt een arm om zijn schouders en probeert niet te lachen.

Jim kijkt mij aan.

'Wat zeg je?' vraagt hij met opkrullende mondhoeken. 'Dit is een puik colbert, zal ik je vertellen. Een Ellesse, geen rommel van Top Man. Dit is echte top.'

Vicky en ik doen het bijna in onze broek. Jim heeft dat colbert al sinds ongeveer 1991. Dat waren zo'n beetje de nadagen van Ellesse. 'Waar zijn je fluitje en je pilletjes?' zeg ik voor de gein. 'En dat brandgat van die sigaret zal ook nog wel in de achterkant zitten.'

Jim steekt zijn onderlip naar voren en speelt pruilend het spelletje mee.

'Kom maar, hoor, ik maak maar een grapje,' zeg ik, en ik sla mijn arm om zijn nek en trek zijn hoofd tegen het mijne. 'Je ziet er cool uit. Echt. Een beetje... wat zal ik zeggen? Sportief noncha met een snufje jaren zeventig.'

We lachen alle drie maar hij ziet er inderdaad cool uit, op een eclectische Jim-manier. Het is een mengeling van decennia, met dat Ellesse-jasje, het T-shirt zonder mouwen uit de jaren zeventig en zijn ribbroek, maar mannen die er niet zo'n moeite voor doen hebben iets, en Jim maakt zich niet bepaald schuldig aan moeite doen voor zijn uiterlijk. Jim doet niet zozeer aan mode maar trekt soms toevallig iets uit de kast dat 'in' is.

Jim staat op, trekt de rits van zijn jasje dicht en zegt dat hij gaat. 'Nou, bedankt, moderedactie,' zegt hij. 'Maar nu ga ik op zoek naar verfijnd gezelschap. Een vrouw die weet hoe ze zich moet gedragen, een vrouw die een trendy stijl weet te waarderen.'

Uit de jukebox klinkt Kylies *Spinning Around*. Jim loopt wiegend naar de bar en wiebelt met zijn smalle kontje.

'Ziet er goed uit, Ashcroft!' roep ik hem na. 'De dame zal je niet kunnen weerstaan!'

Daarop giet hij de rest van zijn pint naar binnen, zet zijn glas op de bar, geeft het V-teken en schiet de deur uit. Ik kijk hem na. Met zijn handen in zijn zakken en zijn hoofd gebogen loopt hij op zijn Reebock Classics met verende tred over de stoep.

Als ik me weer omdraai, zit Vicky me aan te staren.

'Wat is er?'

'Je glimlacht,' zegt ze.

'Is dat zo?'

'Ja, je zit echt te glimlachen.'

Daar gaan we weer.

Een avond uit met Vicky heeft wel wat van die film *Groundhog Day*. Vanaf het moment dat ik binnenkom tot het moment dat zij de nacht in loopt en op het nippertje de laatste trein naar Beckenham haalt, weet ik precies wat er komt: zo veel flessen rood als we maar op kunnen en het onvermijdelijke 'maar eigenlijk ben je stiekem verliefd op Jim, hè?'

Vicky heeft een gigantische zwakke plek voor Jim. 'Dus zijn jullie twee gewoon neukmaatjes? Ik bedoel, zien jullie het zelf zo?' vraagt ze, en ze kijkt me over haar wijnglas heen aan.

Die vreselijke term heeft ze ongetwijfeld van een of ander vaag programma over seks dat wordt gepresenteerd door Jenny Eclair, maar er zit wel iets in: 'vrienden die het met elkaar doen.' Maar we zijn het niet, tenminste niet in mijn ogen, omdat 'neukmaatjes' de indruk wekt dat het alleen maar om de seks gaat en niet zozeer om de vriendschap. Bij Jim en mij is het juist het tegenovergestelde. 'Neukmaatjes (als er al ooit zoiets vreselijks heeft bestaan) gaat het om de seks als je even zin hebt zonder de emotionele complicaties die erbij komen kijken als je echt om iemand geeft,' zeg ik tegen haar. 'En ik geef echt om hem, ik ben gek op hem.'

'Dat wéét ik toch,' zegt ze overdreven nadrukkelijk alsof ik doof ben. 'En hij is ook helemaal stapelgek op jou, ja, jou.'

'Maar niet op die manier,' zeg ik, en ik staar in mijn glas. Ik voel me nooit op mijn gemak als ze hierover begint. 'Hoe teleurstellend het ook is – echt waar, ik vind het ook teleurstellend, het is niet op die manier. Jim en ik zijn gewoon vrienden. Vrienden die af en toe met elkaar naar bed gaan en dat waarschijnlijk beter niet konden doen, ja ja, ik weet het. Maar toch zijn we gewoon vrienden.'

Vicky schudt verslagen haar hoofd.

'Vreemde vrienden, als je het mij vraagt.'

En zo ging het maar door. Tot ik tegen middernacht de kroeg uit strompelde, de frisse nachtlucht in, zonder de illusie dat ik binnen een uur thuis zou komen.

Ik besloot de taxi te laten staan en door Soho te lopen om een bus op Oxford Street te pakken.

Soho is 's nachts echt een unieke belevenis. Het lijkt op de set van een musical in West End. Het is er een en al leven, licht en geluid. Als ik over Old Compton Street loop, zie ik de homo's voor de Franse patisserieën zitten, met de benen over elkaar geslagen, het sjaaltje strak om de nek gewikkeld, met een espresso aan de lippen. Uit de kelders rijst stoom op van de laatste vaat van die avond en het barpersoneel gaat zitten voor een welverdiend biertje.

Ik steek Dean Street over, naar Wardour Street, zigzag tussen de drommen mensen door die in de rij staan voor de nachtcafés, de besloten clubs en restaurants.

Dit gedeelte van Londen is de speeltuin voor de vrije vogels. Een zone voor degenen die nog geen beslissingen hoeven te nemen, bij wie de levensomstandigheden nog in ontwikkeling zijn, voor degenen die nog aan het spelen zijn.

En nu ben ik nog aan het spelen. Maar ik heb het vreemde gevoel dat voor mij het spel bijna uit is, dat zo dadelijk de bel gaat en ik een aantal beslissingen zal moeten nemen en zal moeten uitzoeken wat ik nu eigenlijk van het leven wil.

De gedachte dat ik vorige week zwanger van Jim had kunnen zijn, is bespottelijk. Bovendien, op het moment dat ik die test in mijn hand had, had de potentiële vader een date, net als vanavond, en dat kan toch eigenlijk niet?

Ik was toen sterk in de verleiding om 'hallo, toekomstige vader' te sms'en. Als wraak voor het feit dat hij lekker aan de boemel was en ik op een zelfreinigend toilet aan een zenuwinzinking bezwijk.

Maar uiteindelijk kon ik het niet. 'Het is negatief,' sms'te ik. 'Je gaat vrijuit.'

Ik kreeg pas een reactie van hem toen ik een uur later bij de bar van Camden Head stond: 'Goddank. En jij wilde me wijsmaken dat dat buikje een baby was.'

Brutaal monster! Samen de verantwoordelijkheid dragen, ja ja.

Ik loop Wardour Street in, waar een kudde twintigers staat; de jongens allemaal met heftige gelkapsels en strakke spijkerbroeken, de meisjes met zwoele, half geloken ogen. Ze zwalken zingend en lachend over straat. Een van de meisjes zit op de schouders van een jongen die vast haar vriendje is, haar slanke armen in de lucht en een flesje bier in de hand. Nog high van de Londense sfeer denk ik: zo waren wij ook. Zo hebben Jim, Gina, Vicky en ik ook gelopen, van de ene bar naar de andere laverend, daarna naar iemands huis, nog meer bier, misschien wat drugs, niemand die aan de volgende dag denkt, meesters in het overleven van een werkdag zonder slaap.

We gaan er nog steeds voor (zelfs Vicky, van wie ik soms vermoed dat ze een orgaan zou doneren voor een goede avond uit). Maar soms heb ik het idee dat ik in een roes vol gas door het grootste deel van de jaren tussen de twintig en de dertig ben gesjeesd, en nu ik bijna dertig ben nog steeds in een roes vol gas voortraas, terwijl ik eigenlijk zou moeten afremmen, of tenminste beginnen te kijken waar ik heen ga.

'Volgende vraag,' zegt Gina, die haar bikinibovenstukje verschuift. Haar borsten wiegen in het water als deegballetjes in de pan. 'Marcus?'

Marcus likt aan de joint in zijn hand en steekt hem in zijn mond, waarna hij naar Gina gebaart om de aansteker.

'Oké,' zegt hij, 'ik heb een goeie. Wat is het ergste wat je ooit in een interview hebt gezegd?'

Jasper trekt met veel gesis een biertje open.

'Ik heb een interviewer eens gevraagd wanneer de baby zou komen,' mompelt hij van onder zijn hoedje.

'Wat is daar mis mee?' vraag ik.

'Ze was niet in verwachting.'

Ik doe het bijna in mijn broek van het lachen. Ik weet niet waarom, het is gewoon het beeld van Jasper in een interview – hij een interview – dat ineens een giller is. Jasper is kunstenaar. Hij doet 'installatiekunst'. Ik wil mensen die echt kunstenaar zijn niet belachelijk maken, mensen die echt installaties maken. Maar in Jaspers geval moet je het vertalen als 'werkloos'.

Oeps, daar gaat mijn beschouwende stemming die door mijn verhelderende wandeling door Soho is opgeroepen. Het is nu twee uur 's nachts en ik lig in de jacuzzi met Gina (nu mijn huisgenoot), haar huidige bedgenoot Jasper en een man die ik nog nooit heb gezien. Dat is de laatste dagen maar al te vaak het geval; ik hoef niet per se, het gebeurt gewoon. Het is een van de risico's die een jacuzzi in de kelder met zich meebrengt.

Gina en ik hadden niet gepland om zo lang samen te wonen; dat is ook 'gewoon gebeurd'. In ons tweede en derde studiejaar woonden we met zijn vieren in een huis in Rusholme. Toen we waren afgestudeerd verhuisden we allemaal naar het centrum. Jim haalde zijn onderwijsbevoegdheid, en omdat hij nu echt werk had deed hij een aanbetaling op een flat. Het geld daarvoor had hij opgespaard met zijn baantje als verkoper van doosjes reliëfkaarten met teksten als 'voor mijn liefste' erop. Gina, Vicky en ik trokken in Linton Street 21 in het trendy Islington, en dat was dan dat.

Op dat moment had ik walgelijk veel documentaires gezien over mensen met monsterlijk grote gezwellen en wilde ik mijn diploma journalistiek halen om dergelijke mensen over zulke dingen te interviewen. Ik dacht dat ik het had gemaakt nu ik in die hippe wijk woonde en aan het begin stond van een carrière in de media. Het probleem was alleen dat ons huis, met zijn afbrokkelende stoepje en het hekwerk voor de ramen, net het Hammer House of Horrors was tussen allemaal elegante, witte, voorname stadspanden. Maar we hielden van dat huis. En we hielden bijna evenveel van onze huisbazin. Mevrouw Broke-Snell liet om de dag haar haar föhnen en deed alleen boodschappen in Harrods Food Hall. Jammer dat ze niet net zo veel zorg besteedde aan haar onroerend goed als aan zichzelf, maar zij had in elk geval het lumineuze idee gehad (en was onverstandig genoeg geweest) om een jacuzzi te laten installeren. En ziedaar: de jacuzzi!

De jacuzzi is ongetwijfeld het beste populariteitsmiddel aller tijden. Compleet met houten betimmering, massagestralen en een laag schimmel die aan de buitenkant woekert. Linton Street 21 is altijd dé afterpartypleisterplaats geweest voor hele hordes mensen, die met hun zeepvoeten van de gang naar het souterrain lopen en weer terug, om in onze jacuzzi te verschrompelen en dronken gesprekken te voeren over hoe het over vijf jaar met ons zal gaan. Het probleem is dat die vijf jaar nu om zijn. Je zou denken dat de nieuwigheid er wel af zou zijn om diepzinnige gesprekken in ons zwemgoed te voeren, maar we liggen nog steeds te weken.

Hoewel Jim mijn kamer heeft gebruikt toen ik in 2002 op reis ging – zijn eigen flat had hij verhuurd voor de broodnodige contanten –, is het altijd een uitgesproken meidenhuis geweest. Toen beging Vicky (in elk geval in Gina's ogen) de ultieme misdaad: niet alleen trouwde ze met Richard, maar ze kreeg ook nog eens kinderen met hem. Het was natuurlijk te verwachten, maar toch hadden Gina en ik niet gedacht hier bijna tien jaar later nog te zitten. Gina was er zelfs zo van overtuigd dat ze door een van haar vriendjes gevraagd zou worden bij hem in te trekken, dat ze twee jaar lang geen bed kocht.

En ik dacht dat ik allang weg zou zijn, getrouwd, wonend in een appartement met tuin, maar we zitten nog steeds hier en betalen de huur met z'n tweeën zodat we geen huisgenoot erbij hoeven te nemen. Gina gaat nog steeds uit met eikels (het soort dat het na twee weken over samenwonen heeft maar haar na vier weken dumpt).

En ik rommel lekker door, opgevrolijkt door af en toe een vrijpartij met Jim, en vraag me af hoe het komt dat ik op mijn achtentwintigste als een oudere jongere leef.

Als ik ben bijgekomen van mijn lachbui besef ik dat Gina me zit aan te staren. Gina houdt er niet van als mensen om haar vriendjes lachen, ook niet als ze zelf met de grappen zijn begonnen.

'Tess heeft een nog beter verhaal, hè Tess?' zegt ze speels. 'Wat is het ergste wat jíj ooit in een interview hebt gezegd?'

Daar gaan we weer. Gina vindt het prachtig om dit verhaal te pas en te onpas op te laten dissen. 'Moet het?' kreun ik.

'Ja, het moet. Het is briljant. Vertel op.'

'Ik heb eens tegen het hoofd van een pr-bedrijf gezegd dat ik vloeiend Italiaans sprak,' zucht ik. 'Dat had helemaal geen kwaad gekund als ik niet voor mijn examen was gezakt.' Iedereen wacht op de clou. 'En zij geen Italiaanse was geweest.'

Gina klapt genietend in haar handen. 'Prachtig! Ik lig elke keer in een deuk! Het zou nog niet zo erg zijn,' zegt ze tussen haar schaterlach door, 'maar dat mens heette wel Luisa Vincenzi!'

Ik moet toegeven: het is om je te bescheuren.

Pas als Marcus onder water begint te voetjevrijen kom ik tot mijn positieven en besef ik dat ik als een gedroogde pruim ben verschrompeld en verschrikkelijk dronken ben. Als ik uiteindelijk veilig en wel mijn slaapkamer heb bereikt, is het na drieën in de ochtend. Ik stap in bed, laat mijn hoofd op het koele kussen zakken en adem langzaam en diep uit. Buiten hoor ik nog auto's langszoeven. Ik hoor motoren ronken. Londen is klaarwakker en feest door. Ik weet niet hoe ik morgen mijn bed uit moet komen of hoe ik een werkdag moet doorkomen op vier uur slaap.

Wat ik ook niet weet, is dat er zich ergens in mijn binnenste cellen aan het vermenigvuldigen zijn en er een nieuw leven begint.

3

'Grappig genoeg zat Chris toen ik thuiskwam naar voetbal te kijken. "Oké," zei ik, "wil je het goede of het slechte nieuws horen?" "Het goede," zei hij. "Ik ben in verwachting," zei ik. "En het slechte?" "Het komt in juni." Toen Grace was geboren belde ik hem meteen, maar hij nam niet op. Toen ik hoorde dat Pearce en Bates een penalty naast hadden geschoten, sloeg ik met mijn vuist door de lucht. Ik hoef niet te zeggen dat de scheiding is aangevraagd.'
Laura, 25, Leicester

De volgende ochtend zit ik in de keuken op een kruk thee te drinken als Gina en Jasper, met zijn *trilby* nog op, binnen komen slenteren.

'God, ik ben zo brak als een berenkont,' zegt ze gapend, en ze reikt over mijn hoofd, zodat ik moet wegduiken en thee over mijn nachtpon knoei.

Ik krimp ineen vanwege de hete vloeistof op mijn huid. 'Ik ben ook niet zo fris. En jij, Jasper? Kater? Je treft de goede toon met die hoed, dat in elk geval.'

Gina trekt een wenkbrauw op. Ze weet dat ik het sarcastisch bedoel, maar hij hoort me toch niet. Hij zit met zijn handen in zijn broek en zijn hoofd in de *Guardian* van zaterdag.

Gina slentert naar de waterkoker, hoest, of eigenlijk blaft, en zet hem aan, waarna ze haar gewelfde, kleine gestalte op het aanrecht hijst. Ik vang een glimp op van een rood slipje onder haar badjas.

'Jezus, ik moet stoppen met roken,' zegt ze als ze is bijgekomen van de hoestaanval. Dat zegt ze al tien jaar. Ik heb haar ooit vier sessies bij een hypnotherapeut cadeau gedaan, als dank voor het feit dat ik haar mocht noemen in een artikel over gezondheid in *Believe it!* Ze is er niet door gestopt met roken, maar heeft er een nieuwe verslaving bij gekregen: de hypnotherapeut. Blaise Tapp heette hij, en dat was zijn echte naam. Ze heeft drie maanden lang het bed met hem gedeeld.

'Thee of koffie, Jasper?'

'Eh, koffie. Maar alleen als het echte koffie is. Eén suikerklontje, graag.'

Hij leunt achterover in de keukenstoel en rekt zijn armen boven zijn hoofd uit. Hij heeft een hemd aan, dus ik word getrakteerd op een uitzicht op zijn dikke, donkere okselhaar dat er welig tiert, borstelig als van die nepsnorren die je in feestwinkels kunt kopen.

Ik sta op, zet mijn kom in de vaatwasser en besef dat ik geen beha aanheb en mijn tepels waarschijnlijk nogal nadrukkelijk aanwezig zijn.

'Shit, geen koffie,' mompelt ze zacht.

'Heb jij echte koffie en mag ik er een beetje van bietsen, Jarvis?'

Ik pak hem uit de kast en geef haar de bus; ze zegt geen dankjewel.

Zo doet Gina weleens: bruusk, op het grove af. Soms worden mensen daar boos om. Jim springt ervan in de opvoedmodus en Vicky blijft gewoon bij haar uit de buurt. En ik? Ach, ik ben eraan gewend, denk ik. Gina kan wel doen alsof ze een ruige meid is, maar vanbinnen is ze zacht en knuffelig, en heel gevoelig. Ik wijt dat echt aan haar ouders: als baby volledig aan nanny's overgedragen, met acht jaar naar de kostschool gestuurd. Gina heeft met het jaarsalaris van 70.000 pond dat ze in de City verdient naar ik aanneem niemand nodig die haar financiële zekerheid biedt, maar je hoeft er geen psycholoog voor te zijn om te zien dat ze net een uitgeputte peuter is die zich verzet tegen de slaap, alleen heeft zij dan geen slaap maar liefde nodig. Daarom maak ik me zorgen over haar keuze wat mannen betreft.

Jasper verontschuldigt zich en gaat douchen. Zijn spijkerbroek hangt halverwege zijn kont en onthult de aanzet van een heel onsmakelijke, behaarde bilspleet. Bezorgd bedenk ik me dat ik op mijn moeder begin te lijken.

'Interessante vent, vind je niet?' zegt Gina, en ze loopt naar het keukenraam, waar ze haar neus tegen het glas drukt. Buiten is de morgenlucht kobaltblauw, als een kerkvenster. 'Zo creatief.'

Zo'n nietsnut, wil ik zeggen, maar ik hou mijn mond. Ik kan het niet. Ik bedoel, niet dat hij een slecht mens is, of zo, maar als vriend deugt hij gewoon niet. En Gina kan meer dan wie ook echt een vriend gebruiken.

Ik stap onder de douche vandaan en hoor mijn mobieltje gaan. Godallemachtig, rot op! Wie heeft er in vredesnaam iets te zeggen dat zo belangrijk is dat ik het om acht uur 's morgens moet horen?

Na de vijfde keer overgaan neem ik op.

'Hallo?'

'Tess?!'

Ook al kent mijn moeder mij en mijn stem al bijna dertig jaar, ze doet nog steeds alsof ik Terry Waite ben en dit de eerste keer is dat ze me, na mijn vijfentwintig jaar gevangenschap, weer spreekt. Dat zou ik niet zo erg vinden, maar deze hoge dosis drama kan nogal vermoeiend zijn, vooral omdat ze soms twee keer per dag belt.

'O, ben jij het. Ha, mam,' zeg ik, en ik ga op mijn bed zitten. Ik heb alleen een handdoek om en ben kleddernat.

'O, goddank. Góddank is er niets met je,' zegt ze ademloos.

'Wat zou er met me moeten zijn?'

Was er een ramp gebeurd terwijl ik onder de douche stond? Een bom ontploft, een staatsgreep gepleegd? Een tsunami misschien?

'Ik maak me gewoon zorgen over je, daar in de grote stad, meer niet. Als je moeder bent – als je zelf moeder wordt, zul je het begrijpen – dan maak je je altijd zorgen dat er 's nachts iets gebeurd kan zijn.'

Denkend aan de nipte ontsnapping van de afgelopen week, trek ik een grimas en hou de telefoon een stukje van mijn hoofd vandaan.

Welkom in de wereld van Pat Jarvis. Vierenvijftig, gelukkig getrouwd met Tony Jarvis, twee fantastische kinderen, Tess en Edward, de liefste vrouw op aarde en ziekelijk pessimistisch over de veiligheid van haar eigen kinderen.

Als er een treinongeluk zou gebeuren in bijvoorbeeld Cardiff, dan zou mijn moeder het heel goed mogelijk vinden dat ik die dag iemand in Wales heb moeten interviewen en dat ik dus dood en misvormd op de rails lig. Als ik niet binnen een halfuur terug kan bellen, dan ziet ze me al gebonden en gekneveld in de kofferbak van de auto van een cocaïnedealer liggen, met mijn piepende mobieltje in mijn zak. Toen ik klein was mocht ik haar nooit helpen als ze iets bakte omdat ze bang was dat ik met mijn hand tussen de mesjes van de blender zou steken of dat ik mijn slagader zou openhalen aan het broodmes. Om een lang verhaal kort te maken: mijn moeder is stomverbaasd dat ik achtentwintig jaar ben en nog steeds leef. Zoveel vertrouwen heeft ze in mijn vermogen om in leven te blijven.

'Ik belde je om je eraan te herinneren dat je broer jarig is. Maar voor we het daarover hebben, heb ik slecht nieuws.'

Dat is nog eens een verrassing.

'David Jewson is gisteren gestorven. Tweeënzestig. Gewoon in zijn tuin dood neergevallen. Zomaar.'

Ze wacht mijn reactie af terwijl ik mijn hersens pijnig in een poging me te herinneren wie David Jewson is.

'Wat vreselijk. Maar eh... wie is David Jewson?'

Mam zucht. Dit is niet de reactie waarop ze had gehoopt.

'O, kom nou toch. Je kent David Jewson toch wel, Tessa. Je hebt bij zijn dochter Beverly in de klas gezeten. Schat van een meid, erg mooi. Ze werkt bij Natwest hier in het dorp.'

Beverly had een bejaardenpermanentje en is een keer uitgeroepen tot 'Burger van het jaar' (dat spreekt voor zich, lijkt me zo). Dat maakt het niet minder vreselijk voor haar om haar vader kwijt te raken, maar waarom moet mijn moeder mij altijd zo doorzagen over de deugden van andermans kinderen? Was ik dan niet mooi? Was ik dan niet intelligent? (Was ik me niet ontstellend kinderachtig aan het aanstellen?)

'O ja, ik weet het weer. Beverly,' zeg ik, terwijl ik op mijn lip bijt. 'Verschrikkelijk. Echt vreselijk.'

'Dat was het ook, Tess, echt,' zegt ze, wat opgemonterd. 'Vooral omdat hij afgelopen week nog niets mankeerde. Ik zag hem in de Spar toen ik kip kocht voor de kip Kiev voor bij de thee. Daar stond ik dan in de vriezers rond te neuzen, en toen voelde ik een hand op mijn rug en hoorde ik een stem zeggen: "Ha Pat, ben jij dat?" Ik voelde me echt rot want ik had op dat moment mijn dubbelfocusbril op en herkende hem niet en...'

Bla bla bla...

Ik word pas weer wakker uit de verdoving waarin ik wegglijd als ik haar monologen krijg toegediend, wanneer ik haar hoor zeggen: 'En je vader wordt dit jaar zevenenvijftig en die wordt er ook niet echt jonger op. En hij heeft weer zo'n rare bui.'

Pap krijgt om de paar maanden wat mam een rare bui noemt. Hij wordt dan een beetje stil, kijkt veel tv en rommelt wat meer dan gebruikelijk in zijn kas, maar dat is het wel zo'n beetje. Ik weet niet waarom ze er zo over loopt te stressen. Je moet gewoon weten hoe je hem moet aanpakken: je laat hem met rust en houdt ermee op hem aan zijn kop te zeuren, de arme man.

'Jee mam, pap valt echt niet dood neer. Hij heeft meer energie dan jij en ik bij elkaar.'

Dat is waar. Mijn vader heeft een bouwbedrijf, dus hij rent ladders op en af en tilt zakken cement. Bovendien gaat hij elk weekend een rondje golfen en heeft hij vorig jaar voor het kankerfonds tien kilometer hardgelopen in de Morecambe-race, in garnalenkostuum. Wat mijn moeder mist aan fitheid, maakt mijn vader tien keer goed. Het is eerder mijn moeders gezondheid die gevaar loopt, in aanmerking genomen hoeveel tijd ze op haar krent stilton zit te verstouwen terwijl ze naar *Emmerdale* kijkt.

'Je hebt gelijk, liefje, je hebt helemaal gelijk,' verzucht ze. 'Maar daar kun je toch niet bij? Ik bedoel, het ene moment leeft hij nog, en het volgende is hij zo dood als een pier. Hij liep gewoon zijn gazon te maaien, niet te geloven toch? Wie had gedacht dat je dood kon gaan aan het maaien van gras.'

Ik grinnik zacht om de kenmerkende dwaasheid van die opmerking. Als mijn moeder het voor het zeggen had, zouden we allemaal gewikkeld in bubbeltjesfolie en met valhelm door het leven gaan om ons te beschermen tegen de levensbedreigende aard van gemaaid gras.

Het duurt nog minstens tien minuten voor ze aanstalten begint te maken om op te hangen zodat ik me klaar kan maken om naar mijn werk te gaan.

'Nou, vergeet je Eds verjaardag niet? Die is maandag, dus je moet je kaart op zaterdag op de bus doen, want er wordt op zondag niet bezorgd en...'

'Ja, mam. In tegenstelling tot wat iedereen denkt ben ik niet helemaal debiel.' Ik klem het telefoontje onder mijn kin en probeer een slipje aan te trekken. 'Ik spreek je nog. Doei!'

Ik druk op het rode hoorntje en voel onmiddellijk het schuldgevoel toeslaan. Arme mam. Sinds ik in Londen woon, lijk ik nooit tijd te hebben om lekker lang met haar te bellen en soms ben ik bang dat ze jaloers op me is omdat ik wel weet hoe ik pap moet aanpakken. Mijn vader en ik begrijpen elkaar gewoon. Terwijl mijn moeder en mijn broer een aangeboren neiging tot roddelen en dramatiseren hebben, het ergste te verwachten en er dan genietend over door te kletsen als hun voorspelling is uitgekomen, hebben mijn vader en ik een veel zonniger kijk op het leven: alles en iedereen is goed tot het tegendeel is bewezen.

Uiteindelijk ga ik om tien over halfnegen het huis uit en denk, als ik snel ben, nog net tijd te hebben om bij Star's binnen te rennen voordat ik de bus neem. Star's is de stomerij aan de New North Road. Ze wordt gerund door een familie van Turks-Cyprioten, met aan het hoofd Emete, wier talrijke zwembandjes en wallen onder haar ogen zo'n berg aan energie verhullen, dat je verwacht dat deze vrouw deze week zomaar van een vijfling zou kunnen bevallen en dan nog het strijkwerk van de hele straat zou kunnen wegwerken.

Als ik de deur openduw, klingelt de bel. Emete komt met een centimeter om haar nek naar voren.

'Tessa, liefje. Wat een mooi begin van de dag!' Ze spreidt haar armen uit – die elk zo dik zijn als een van mijn bovenbenen – en plant op elke wang een enthousiaste kus.

'Ha Emete. Morgen Omer!' roep ik, terwijl ik tussen de rijen plastic zakken door naar achteren tuur. Daar zit Omer met een beker koffie in zijn hand de krant te lezen. Hij steekt zonder te kijken een hand op.

'Zeg het eens, engeltje.' Emete speldt een roze kaartje op iemands jasje en hangt het op aan een rail rechts van haar.

Ik hoor de deurbel weer klingelen en ben me vaag bewust van iemand naast me.

'Het gaat om dit overhemd,' zeg ik, en ik haal een linnen overhemd uit de zak en leg hem voor me neer. 'Het zat de vorige keer tussen het schone goed, maar het is niet van mij. Het is in de verkeerde zak terechtgekomen.'

Emete steekt de veiligheidsspeld die ze vasthield tussen haar tanden en houdt het overhemd tegen het licht. 'Vreemd,' zegt ze.

'Gek, zeg,' zegt een stem. Ik herken hem onmiddellijk. 'Ik heb hetzelfde probleem.'

Er wordt nog een kledingstuk op de toonbank gelegd.

Ik staar naar de witte linnen jurk voor me en dan naar de handen die er bovenop liggen: gebruind, groot, met slanke vingers en ronde, roze nagels. Die handen zou ik overal herkennen. Ik laat mijn blik langs de armen gaan; tenger, jongensachtig met een volmaakt laagje fijn zwart haar, en dan naar het gezicht. Ik kijk naar het gezicht. Mijn hand schiet naar mijn mond en mijn hart gaat tekeer.

'Laurence?'

Bruine ogen, waarachter hele albums met herinneringen liggen, staren me nu vol ongeloof aan. Hij slaat zijn handen voor zijn ogen. Die o zo vertrouwde handen.

'Tess?' Hij laat zijn handen zakken. 'Shit, je bent het echt.' Hij kijkt naar het overhemd. 'En dat is mijn overhemd!'

Emete, die normaal gesproken al om niets giechelt, ligt echt dubbel van het lachen, en haar diepe, hese gelach doet haar boezem schudden.

'Ken je haar?!' Haar uitpuilende ogen zijn nu rond als toverballen. 'Ken je hem?!' Ze roept Omer van achter. 'Omer, in die vijftien jaar heb ik nog nooit... O, wat geweldig!' Omer komt aanschuifelen, legt een arm om zijn vrouw heen en lacht een stille, tandenloze lach om de humor van het moment.

We wisselen kleren uit – Laurence geeft mij mijn witte jurk en ik hem zijn overhemd –, maar mijn handen trillen zo erg dat ik het aan zijn voeten laat vallen.

'Sorry. Oepsie.' (Wat is dat nou voor woord: oepsie!)

'Laat maar, ik pak het wel.' Hij raapt het op. Als hij overeind komt is zijn gezicht zo dicht bij het mijne dat ik de piepkleine bobbeltjes van het scheren kan zien. Laurence is nauwelijks ouder geworden. Zijn haargrens ligt misschien iets verder naar achteren, maar nu zitten er wel twee zongebruinde inhammen en wat lachrimpeltjes om die mooie, luie ogen. Ik houd zijn blik zo lang als ik kan verdragen vast en wend de mijne dan gegeneerd af.

'Hallo,' zegt hij.

'Hoi,' zeg ik. Dan kijken we elkaar aan, maar we zijn verbijsterd, staan te lachen en hebben geen flauw idee wat we moeten zeggen. Ik heb hem in geen jaren gezien. Sinds die ijskoude novemberochtend op Heathrow.

'Je bent het echt,' zegt hij uiteindelijk.

'Weet ik, weet ik,' zeg ik, giechelend als een idioot, en ik wens dat ik vanochtend de tijd had gehad om in elk geval wat mascara op te doen.

'Niet te geloven...' Hij doet een stap achteruit, alsof hij me beter wil kunnen bekijken.

'Inderdaad!' Ik kijk Emete aan, die nog steeds staat te schuddebuiken als een berg tijdens een aardbeving. 'Compleet maf!'

Daar staan we dan alle vier te lachen, niemand die weet waar we om lachen, behalve dan dat het een wel heel wonderbaarlijke, fantastische en heerlijke ochtend is.

Omer doet eindelijk zijn mond open, en als hij iets zegt, is elke lettergreep zinnig.

'En waar kennen jullie elkaar van?' vraagt hij met een tandvleesglimlach.

Laurence pakt een van mijn handen in de zijne. Hij kijkt me van onder die half geloken oogleden aan.

'Ze was mijn vriendinnetje,' zegt hij uiteindelijk, met trots zelfs. 'We hebben twee jaar iets gehad. En toen heb ik het verknald.'

Laurence en ik hebben elkaar in april van het jaar 2000 leren kennen – de ongewoon warme lente van ons laatste studiejaar – en het enige wat ik in Manchester deed, was met Gina luibakken op de campus, bier drinken uit plastic glaasjes.

'Heb je zin om naar dat feestje te komen?' vroeg Gina op een dag.

'Eh, tuurlijk!' zei ik. (Was de paus katholiek?) 'Wat voor feestje? Ik doe mee.'

'Een tuinfeestje,' zei ze. 'Thuis bij de ouders van Laurence, een vriend van me. In Sussex. Dat doen ze elk jaar.'

Ze zei dat Laurence Mediastudies deed aan de universiteit in Leeds en dat ze hem van de kostschool kende. Ik kan niet zeggen dat ik warmliep voor het idee 'tuinfeestje', maar zoals met veel dingen die met Gina te maken hadden, stonden me een paar verrassingen te wachten. Om te beginnen werd al mijn vooringenomenheid over 'ouders' en 'tuinfeest' snel de kop ingedrukt zodra we in Gina's Fiat Bravo (waarvan de aankoop voor mij aanleiding is geweest om het leren autorijden uit te stellen) op de hoofdingang af reden. Er klonk Franse rapmuziek van het soort dat je in de Parijse banlieue verwacht te horen bonzen. Hij schalde uit hun enorme, uitgestrekte hoeve terwijl we het lange grindpad af liepen. De voorkant van het huis was behangen met grote rood met gouden lantaarns. Er kwam een vrouw met een wilde bos haar op blote voeten en een enorm glas wijn in de hand bijna op ons afgerend, de armen uitgestrekt. '*Bienvenue* en welkom!' riep ze. Ze kuste Gina en mij op beide wangen. (Ik was onmiddellijk weg van haar.) Het was Laurence' moeder – of Joelle, zoals we haar moesten noemen – wat biologisch gezien onmogelijk leek omdat ze eruitzag alsof ze ongeveer dertig jaar was. Ze woonde al twintig jaar in Engeland, maar had nog steeds een dik Frans accent. Joelle en Laurence' vader Paul hadden elkaar leren kennen toen hij als student in Aix-en-Provence zat en Joelle als levend model werkte (zo Frans! Ik vond haar nog geweldiger). Nu gaf hij college aan de universiteit van Sussex en liep hij thuis rond met een Woody Allen-bril op zijn neus en Camel Red-sigaretten tussen de lippen. Joelle schonk ons ook een enorm glas wijn in. 'Maak het je gemakkelijk,' zei ze. 'Al mijn jongens zijn buiten.'

Op dat ogenblik kwam er een jongeman met ontbloot bovenlijf de keuken in kuieren. Hij sloeg zijn armen om Joelle, die in een pannetje met zoete inhoud op het fornuis stond te roeren, en kuste haar op de wang. 'En dit,' zei ze, en ze ging op haar tenen staan om hem terug te kussen, 'is mijn mooiste en meest luie.'

Dat had een waarschuwing voor me moeten zijn, maar het was liefde op het eerste gezicht, noú ja, op dat moment was het allesverterende, primitieve lust op het eerste gezicht.

Laurence was één meter vijfentachtig en had kortgeknipt zwart krulhaar dat eruitzag alsof het zo tot leven zou komen als hij dat toestond, zoals dat van zijn moeder, zwoele donkere ogen met zware oogleden en een heerlijk kuiltje in zijn linkerwang. Hij had een stonewashed Levis aan en witte teenslippers die zijn mooie, gebruinde tenen lieten zien. Ik weet nog dat ik de mijne in mijn schoenen kromde, met hun afbladderende paarse nagellak en de wratten die zonder succes waren bevroren.

We stonden nu buiten op de stoep voor de stomerij. Emete en Omer keken toe van achter het raam.

'En wat ga je nu doen?' Laurence zegt het alsof we keuzemogelijkheden hebben.

(Koffie misschien? Een straffe borrel? Een vluggertje bij mij thuis was vast niet aan de orde?)

'O, naar mijn werk, helaas,' zei ik, terugkerend naar aardniveau. 'En jij?'

'Ja, werk,' zegt Laurence.

'Wat voor...'

'Barmanager. Ik run een bar in Clerkenwell,' zegt hij, met zijn handen in zijn zakken. 'Mijn vader is er helemaal kapot van dat ik geen advocaat ben, of arts of filosoof, nu we toch aan het opnoemen zijn, maar je kent me.'

'Ik ken je.'

'Ik doe nooit wat me gezegd wordt.'

We staan van de ene voet op de andere te wiebelen en dwaas te grijnzen. We weten ons geen houding te geven.

'Dus, jezus, ik bedoel, hoe komt het dat ik jou hier nog nooit heb gezien?' vraag ik, omdat ik hem hier wil houden. Ik wil niet dat dit ophoudt. 'Waar woon je?'

'Niet hier. Ik bedoel, voorlopig wel, maar meestal niet. Ik logeer bij een vriend. En jij? Jij woont natuurlijk bij Gina, waarvoor je absoluut een medaille verdient.'

'O, Gina. Ach, die Marshall valt wel mee,' zeg ik lachend. 'Je moet alleen streng zijn. We wonen in Linton Street. Als je de stomerij uit komt en de eerste rechts neemt. Het is wel een beetje een feesttent, dat snap je wel.'

'Dat heb ik gehoord,' zegt Laurence. 'En hoe gaat het in de grote, boze uitgeverswereld? Nog steeds tragediecorrespondent?'

'Tragediecorrespondent?'

'Ja, Gina zei dat je de kost verdient met het aanhoren van andermans smartlappen.'

'Die durft!'

Hij maakt het goed met een glimlachend: 'Op een goede manier.'

'Het gaat om de "triomf over de tragedie", moet je begrijpen. Ook als ze in een poli-amoureuze sekte zitten, al hun ledematen missen en hun hele familie is afgemaakt door een dolgedraaide schutter, dan zit er altijd een positieve draai aan. En als die er niet is, dan verzinnen wij die positieve draai.'

'Zoals?'

'Zoals: hij had toch een hekel aan zijn familie. En trouwens ook aan zijn benen.'

Laurence lacht. Ik voel dat ik bloos van plezier.

'Ik was vergeten hoe grappig jij bent.' Hij bekijkt me. 'En ook hoe mooi.'

Het is maar goed dat we allebei op dat moment de bus zien aankomen, anders had ik moeten reageren, en mijn reactie zou absoluut idioot zijn geweest.

'Nou, dit is mijn bus,' zegt Laurence, en hij plukt zijn portefeuille uit zijn kontzak. 'En alsjeblieft, dit is mijn kaartje.'

'En hier heb je het mijne,' zeg ik, haastig in mijn tas rommelend, waarna ik hem mijn fuchsiaroze kaartje geef met de slogan van *Believe it!* Over de hele breedte gedrukt: *Elke week, van hartverscheu-*

rend tot hartstikke gestoord! Heel beschaafd.

'Dank je, eh...' Terwijl Laurence het kaartje leest, zie ik zijn wenkbrauwen omhooggaan en ik schaam me dood. Hij zegt: 'Bel de bar maar, meestal ben ik er wel. Nou, ik loop in en uit.'

Als een kat. Een ongrijpbare kater.

Hij geeft me een kus op mijn wang.

'Doei,' zegt hij.

'Ja, doei,' zeg ik dom.

Dan rent hij de straat over, en ik blijf naar hem kijken. Hij jogt zowat, met zijn rugzak op zijn rug, waardoor zijn jasje opkruipt. Lekker kontje. Heerlijk kontje. Rond en volmaakt van vorm en stevig. Het vult die spijkerbroek zoals een kontje hoort te doen. Als ik hem zie, schiet mijn bloed nog steeds naar mijn edele delen. Ik krijg nog steeds stoute gedachten van hem.

Het is halfnegen, het is amper een uur geleden sinds ik uit mijn bed ben gekomen. Ik wandel in het volle daglicht naar mijn werk en vraag me af hoe we dit in vredesnaam hebben kunnen verknallen.

4

'Toen ik mijn huwelijksbelofte deed: "In ziekte en gezondheid", had ik niet kunnen weten hoezeer die op de proef zou worden gesteld. Maar toen ik Howard verbonden en bebloed in het ziekenhuis zag liggen, zijn gezicht onherkenbaar door de brandwonden, bestond er bij mij geen enkele twijfel dat hij nog steeds mijn Howard was. Freddie is drie weken nadat de bom viel geboren, en het is vreselijk moeilijk geweest. Maar zelfs nu, als ik naar mijn jongens kijk, zie ik alleen maar dat ze als twee druppels water op elkaar lijken.
Dee, 32, Londen

Ik loop met grote passen het atrium van Giant Publishing in en heb wonder boven wonder nog veertien minuten over. Zestien over negen en nu al lijkt het er op Piccadilly Circus, maar dan met meer glamour.

Ik stap met twee anderen de lift in: de ene is Justine Lamb, de andere is Brian Worsnop, de hoofdredacteur, bezitter van het laagste voorhoofd in de geschiedenis van de mensheid, die op dit moment erg luidruchtig een Ginster's Scotch Egg staat weg te werken.

Hij kijkt me stralend aan, waarbij ik de stukjes worst tussen zijn tanden kan zien zitten.

'Was super afgelopen vrijdag, hè? Jij zag er wel heel vrolijk uit, om het maar zachtjes uit te drukken, vooral toen je die...'

'Ja, oké Brian.' Ik glimlach stijfjes. Justine Lamb hoeft niets te weten over mijn dronken imitaties van Blanche Jewell, onze MD, compleet met een enorm kunstgebit.

Ik kreeg mijn baan als schrijver voor het tijdschrift *Believe it!* in 2003, zodra ik terugkwam van wat een behoorlijk traumatisch jaar reizen was geweest. Het was de minst prestigieuze titel in de portfolio van Giant Publishing, en de redacteur was Judith Hogg, een vrouwelijk gewrocht met kippenborst dat geen greintje inlevings- vermogen kon opbrengen, al hing haar leven ervan af. Maar goed, het was een baan in de journalistiek en met verhalen als *Ik ben mijn neus kwijt maar heb aan de liefde geroken* kon ik er de humoristische kant wel van inzien. Nu ik dagelijks mensen interviewde die zo'n vreselijk leven hadden, kon ik er niet omheen dat mijn eigen leven misschien nog niet zo slecht was. Het was een perfecte afleiding als je liefdesverdriet had. Om Laurence Cane.

Ping! De deur van de lift gaat open en ik loop naar buiten, een poel zonlicht in die het kantoor in een oranjeroze gloed dompelt.

'Morgen, Tess.'

'Morgen, Jocelyn.'

Jocelyn, onze receptioniste, komt uit Perth in Australië. Ze heeft een knalrode bob die om haar gezicht zwiept als ze loopt of zelfs maar beweegt (wat voornamelijk komt door een schokgolfeffect dat wordt voortgebracht door haar afmetingen) en een achterwerk zo breed als haar geboorteland.

Volgens mij kan ik dat wel zeggen zonder discriminerend te klin- ken omdat Jocelyn zich absoluut niet schaamt voor haar lichaam. Ze accentueert zelfs haar 'vrouwelijke welvingen' met mouwloze, kipfi- letonthullende shirtjes met opzichtige prints en strakke, witte, cellulitisbenadrukkende broeken.

'Mag ik zeggen, Tessa, dat je er vandaag fintistisch uitziet,' jubelt ze, en ze zet haar tanden in een ham-kaascroissant. 'Misschien weer een afspraakje vanavond, een leuke jongen op internet gevonden?'

Sinds ik de ernstige fout heb gemaakt Jocelyn te vertellen dat ik een afspraak had met een knul van Match.com heeft ze me deze vraag gemiddeld twee keer per week gesteld.

'Nee, vanavond niet, Jocelyn,' zegt ik, terwijl ik mijn jas ophang. 'Ik doe ook geen mannen via internet meer, die zijn alleen maar bezig met skydiven en bungeejumpen, als je de foto's mag geloven.'

'Groot gelijk,' zegt Jocelyn. 'Ik heb ook nooit van adrenalinespor- ten gehouden.'

Als ik achter mijn bureau zit, hoor ik Anne-Marie aan iemand aan de telefoon de laatste update geven van de soap Veganistische Vriend. 'Als ik een sandwich met bacon heb gegeten wil hij me niet eens kus- sen, snap je,' zegt ze trots. Haar in pantykousjes gestoken voeten lig- gen op haar bureau. 'Zó serieus is hij ermee.'

Ik zwaai even naar haar, en zij zwaait terug. Ik zet mijn pc aan en zie op mijn telefoon een rood lichtje knipperen.

'U hebt twee berichten,' zegt de computerstem.

Piep.

'Hé, hoi... is dit het nummer van Tess? Met Keely. Je bent vorige week bij ons thuis geweest om Dean en mij te interviewen. Dean had net een fles Asti voor me gekocht tegen de zenuwen en nu maken we ons zorgen dat iedereen erachter komt...'

O jee. Weer zo eentje die tot inkeer komt. Je zou denken dat als het bandje loopt en de fotograaf erbij komt, mensen wel beseffen wat de gevolgen kunnen zijn voordat ze tegenover de nationale pers uit de school klappen over de penisverlenging van hun vriend.

Volgende!

Ik probeer me te concentreren, maar mijn gedachten aan Laurence lijken net vlinders die door mijn hersens fladderen.

Een bericht van een vrouw uit Dudley. Haar man weegt een dikke 270 kilo en is aan het bed gekluisterd, kunnen we iets doen om zijn leven te redden?

'Voor ik het verknalde,' zei hij. Die woorden blijven maar in mijn hoofd rondzingen. Oké, er was een kort moment waarop ik hem wel wat had kunnen aandoen – het is niet meer dan eerlijk dat hij een beetje heeft geleden; na wat hij me heeft aangedaan. Maar dat was twee jaar geleden; bovendien, laten we eerlijk zijn, ik heb het ook verknald. Als ik niet zo snel weg was geweest, als ik geen Tess-speci-aal had gedaan en hem was gesmeerd op wereldreis in de veronder-stelling dat alles koek en ei zou zijn als ik terugkwam, dan waren we nu misschien bij elkaar geweest, getrouwd met misschien wel een baby in het vooruitzicht.

Op het lijstje op mijn pc staan zeventien dingen die ik moet doen, maar ik kan alleen maar dagdromen. Als ik terugkijk op mijn twee-enhalf jaar met Laurence besef ik dat de kreet 'stel dat' door het hele tijdperk heen galmt. Stel dat ik naast mijn hart ook mijn hersens had gebruikt, stel dat ik niet zo naïef was geweest, stel dat ik dunner was geweest, bescheidener, exotischer. Stel dat ik bijvoorbeeld niet was betrapt tijdens een nummertje met Laurence Cane toen ik hem net had leren kennen? Door zijn moeder. Op háár tuinfeestje. Misschien was het een relatie met een slecht gesternte.

Ik wijt het aan de zon. En aan zijn ruimdenkende ouders die ons voorzagen van een onophoudelijke stroom Beaujolais. (Mijn ouders zouden op zijn best twee dozen goede Asda hebben geleverd 'en als die op is, is het op, Tessa'.) Tegen drie uur in de ochtend ging iedereen naar huis en lag Gina knock-out op de slaapbank in de logeerkamer. Dus we waren met z'n tweeën over en zaten aan de keukentafel te kletsen en te drinken.

'Ik vind je moeder echt cool,' zei ik met dikke tong en met mijn ongeveer tachtigste glas wijn in mijn hand en mijn tanden zo zwart als die van een zwerver. 'Zo exotisch en bohemien.'

Laurence lachte. 'Dat zegt iedereen,' zei hij. 'En inderdaad, volgens mij is ze dat ook.' Toen zweeg hij, aarzelde en zei: 'Maar ze is niet zo cool als jij.'

Op dat moment draaide hij zich naar me om, legde zijn handen om mijn gezicht en begon me hartstochtelijk en dringend te kussen. 'Jij bent grappig,' zei hij.

'Grappig?'

'Ja, en best sexy, ik moet om je lachen.'

Ik wist niet goed wat ik daarvan moest maken, maar wat maakte het uit? Ik zat te vozen met de dubbelganger van Thierry Henry.

Hij stak zijn hand in mijn shirtje en legde hem op mijn borst. 'Kom eens hier,' fluisterde hij, en hij keek me aan met ogen die zeiden wat hij met me wilde doen. Toen zat zijn hand opeens in mijn beha en trok hij me naar zich toe. We kusten elkaar, wilder deze keer en onze tongen verkenden hongerig elkaars mond; warme, vochtige adem op mijn huid. Hij gebaarde dat ik mijn armen in de lucht moest steken en trok mijn shirtje uit. Hij trok mijn beha uit. Niet met onhandig gefriemel, maar in één vloeiende, geoefende beweging, alsof vrouwen uitkleden dagelijkse kost voor hem was.

Daarna trok hij me omhoog, zonder zijn lippen van de mijne te halen, legde zijn handen om mijn middel en tilde me op om me voor zich op de tafel te zetten. Zijn grote, warme handen verkenden me: mijn schouders, mijn nek, mijn buik; de zenuwen in mijn kruis waren nu klaarwakker.

'Moeten we dit wel doen?' Met ogen die glansden in het licht van de lamp keek ik hem aan.

'Wil je niet?'

'Ja ja, natuurlijk wil ik!' zei ik, wat er veel gretiger uit kwam dan ik had verwacht.

'Nou, dat is mooi,' zei hij, en hij keek me van onder zijn waaierwimpers aan.

Hij streek mijn haar uit mijn gezicht en duwde me achterover op de tafel, waarbij hij me bleef aankijken.

'Hou op!' giechelde ik. 'Misschien komen je ouders zo beneden, of horen je broers het!'

'Nou en?' zei hij. 'Dat kan me geen bal schelen.'

Hij ritste mijn broek open en ik trok met trillende handen de zijne open. We bedekten elkaars gezicht en nek met kussen en hij liet zijn hand door mijn haar gaan, duwde het uit mijn gezicht en kuste me weer. Toen speelde hij met zijn tong over mijn tepels en lag ik half te kreunen, half te lachen terwijl ik hem in me trok. We gingen op de enorme eiken tafel tekeer als hamer en aambeeld en ik had al geconcludeerd dat het waar is wat ze over Franse mannen zeggen. De lamp boven ons wiegde mee op ons ritme, en ik voelde me net Vanessa Paradis in zo'n sexy nachtfilm. En toen...

'Putain de merde Maman! Qu'est-ce que tu fou?'

Omdat ik een cursus Frans deed, wist ik dat dat vrij vertaald betekende: waar ben jij goddomme mee bezig?

Toen sprong Laurence van me af en zwaaide zijn stijve in het rond als een ongenode derde en trok hij zijn broek omhoog.

'Ooo la la.' Ik hoorde de duidelijke afwezigheid van humor in de stem van zijn moeder. En zag die ook in haar gezicht. Ze stond voor onze neus. 'Het is drie uur in de ochtend. En je hebt een slaapkamer waar je heen kunt. Jezus, Laurence, toon eens wat respect.'

En toen zei ik iets gruwelijk doms, en tot op de dag van vandaag weet ik niet wat me heeft bezield.

'Merci beaucoup!' riep ik haar na. Zomaar. Het was niet grappig bedoeld. Ik ging door de grond.

'Wat zei je nou weer?' vroeg Laurence ongelovig. Hij bekeek me eens goed, alsof hij het net een halfuur met een mutant had staan doen.

Maar ik kon niets uitbrengen. Ik sloeg mijn handen voor mijn gezicht.

Bij die herinnering draait mijn maag zich om. Ik kijk weer in mijn inbox en daar staat het.

Van: Lcane@blackberry.co.uk
Aan: tess jarvis@giant.co.uk
Ik vroeg me af, nu we onze kleren terughebben, of je morgen iets te doen hebt?

Nu niet meer!

Ik kom terug van mijn lunch, nadat ik de e-mail en het hele sto-merijscenario woord voor woord aan Anne-Marie en Jocelyn en zo'n beetje het hele kantoor heb opgedist, en dan voel ik de grom-mende trilling van een sms-je in mijn zak.
Het is Jim.

Warren. Morgen huisfeestje. Hou het vrij.

Is dat verwaand of niet? Nu kan ik mijn gram halen. Ik sms:

Sorry, gaat niet. Heb spannende date met sexy ex. Ha! Heb je niet van terug, hè? *One all*. Ik heb zelf ook nog een sociaal leven.

Onmiddellijk gaat mijn mobieltje. 'Jim' staat er op de display.
'Dat vind ik nou flauw,' zegt hij.
'Hoezo?'
'Een oud vriendje uit de kast halen. Dat telt volgens mij niet.'
'Sorry, ik wist niet dat het een wedstrijd was!' zeg ik lachend.
'Jij bent ermee begonnen. Jij begon met "one all".'
Zo doet Jim altijd tijdens schoolvakanties. Te veel vrije tijd, dan wordt hij heel kinderachtig.
'Het is een date, toch?' zeg ik. 'Het is een man, ja? Hij ziet mij zit-ten, ik zie hem zitten, da's toch leuk?'
'Prima, het is alleen dat... kijk bijvoorbeeld eens naar je goede vriend Jim. Niet iemand die zich behelpt met het opgraven van oude vlammen als hij zin heeft in een beetje actie. Ik ben de wereld rond-gereisd in naam van de romantiek en heb een Italiaanse kanjer ge-vonden die me eersteklas accommodatie in chique hotels kan bieden zonder dat ik ergens aan vastzit.'
'Annalisa heeft jou gevonden, weet je nog? Lijkbleek, omdat je net in Rimini in een vuilnisbak had staan kotsen.'
'Ze wist niet dat ik net in een vuilnisbak had gekotst.'
'Dat lijkt me sterk, dat kon ze vast wel ruiken.' (Uiteindelijk verlaag ik me altijd tot Jims niveau.)
'Nee, ik heb me als een heer gedragen en ook nog voor haar koffie betaald en bovendien viel ze voor mijn noordelijke charme en rappe humor.'

'Dat zal wel.'

'Ja, dat zal wel. Maar ik bedoelde eigenlijk: ik dacht dat je de pest had aan Laurence.'

'Waarom denk je dat het Laurence is? Ik weet dat het moeilijk te geloven is, maar ik heb nog andere vriendjes gehad, hoor.'

'Geen vriendjes die jij sexy ex noemt.'

Ik sputter tegen, maar Jim heeft gelijk. Ik zou geen van mijn andere exen sexy ex noemen. Niet omdat ze helemaal niet sexy waren (ik maak mezelf graag wijs dat ik voor sommige dingen in het leven de lat hoog leg), maar omdat Laurence dé sexy ex was. De ware. Of degene waarmee ik dat het dichtst heb kunnen benaderen.

'Maar goed,' ga ik verder met een heel subtiel triomfantelijk gevoel omdat Jim zelfs maar over mijn relaties uit het verleden heeft nagedacht, genoeg om dit te kunnen constateren, 'ik heb nooit gezegd dat ik de pest aan hem heb.' Of wel? Hij heeft mijn hart gebroken; ik was er een poosje kapot van. Oké, misschien heb ik hem een poosje de grond in gewenst, maar ik heb nooit echt de pest aan hem gehad. 'We waren jong en ik verwachtte te veel. Maar dat is alweer duizend jaar geleden. Gun de man het voordeel van de twijfel.'

'Ik heb niets tegen Laurence,' protesteert Jim. 'Jij was van streek door zijn toedoen, of ben je die avond vergeten dat je terugkwam van je reis en eiste dat ik langskwam, toen je in een halfuur een fles wijn had gedronken en je zo'n beetje zelfmoordneigingen had? Waarom denk je dat hij is veranderd? Dat bedoel ik.'

'Jezus, Jim. Het is maar een afspraakje. Hij heeft me niet ten huwelijk gevraagd.'

'Oké. Nou dat is dan in orde,' zegt Jim nu opgewekt. 'Veel plezier en zorg ervoor dat je die ouwe Cane een goeie beurt geeft.'

Ik hang op, loop glimlachend terug naar mijn werk. Soms is Jim echt een rare.

Ik sms Gina 'hoe is het met de kwaaie kater?' Dan kijk ik op mijn horloge. Zeven voor één. Officieel heb ik nog zeven minuten pauze. Maar in zeven minuten kan er een hoop gebeuren. Ik loop naar de damestoiletten en dan valt mijn blik, ik weet niet waarom, misschien komt het door mijn vrouwelijke intuïtie, op iets in mijn tas. Tussen de buskaartjes en folders over culturele evenementen waar ik nooit aan toekom, glinstert de blauwe verpakking van de andere zwangerschapstest uit het pakket van twee dat ik heb gekocht me toe vanaf de bodem van mijn tas. Ik ben niet zwanger, dat kan niet, de test was negatief. (Shelley Newcombe vertelde me op de middelbare school dat je na een negatieve nooit positief kunt zijn.) Maar hij heeft me vijftien pond gekost en ik hou niet van verspilling. Daarom loop ik een wc-hokje binnen en haal hem tevoorschijn. Het is niet zozeer een bewuste beslissing als wel een opruimactie, net zoals je misschien die ene overgebleven Kit-Kat zou eten waar je bureau zo rommelig door leek. Ik plas op het staafje en leg het boven op de toiletrolhouder. Ik denk nergens aan, ik doe het gewoon. Dan zet ik de timer van mijn horloge op twee minuten.

1:50

Dit slaat nergens op, ik heb zelfs pms: pijnlijke borsten, uitgeput, kortaangebonden, het hele verhaal.

1:30

Maar niet ongesteld, daar kan ik niet omheen. Ik ben een week over tijd. Ik ben nooit een week over tijd.

1:00

Maar ik sta wel te stressen, daar kan ik ook niet omheen en waarschijnlijk word ik twee seconden na deze test ongesteld (en is mijn mooiste slipje naar de knoppen, zo gaat dat altijd).

0:45

Ik werp een blik op de test, jaja, dat dacht ik al.

0:30

Twee lijntjes. Wat heb ik toch een hekel aan geldverspilling, vooral als hij voortkomt uit paranoia.

0:25

Misplaatste, neurotische paranoia.

0:14

Ik pak de test en scheur wat wc-papier af – ik wikkel hem er nu in, om hem in de prullenbak te gooien.

0:10

Maar dan valt het licht erop – en stokt de adem in mijn keel.

0:08

Dat kan toch niet? Nee, toch? O, god. Zeg dat het niet kan!

0:06

Ik krijg braakneigingen, ik slik en haal diep adem, blaas langzaam uit en kijk weer.

0:04

Het staat er nog.

Het is er nog steeds...

Een kruis, een blauw kruis verdomme! Ik ben zwanger, ik ben verdomme zwanger!!! en ik krijg nauwelijks adem – help! – mijn longen willen niet uitzetten, en het enige wat tot me doordringt, afgezien van dit gevoel, is een enorme toevloed van bloed naar mijn hoofd...

Als het niet opeens spitsuur in de toiletten was, zou ik nu misschien veel meer geluid maken. Maar ik hoor dat iemand in het hokje naast me haar neus snuit, en ik weet – zelfs dat doet ze op haar eigen speciale manier – dat het Anne-Marie is, dus ik doe het niet, ik geef geen kik. Ik blijf waar ik ben, met mijn hand voor mijn mond geslagen, mijn wereld zojuist op zijn kop gezet, terwijl ik nog met één nagel aan het randje hang te bungelen.

Mijn eerste zorg (wat in elk geval wijst op veelbelovende moederlijke impulsen) is dat ik wat er ook in mij woont grondig heb geconserveerd met de alcohol die ik gisteravond op heb, de sambuca's op Gregs verjaardagsborrel, de drugs. Shit, de drugs! Ik heb gisteravond met Gina een joint gerookt en word nu overvallen door een wurgend schuldgevoel, een schuldgevoel waar ik absoluut niet op ben voorbereid. En dan komt de schok, hij komt als een dreun aan. Schok, schuldgevoel, schok, wat voel ik in vredesnaam? De emoties lijken over me heen te spoelen als genadeloze golven ijswater die me tegen de deur van het hokje duwen en me de adem benemen.

Ik hoor iemand doortrekken, handen wassen en daarna het geslof van Anne-Maries henneplaarzen en het kraken van de deur als hij achter haar dichtvalt. Ik onderga een heel scala aan emoties, maar wat voor emoties eigenlijk? Ben ik blij? Is dit geluk wat ik voel? Of is het afschuw? Ik weet het niet. Ik kan niet denken.

Ik hou de test in mijn hand, haal trillend adem, heb zweethanden en ben plotseling heel erg boos. Boos omdat de andere test me heeft voorgelogen, nog bozer dat ik het zover heb laten komen – zwanger worden, en nu ben ik boos omdat ik er zo slecht op reageer.

Dan bedenk ik iets. Dit kan niet kloppen. Nee, het moet de alcohol van afgelopen weekend zijn waardoor de test positief uitvalt. Net als bij lakmoespapier. Maar ik klamp me natuurlijk vast aan een strohalm; ik geloof het niet echt. Bovendien fluistert mijn intuïtie me in dat ik zwanger ben. Ik voel me anders. Op dat moment is het of het hele wc-hokje waarin ik sta rondtolt en wordt vervormd, alsof alles wat ik ooit heb geweten, alles wat ik ooit heb ervaren, het gevoel mezelf te zijn, wordt uitgewist, en ik voel me waanzinnig gedesoriënteerd.

Ik moet Jim spreken. Nu meteen. Maar ik kan het nu niet hebben iemand tegen het lijf te lopen die ik ken, dus ik neem niet de lift maar de trap naar beneden, met twee treden tegelijk.

Buiten ziet alles er anders uit. Het regent pijpenstelen, dus ik ren met mijn mobieltje in de hand geklemd naar de overdekte ingang van een recruitmentbedrijf aan het eind van de straat. Terwijl ik Jims nummer zoek, trillen mijn handen. Ik ben zwanger, ik ben goddomme zwanger!

Hij gaat eindeloos over en dan neemt Jim eindelijk op.

'Hallo.'

Zijn stem klinkt gedempt, bijna slaperig.

'Jim, nog een keer met mij.'

'Weet ik. Luister, kan ik je terugbellen?' fluistert hij. Ik hoor een vrouw hoesten.

O, geweldig, Annalisa is er. Ik bel hem om te zeggen dat ik zwanger ben van zijn kind, en zijn Italiaanse bedvriendinnetje ligt naast hem omdat ze toevallig in Londen is, vrijwel zeker naakt. Ik heb haar een keer ontmoet, zijn tortellini-torteltje, tijdens een van haar 'romantische' weekends in East Dulwich.

'Je zou iets met Tess moeten beginnen, het is zo'n skatje!' heeft ze naderhand kennelijk tegen Jim gezegd. 'Jij bent een Engelse *lost boy*,' zegt ze altijd tegen hem. (Ze bedoelt loser, maar het komt er nooit helemaal goed uit, en lost boy past ook zoveel beter bij Jim, vind ik altijd.) Ik heb niets tegen haar. Het kan me niet schelen, ook al ligt ze vier keer per jaar bij hem in bed, maar nu?

'Jezus, Jim!' wil ik zeggen, maar dat kan niet want het is niet zijn schuld. Ik bedoel, we waren er allebei bij en als ik zwanger ben (ik klamp me nog steeds vast aan de mogelijkheid dat het een heel grove vergissing kan zijn) is het net zo goed mijn verantwoordelijkheid, dus ik kan nu niet het jaloerse aspirant-vriendinnetje uithangen. Het is gewoon... zoals ik hier sta, terwijl zijn DNA versmelt met het mijne, dat is gewoon een pietsie smakeloos, meer niet.

Dus ik zeg: 'Het is echt heel belangrijk. Ik moet je spreken. Nu.'

'Oké, wacht even,' zegt hij, en er volgen een paar seconden waarin hij zo te horen zijn hand over de microfoon legt en uitlegt dat hij dit telefoontje even moet aannemen.

Ik zie hem zo voor me. Hij stapt uit bed en loopt, met haar dat alle kanten op staat, op magere benen naar de deur. Hij trekt zijn badjas aan, loopt de keuken in en neemt een andere telefoon op.

'Wat is er aan de hand, Tess?'

Door de bezorgdheid in zijn stem schiet ik vol en begint mijn stem te beven.

'Ik ben toch zwanger.'

Stilte. Hij slikt.

'Hoe bedoel je? Je hebt toch een test gedaan? Die was negatief.'

'Ik heb er nog een gedaan en die was positief.'

'Hoe weet je dat?

'Er stond een kruis.'

'Wat voor kruis?'

'Een blauw kruis.'

Stilte. Alleen het geluid van zijn ademhaling.

'Weet je zeker dat je de gebruiksaanwijzing goed hebt gelezen?'

'Ja. Ik weet het zeker, zo stom ben ik niet.'

Er valt nog een stilte en als hij uiteindelijk iets zegt, klinkt er een toon in door die ik nog nooit heb gehoord.

'Is het van mij?' vraagt hij zacht. En terwijl de tranen eindelijk over mijn wangen rollen en ik zeg: 'Ja, ja, shit, natuurlijk is het van jou,' besef ik dat de toon in zijn stem die van hoop was.

We spreken af om elkaar na het werk voor het Tate Modern te ontmoeten; ik zal de test meenemen zodat hij het met eigen ogen kan zien. Ik hang op en loop terug naar het kantoor, onder een wolk, door een stad in de plensregen. Ik stel me voor dat iedereen die ik tegenkom, een groep rokers in een kluitje voor de deur van hun kantoor, een rij mensen bij het postkantoor, een blik kan werpen in mijn baarmoeder, die rood oplicht. En ik heb me nog nooit zo bijzonder gevoeld.

Als ik die dag voor de derde keer in de lift sta, stapt uitgerekend Julia, mijn bespottelijk glamoureuze vriendin van de colleges Journalistiek, zelf acht maanden zwanger, na mij de lift in. Ze is nu redacteur features van *Luxe*. Ze heeft zich omhooggewerkt in plaats van de eerste baan te nemen waar ze haar wilden hebben en daarna nooit meer te verkassen, en nu komen we elkaar vaak tegen en dan hebben we een onhandig gesprekje over ideeën voor onderwerpen die ik haar zou kunnen sturen, waar ik natuurlijk nooit aan toekom.

'Hoi,' zegt ze, maar ik luister niet echt, gefixeerd als ik ben op de woorden die in mijn keel omhoog dreigen te borrelen. 'Ik ben ook zwanger!' wil ik zeggen. 'Help! Wat moet ik doen?' Maar uiteraard doe ik dat niet, dat zou idioot zijn. Dus ik zeg maar: 'Goede week gehad?'

'Ja, rustig aan gedaan,' zegt ze, haar bolle buik strelend. 'Ik kan me tegenwoordig nog net van de bank hijsen. Fraser noemt me nu The Rock, omdat ik zo groot en hard en zo onbewegelijk ben,' lacht ze. Dan zegt ze: 'O jee. Mijn bekkenbodem is niet meer wat hij ooit geweest is.' Dan lacht ze weer en ik doe mee, wat duidelijk een soort uitgestelde reactie is.

Ik verbeeld me dat ze het kan voelen, kan ruiken dat ik zwanger ben. Ze zeggen dat zwangere vrouwen gevoeliger zintuigen hebben. Ik weet dat ze het nu elk moment kan zeggen en ik wordt misselijk van de spanning. Ik bedenk wat ik dan zal zeggen, de verklaring die ik dan zal geven.

'Tess?' zegt ze uiteindelijk.

'Ja?' zeg ik ademloos. O shit, daar komt het.

'Ik zei, heb je iets?'

'Heb ik wat?'

'Heb je plannen voor het weekend?'

'O, dat,' zeg ik met een enorme zucht van opluchting. Ze kijkt me nu met gefronste wenkbrauwen aan.

'Ja. Inderdaad.'

Ik voel dat ze naar me kijkt, maar ik staar naar de vloer. Ze giechelt.

'Je hebt iemand ontmoet, hè?' fluistert ze in mijn oor. 'Kom op, ik zie het aan je gezicht.'

Ik blijf naar de vloer staren.

'O, nee! Ik weet het! Je hebt eindelijk iets met Jim gekregen, dat is het zeker.'

'Nee,' zeg ik bits, en daar schrikt ze een beetje van.

'O, oké. Je zag er alleen nogal ongedurig uit, meer niet.'

Gelukkig komen we op dat moment aan op de achtste verdieping en waggelt Julia naar buiten terwijl ik iets mompel over een kater.

Ik ren naar mijn bureau en het e-mailbericht is er nog. Ik heb het niet verzonden. Godzijdank hebt ik het niet verzonden!

Aan: Lcane@blackberry.co.uk
Nee, ik heb niets, tenzij ik word opgenomen door een poli-amoureuze sekte.

(Of als ik niet zwanger word gemaakt.)
Ik wis het bericht.

Vraag me niet hoe, maar ik kom de dag door, tot de zon achter St Paul's wegzakt op het moment dat ik bij Jim ben die voor het Tate zit te wachten.

Wanneer ik aankom zit hij op een van de zwarte rubberen bankjes. Zijn tengere benen liggen uitgestrekt voor hem en hij heeft een bosje fresia's met aluminiumfolie om de steeltjes in zijn hand.

Hij kijkt op als ik hallo zeg en knijpt zijn ogen dicht tegen het zonlicht.

'Deze zijn voor jou,' zegt hij, en hij steekt me het bosje toe. Ze ruiken zalig. 'Het spijt me van vanmorgen.'

'Wat spijt je?'

'Dat ik met Annalisa in bed lag toen jij belde om te zeggen dat je zwanger was. Ik voel me vreselijk.'

'Maak je geen zorgen, echt, ik was het alweer vergeten.' Het beeld van Annalisa, naakt, met zwart haar als een wolk over het kussen dringt zich aan me op. 'Was ze naakt?' vraag ik.

'Ik dacht dat je het was vergeten,' zegt Jim.

'Sorry,' mompel ik. 'Was ik ook.'

Ik ga naast hem zitten. De avondzon werpt een gloed als van rode sintels op de rivier voor ons. 'Maar goed,' zeg ik. 'Kijk.'

Ik maak het voorvakje van mijn tas open, haal de test eruit en geef hem aan Jim. Hij haalt het papier eraf, kijkt me aan, knijpt in mijn bovenbeen en houdt hem dan in het licht.

'Hmm. Er staat duidelijk een kruis, hè?'

'Echt? O god, ik hoopte... Denk je?'

De werkelijkheid komt als een klap aan, er is geen ontkomen aan. Ik barst in tranen uit, tranen van onvervalste schrik.

'Sorry,' zeg ik. 'Ik weet gewoon niet wat ik moet beginnen. Ik kan maar niet geloven dat dit gebeurt. Wat moeten we doen?'

Jim wrijft met zijn handen over zijn gezicht en slaat dan een arm om me heen. Een poosje zeggen we niets en staren we naar het water. Dan zegt Jim: 'Ik weet het niet. Maar wat er ook gebeurt, het komt wel goed, oké? Dat beloof ik. Wat er ook gebeurt, ik ben er voor je.'

Eigenlijk is de vraag of ik het kind wilde houden of niet nooit echt aan de orde geweest.

'Het is jouw beslissing,' zei Jim terwijl we over Millennium Bridge liepen. 'Ik zal je bijstaan, ongeacht je beslissing.'

Op dat moment voelde ik me alleen staan. Alsof de glinsterende torens aan weerszijden, de Gherkin die oranje oplichtte als een startende raket en de rivier onder ons hun adem inhielden en mijn beslissing afwachtten.

Maar in feite had ik mijn beslissing al genomen. De beslissing was al genomen op het moment dat het blauwe kruis verscheen. Als ik achttien was geweest had ik er niet over gedubd, dan had ik een abortus ondergaan. Maar ik ben achtentwintig, een volwassen vrouw. Bovendien, zoals het de laatste tijd in mijn leven gaat – Laurence die zomaar opduikt en nu dit, het op een na wereldschokkendste nieuws van het jaar en het is nog maar april – vraag ik me vaag af of het leven me niet iets probeert te vertellen en of ik daar niet goed naar zou moeten luisteren.

'Ik wil het houden,' zeg ik. En hoewel ik het meen, wil ik de woorden weer snel inslikken zodra ze mijn mond uit zijn.

'Echt waar?' Jim staat stil en kijkt me aan. Hij ziet er... wat betekent die blik? Verheugd uit? En heel even bedenk ik wat voor geweldige vader hij zal zijn en dat dit heel misschien eigenlijk niet zo vreselijk is.

'Ja,' zeg ik en ik kijk hem aan. 'Het is verdomde eng maar ik meen het. Het dringt nog niet helemaal tot me door en het is niet zoals het hoort. Eigenlijk is het helemaal geschift! Maar...'

Maar wat? denk ik.

'Maar een abortus zou als een laffe oplossing voelen,' zeg ik, en even geloof ik echt wat ik zeg. 'Dan zou ik niet voor het leven kiezen. Niet letterlijk het leven van de baby, maar voor mij, voor ons.'

Jim pakt mijn hand. We staan nu boven op de brug en de wind blaast ons haar opzij en prikt in onze ogen.

'Ben ik het mee eens, Tess, het is goed. Ik vind het prima...' zegt hij nu stralend.

'En de voornaamste reden,' voeg ik eraan toe.

'Wat is de voornaamste reden?' vraagt Jim.

'In de toekomst, de komende jaren, zou ik dan niet kunnen omgaan met de vraag wat er had kunnen gebeuren, snap je?'

'Ik snap het.'

'Ik zou niet kunnen omgaan met hoe het had kunnen zijn.'

5

'Zodra ik Mac in het oog kreeg wist ik dat ik ernstige problemen had.
Met zijn vijftig jaar bij mijn zesentwintig was hij veel te oud. Maar hij
was verdomde sexy, de grootste ruigbehaarde beer die er is, biedt daar
maar eens weerstand tegen. Iedereen staart hem na als hij met Layla in
de buggy door de straat loopt in zijn leren broek en jack, oud genoeg om
haar opa te zijn, maar het kan me niet schelen. Hij is niet wat ik had
verwacht, maar het is een schatje. De liefste papa die Layla zich maar
zou kunnen wensen.
Georgie, 27, Brighton*

Ik merkte dat Jim in de wolken was over zijn eigen mannelijkheid –
over het feit dat hij raak had geschoten. Maar ondanks zijn gebrui-
kelijke optimisme wist ik ook dat hij het ongelooflijk in zijn broek
deed.
De dagen daarna waren volslagen surreëel. We waren allebei – en
zijn nog steeds – verdoofd door de schrik en belden elkaar soms drie
keer per dag, en de telefoontjes gingen ongeveer zo:
Ik: Hoi.
Jim: Hoi.
Lange stilte.
Jim: Hoe voel je je?
Ik: Bizar. Hoe voel jij je?
Jim: Ja, bizar.
Lange stilte.
Jim: Ik word vader. Ik kan het niet geloven.
Ik: Kun jíj het niet geloven?! Probeer je eens voor te stellen hoe het
is als je er negen maanden mee rond moet lopen.
Jim: Maar ik dacht dat ik geen kinderen zou kunnen krijgen, dat ik

al mijn sterke zwemmers om zeep had geholpen door de drank.

(Zie je wel, ik had gelijk over de mannelijkheid.)

Ik: Nou, je kunt het en het is echt waar.

Jim: Ik weet het, ik kan het alleen niet geloven. Het is net alsof het iemand anders overkomt.

Die laatste uitlating was niet zo bemoedigend. En dat zei ik tegen hem.

We zijn op de vierde verdieping van Borders aan Oxford Street, op de afdeling 'Ouderschap'.

Wacht even, dat zeg ik nog een keer.

We zijn op de vierde verdieping van Borders aan Oxford Street, op de afdeling 'Ouderschap'.

Nee, klinkt nog steeds belachelijk.

Ik leun tegen de boekenkast en blader door een boek met de titel *De roze wolk: 101 praktijkverhalen over moederschap* alsof ik het elke dag doe, alsof ik ook echt tot deze maffe diersoort behoor, waarvan de meesten, met een Barbapapa-figuur hand in hand hier over de afdeling lopen, 'samen in verwachting'.

Maar ik ben niet in verwachting. Ik heb dit geen moment verwacht! Toen die test positief uitviel was dat het meest onverwachte wat me in mijn hele leven is overkomen. Dit soort dingen gebeurt niet met mij, maar met de mensen die ik interview. Niet met mij.

Mijn leven is tot nu toe best gladjes verlopen, en daarom heb ik altijd maar wat aangerommeld als het ging om voorzorgsmaatregelen tegen de normale gang van zaken in het leven. Hoe minder jou overkomt, hoe meer je gaat denken dat het toch niet gebeurt, ja toch? Ik heb nooit wakker gelegen om mijn laatste pijpbeurt nog eens door te nemen, waarna ik me paniekerig afvroeg of ik met biologieles wel goed had opgelet en dat het toch heel goed mogelijk was om zwanger te worden als je sperma doorslikt. Ik rolde met mijn ogen als mevrouw Tucker – drie keer raden hoe we haar noemden –, onze lerares 'persoonlijke gezondheidszorg', zei dat je zwanger kon raken als je voor het zingen de kerk uit ging, waardoor kerkbezoek in mijn ogen een hachelijke onderneming werd.

Sommigen zeiden dat ik veel risico nam (mijn moeder bijvoorbeeld, maar die vindt koffiedrinken na vijf uur 's middags ook riskant). Ik zei dan altijd dat ik relaxed was, een optimist. Oké, ik geeft het toe: het neigt een beetje naar 'op goed geluk' en er maar het beste van hopen. Maar toch loop ik nu hier, en wat me nog het meeste dwarszit, afgezien van de vloedgolf van hormonen die als een invasieleger mijn lichaam bezet, is dat het deze keer niet is gelukt. Mijn improvisatiemotor staat zonder benzine, mijn geluk is op, mijn negen kattenlevens zijn allemaal gebruikt. Game over voor Tess Jarvis. Je zit officieel in de nesten.

Het is laat in de middag, tien over vijf, en het zonlicht stroomt naar binnen door het plafondhoge raam. Het verlicht stofjes die naar de grond dwarrelen, wat me aan het verstrijken van de tijd doet denken, aan de seconden, minuten en dagen die zijn verstreken sinds mijn nieuws. In de koffiehoek rechts van me klinkt het gekletter van theekopjes en schoteltjes, van normale mensen die doorgaan met hun normale leven.

Twee gangpaden verderop zie ik Jims te lange, donkere bos haar over een boek gebogen, en onmiddellijk ben ik terug in de tijd, bij het moment dat we kennismaakten. Toen stond hij ook zo, de eerste keer dat ik hem zag. Op de tweede verdieping van de John Rylands Library, verdiept in *De dood van de auteur* en badend in het licht van de herfstzon.

Ik weet nog dat ik toen, net als nu, vond dat hij er een beetje dommig uitzag met die volle lippen die een beetje openhingen. Maar ik vond zijn magere, scherp gesneden trekken mooi, die vent met dat haar dat een eigen wil leek te hebben.

Ik knijp mijn ogen halfdicht om de titel te lezen van het boek dat Jim staat te lezen: *Jij bent ook zwanger, man! De gids voor vaders in verwachting*. Ik krijg een onverklaarbare aandrang om de auteur de kop van zijn romp te schieten. Hij staat het al te lezen vanaf het moment dat we binnenkwamen. Vraag me niet hoe we hier zijn gekomen, dat was geen bewuste beslissing. Het ene moment staan we een cadeautje te kopen voor zijn moeder (ik heb een naadloze overgang ondergaan van vriend naar moeder-van-kind; vriendin en vrouw heb ik even overgeslagen...) Het volgende moment waren we hierheen geslenterd, op de automatische piloot eigenlijk; ik met een verschrikte uitdrukking op mijn gezicht alsof ik net uit een neergestort vliegtuig ben gekropen, een uitdrukking waar ik nu al ruim een week mee rondloop.

Ik buig me weer over mijn boek – een opgewekt verhaal over een vrouw die 's ochtend zo misselijk was dat ze bij de balie van de kaasafdeling in supermarkt stond te kokhalzen – maar de woorden beginnen in elkaar over te lopen, ik kan me niet concentreren. Alles is hier te hard en te fel.

Sinds we hebben besloten dat we het door laten gaan, heeft het zo gevoeld: alsof ik plotseling op een andere planeet leef.

Ik ga naar huis, kijk tv met Gina, ga naar Star's en drink daar zoete Turkse thee en praat met Emete terwijl zij mijn broek zoomt. Ik doe alles wat ik altijd heb gedaan, maar toch is het alsof het iemand anders is die het doet. Het lijkt alsof iemand mijn lichaam heeft gekaapt. Een zwanger iemand.

'Moet je horen,' zegt Jim, die over de boekenkast leunt. 'Hier staat dat je baby na zes weken al zo groot is als een garnaal, cool hè?'

'Nou, cool zeg,' zeg ik in een poging enthousiast te klinken. 'Maar het idee van een garnaal die kamp opslaat in mijn buik trekt me niet echt.'

'Oké,' knikt Jim en verdiept zich weer in zijn boek.

'Een garnaal,' mompelt hij als ik niets meer zeg. 'Misschien moeten we hem garnaaltje noemen.'

'Hou op, Jim,' mompel ik. Ik vind het vervelend dat ik zo chagrijnig ben. Maar ik kan er niets aan doen. In nog geen twee weken tijd ben ik veranderd van boezemvriendin – van Jim, met wie ik echt kon lachen – in iemand die huilt als ze de blikopener niet kan hanteren.

Jim schuifelt met zijn boek naar het andere eind van de boekenkast en sleept zogenaamd gekwetst met zijn voeten. Ik bijt op mijn lip. Ik voel me vreselijk.

Het feit dat Jim het zo goed lijkt op te nemen is ook al niet bevorderlijk voor mijn humeur. Het is vreemd; ondanks de schrik heeft hij sinds we het weten een uitdrukking van kinderlijke verwondering op zijn gezicht. Een uitdrukking die zegt: ik heb net de verrassing van mijn leven gekregen.

En ik? Zo voel ik me dus niet. Ik weet niet eens hoe ik me voel.

Na het officieel tonen van de zwangerschapstest heb ik voornamelijk op mijn bed gelegen, om naar de merkwaardig geruststellende soundtrack van Londen-centrum te luisteren, of ik trok koele baantjes in het buitenzwembad; als het de herrie in mijn hoofd maar dempte.

Zowel Vick als Gina weten vast dat er iets is. Ik heb thuis al drie avonden geen wijn willen drinken. Ik heb tegen Gina gezegd dat ik cystitis heb, maar volgens mij trapt ze er niet in.

'Cystitis?' zegt ze. 'Ja, vást. Je bent zeker zwanger.' Dat was natuurlijk een grapje, maar ik viel bijna van mijn stoel. En toen Vicky me gisteren op mijn werk belde, deed mijn stem rare dingen. 'Wat is er met je?' vroeg ze. 'Wat is er gebeurd? Tegen mij kun je het wel zeggen.'

'Ik ben zwanger!' wilde ik gillen. 'Ik ben een broeikas. Help, wat moet ik doen?' Maar ik heb Jim beloofd dat ik tot na de scan bij twaalf weken zou wachten voordat ik het van de daken ga schreeuwen. Als een echte vent doet hij dingen die hem persoonlijk niet aangaan graag volgens het boekje, maar ik weet niet of ik zo lang kan wachten.

'Hoe zwanger ben je nu?' vroeg Jim, die van zijn boek opkeek.

'O, ik weet niet, ongeveer zes weken. Hoezo?'

'O, niets.'

'Hoezo?'

Daar gaan we weer.

'Omdat hier staat dat bij zeven weken de inwendige organen gevormd zijn, de hersenen volledig ontwikkeld zijn en het lichaam ongeveer tweeënhalve centimeter lang is.'

Ik moet bijna kokhalzen.

'Tweeënhalve centimeter,' piep ik ongelovig. 'Hoe is het mogelijk?'

Hoe is het mogelijk? Ik kan er met mijn verstand nog maar amper bij, maar de hersenen zijn al volledig ontwikkeld? Is zijn hele persoonlijkheid dan al aanwezig? Ergens wil ik er nog niet aan. Ook al heeft dokter Cork me hartelijk uitgelachen toen ik zei dat ik drie keer een test had gedaan, ik kan het niet accepteren.

'Kom nou toch, meisje!' proestte ze met dat dikke Ierse accent van haar. 'Volgens mij kunnen we aannemen dat je in verwachting bent, denk je niet?' Maar ik geloofde het niet. Niet echt. Zelfs niet toen ze door haar kalender scrolde, mij over haar schouder aankeek en me een datum gaf: veertien december. 'Ach, een kerstkindje.' Ik geloofde niet dat het waar was.

Ik pak nog een boek: *Hoe overleef ik de zwangerschap, 100 tips voor mannen.*

'De zwangerschap van je partner kan tot gevolg hebben dat je nadenkt over je behuizing,' staat er. 'Het is nog steeds gebruikelijk dat partners die samenwonen en een kind verwachten besluiten het boterbriefje te gaan halen.'

Juist. Maar was het ook gebruikelijk dat die 'partners' gewoon vrienden waren en niet geliefden? Was het gebruikelijk dat ze niet samenwoonden en dat waarschijnlijk ook niet zouden gaan doen? Zouden we toch moeten nadenken over onze behuizing en gewoon het boterbriefje moeten halen? Waar stonden de regels voor ons? 100 tips voor ons? Ik had *Zwangerschapsgids voor mijn beste vriendin* niet nodig, ik moest *Help! Ik ben zwanger en het is van mijn beste vriend!* hebben.

Ik kijk om me heen. Het stikt hier van de stellen; mannen die beschermend om hun vriendin heen drentelen en vrouwen met het nageslacht in hun buik waarmee ze straks een hoeksteen van de samenleving gaan vormen. Ik kijk naar Jim die nog met zijn neus in zijn boek zit. Wat waren wij dan? Een stel oplichters.

Ik besluit *De roze wolk* te nemen. Ik denk dat een paar waar gebeurde verhalen me over mijn ontkenning heen kunnen helpen. Ik loop naar de kassa en ga in de rij stellen staan, twee aan twee, als in de ark van Noach.

Ik ben me ervan bewust dat mijn hart tekeer gaat, en pas als ik Jims hand op mijn schouder voel en daarna zijn arm achter mijn rug voel, besef ik dat ik – weer – sta te huilen, dat er tranen over mijn gezicht rollen en de caissière me zit aan te staren.

'Kom,' zegt Jim zacht. Hij stapt voor de massa starende gezichten en betaalt het boek. 'Ik heb een idee. Laten we naar Frankie's gaan.'

Frankie's is een oude jazzclub aan Charing Cross Road. Jim en ik hebben hem een paar jaar geleden ontdekt tijdens een avond waarop we ons weer nuchter dansten op een bossanova-swingband. Daarna werd het onze pleisterplaats. 'Behaagt het madame om te dansen *ce soir*?' vroeg Jim dan door de telefoon, en dan doften we ons op, gingen naar Frankie's en dansten de hele nacht door.

Maar ik heb er nu geen zin in. Frankie's maakt deze toestand er niet beter op.

'Kweenie,' zeg ik als we op de roltrap naar beneden staan, 'ik denk niet dat ik in de stemming ben.'

We gaan toch – ik ben nergens voor in de stemming. Wanneer we er zijn is het pas halfzeven en gelukkig is de zaak bijna leeg.

We gaan aan de bar zitten en nemen pina colada's, waardoor ik moet lachen en huilen tegelijk. Lachen omdat Jim een drankje heeft met een kers en een parapluutje erin, als blijk van solidariteit, omdat hij eigenlijk dolgraag bier wil, en huilen omdat ik niet zou weten waarom we in vredesnaam een drankje met kersen en parapluutjes zouden drinken. Ik had niet het gevoel dat we iets te vieren hadden. Mijn kin begint weer te bibberen.

'Sorry, ik ben niets waard. Ik weet niet wat er met me aan de hand is,' zeg ik met een gedwongen lachje.

'Hé, kom op,' zegt Jim, en hij trekt zijn kruk dichter naar me toe. 'Kijk me eens aan.'

'Ik ben ook bang, weet je dat?' Hij pakt mijn handen en probeert het slakkenspoor van snot te negeren op één ervan, waarmee ik mijn neus heb afgeveegd. 'Om je eerlijk te zeggen schijt ik in mijn broek.'

'Maar het lijkt net of jij... je bent zo positief... je reageert zo goed, zo veel beter dan ik. Het is net of je, ik weet het niet, of je er blij mee bent,' zeg ik.

Hij denkt erover na en schraapt zijn keel. 'Nou, ik ben er in elk geval niet rouwig om. Ik ben dertig, Tess. Ik wil geen zielige, oude vrijgezel worden, zonder kinderen, zonder leven, die in zijn onderbroek de deur opendoet als je aanbelt.'

'Dat doe je nu al.'

'O. Doe ik dat?'

De barkeeper zet een bakje dry-roasted pinda's op de bar, waardoor ik nog een deuntje wil huilen. Voornamelijk omdat ik ze niet eens mag hebben. Geen pinda's, heeft dokter Cork gezegd. Ik mag verdomme niet eens een pinda.

'Gun jezelf wat tijd,' zegt Jim. 'Het is nog zo vers.'

'Weet ik, maar ik heb alleen het gevoel dat dit alles overhoop gooit. Jij had iemand anders kunnen leren kennen, kunnen trouwen en het kunnen doen zoals het hoort. Dat hadden we allebei kunnen doen. Maar nu wordt alles veel ingewikkelder.'

Ik ga rechtop zitten en knijp mijn ogen dicht. Elke keer dat ik aan één gevolg van deze toestand denk, staat het volgende alweer te dringen, net een horde paarden die op me afkomt.

'Maar ik ben nooit op zoek geweest naar een vrouw, Tess, dat weet je,' zegt Jim, en nu kijk ik hem aan. 'Dat conventionele gedoe met trouwen en tweeënhalf kind krijgen, daar heb ik nooit van gedroomd.'

Ik kijk naar de grond.

'Maar ik wel, Jim,' zeg ik, en ik kijk weer op. 'Daar heb ik wel van gedroomd.'

Een afschuwelijke stilte. Jim staart in zijn glas. Pas als de laatste woorden mijn mond uit zijn, besef ik hoe waar ze zijn. Ik had het allemaal gepland. Niet gepland zoals Vicky dingen plande – een abonnement op *Bruid* toen ze twintig was en getrouwd en zwanger toen ze zevenentwintig was. Ik heb het niet over je kind zo strak plannen dat zijn verjaardag in de schoolvakantie valt. Wat ik bedoel, en dat is ook meteen mijn probleem denk ik, is dat ik niet besefte dat ik alles moest 'plannen'. Ik had het allemaal opgeslagen in de map 'spreekt vanzelf'. De Ware ontmoeten, de witte bruiloft, de gezamenlijke hypotheek en het ceremonieel van de pil in de prullenbak gooien en ophouden met het grote zuipen bij wijze van voorbereiding op de komst van ons kind. De seks – o, de seks! – als we op zonovergoten middagen de koffer in duiken, giechelend om de decadentie ervan. Het in elkaars armen springen van blijdschap als de test positief is en de eerste scan op de telefoon van de aanstaande vader. En wie is die aanstaande vader in mijn fantasie? Niet Jim, mijn vriend, de man voor wie ik een platonische liefde koester, maar die ik niet voor deze rol in gedachten had. Nee, de man die ik voor ogen had, voordat dat hele grote 'plan' ter ziele ging, was Laurence. Maar ik heb hem tussen mijn vingers laten wegglippen, als fijn, goudkleurig zand, als klei aan het pottenbakkerswiel, als een glibberige, pasgeboren baby. Als het leven zelf.

'Dit is allemaal belachelijk,' zeg ik ineens.

'Wat?'

'Dit. Wij.'

Mijn wangen gloeien. Ik wil eigenlijk niet doorgaan, maar nu de sluizen zich openen komt het er allemaal uit.

'Wat bedoel je?'

'Mensen doen dit niet, Jim. Een kind krijgen met hun boezemvriend. We zijn toch geen stel?'

Jim doet zijn ogen dicht en kreunt.

'We hebben nooit echt iets gehad. Jij bent een volwassen man, een docent; kénnelijk een verantwoordelijk persoon.' Nu krijg ik een hekel aan mezelf, het is zijn schuld niet. 'Welke man van dertig heeft niet eens een condoom bij zich?'

Jim snuift. 'Wát?'

'Een condoom, Jim, je weet wel, anticonceptie.'

Hij knippert met zijn ogen en sputtert ongelovig om die laatste opmerking.

'Er zijn er twee voor nodig, Tess, bovendien was jij dronken.'

'Waren we allebei!'

'En jij had dat slipje aan. Dat zwarte geval met kantjes. Ik bedoel, dat is toch ook geen anticonceptie?'

Hij is gek geworden.

'En dan heb je het niet kunnen rijden,' zegt hij.

'Ríjden?!' Ik staar hem verbijsterd aan.

'Dat jij niet kunt rijden. En dat je rijlessen maar blijft uitstellen. En dat je altijd de laatste metro mist en een hekel aan nachtbussen hebt en dus maar bij mij blijft slapen...'

'En wat nog meer?! Dus dat dit eraan zat te komen? Dat ik niet kan rijden en liever best leuke slipjes draag dan enorme kleppers tot over mijn navel staat nu opeens gelijk aan erom vragen zwanger te worden? Voor het geval je het was vergeten, jij lag met een andere vrouw in bed toen ik belde om te zeggen dat ik zwanger was.'

'Je hebt niet gezegd dat het je stoorde,' zegt Jim. 'Als je dat wel had gezegd...'

'Het stoort me niet. Dat is het probleem juist,' zeg ik en ik gooi mijn handen omhoog. 'Denk je niet dat het me wel zou moeten storen, op z'n minst een heel klein beetje, dat de vader van mijn kind het met een ander doet?'

De barkeeper schraapt luidruchtig zijn keel. Er is net een groepje zakenlieden aan de bar komen zitten.

Jim heeft zijn hoofd in zijn handen liggen.

'Maar snap je niet dat het nu niet meer om ons gaat, maar om dit kind?' zei hij zacht. 'Een kind dat ons nodig heeft, heel hard nodig. Er zijn duizenden vrouwen die niet eens zwanger kunnen worden, heb je daar weleens aan gedacht?'

Daar had ik aan gedacht en ik walgde van mezelf omdat ik zo ondankbaar was, maar ik kon er niets aan doen.

'Sorry,' zei ik, 'maar ik ben nu niet bepaald in een menslievende stemming.'

'Dat merk ik,' zegt Jim. Hij staat op en pakt zijn jas.

We vertrekken, gaan naar huis. Ieder ons eigen huis.

6

'Ik kwam in mijn onderbroek de wc uit en gilde: "Kijk! Hij is positief, we krijgen een kindje!" Neil zei eerst niets en ik dacht: o god, hij vindt het niet leuk. Toen dook hij naar de kast, pakte zijn Polaroid-camera en nam ter plekke een foto van mij met de positieve test. Zelfs nu nog moet ik bijna huilen als ik naar die foto kijk, die op de koelkast hangt. Ik zie er zo verdomde jong en dun uit!'
Fiona, 38, Edinburgh

Gina leunt achterover tegen het raam van het café, slaat haar armen over elkaar en kreunt.

'Jij denkt nu zeker: ik heb het toch gezegd?' zegt ze en ze kijkt me vanonder half geloken oogleden aan. 'Waarschijnlijk heeft iedereen het zien aankomen, behalve ik.'

Ik leg mijn hand op haar arm. 'Nee,' zeg ik, maar verder zeg ik niets. Ik weet hoe het gaat.

Het is bijna twee weken geleden sinds Jasper haar de bons heeft gegeven – op een spectaculair wrede manier: per sms, een halfuur voordat ze hem op een feestje zou treffen – en ze zit nog in de martelaarsmodus. Dat wil zeggen dat ze geen medeleven wil of mijn analyse wil horen over wat er fout is gegaan. Ze wil alleen maar dat ik haar boksbal ben terwijl zij zich helemaal laat gaan.

Het is zondag en dit was de dag waarop ik Gina over de baby zou vertellen. Ik had willen wachten tot na de scan zoals ik Jim heb beloofd, maar ze weet het al, daar ben ik zeker van. Ze heeft mijn boek, *De roze wolk,* gevonden, en dat is zo belastend als bewijsmateriaal maar zijn kan. Toen ik na mijn werk thuiskwam stond ze erin te lezen, snuivend bij alle wazige foto's van vrouwen met hun handen om hun bolle buik.

'Moet je zien: wat een zelfingenomen en oersaai stelletje, hè?' zei ze, en ze deed alsof ze haar vinger in haar keel stak. Gina is niet wat je noemt kindvriendelijk. Eerlijk gezegd is ze uitgesproken anti-baby. Vicky en zij waren boezemvriendinnen – dat waren we allemaal. Maar sinds Vicky achttien maanden geleden is bevallen van Dylan en 'naar de andere kant is overgelopen', zoals Gina het ziet, zit hun vriendschap in het slop. Gina behandelt Vicky alsof ze een bom in haar armen heeft als ze hem vasthoudt. Toen Vicky het verhaal van haar gruwelijke bevalling vertelde (waarin inderdaad een gedetailleerd verslag van hechtingen en de manier waarop haar placenta 'over de vloer glibberde, met zo'n vaart kwam hij eruit') kreeg Gina een vieze smaak in haar mond.

Dus ik was absoluut niet verrast door haar reactie op het boek. Pas toen haar gezicht betrok en ze zei: 'O god, is het jouw boek?' werd ik ineens lijkbleek.

'Ik doe een stuk over gezondheid en zwangerschap, dit is een naslagwerk,' loog ik met mijn hoofd in de koelkast, vloekend tegen de kaas.

Jaja. De enige gezondheidsartikelen die *Believe It!* ooit bracht waren verhalen over chlamydia, 'De stille epidemie', en nog een, dat je beter kunt vergeten, over 'extreem zweten'.

Dit was het weekend waarin ik mijn onthulling wilde doen, maar tot nog toe was de sfeer er niet naar. Als het niet goed loopt tussen Gina en de mannen, wat eerder regel is dan uitzondering, dan volgt er een vast programma, een serie 'modes' die we moeten doorlopen, die stuk voor stuk helemaal moeten zijn uitgewoed voordat de volgende kan beginnen.

Tot nu toe zit ze volop in de gekwelde fase. Toen ik thuiskwam van de film, trof ik haar kettingrokend in de tuin aan met een gezicht dat door het huilen zo opgezwollen was dat het leek of ze een anafylactische shock had gehad.

Mijn eerste gedachte was heel egoïstisch dat ik met al mijn ellende geen behoefte had aan een rouwende huisgenote. Maar ze was zo van streek – zo erg dat ze een knuffel toestond, en dat zegt heel wat – dat er maar één ding opzat: een nacht lang de hele dvd-doos van *The Office* kijken, ovenfrites eten en Jaspers ondergang plannen.

Het café loopt nu leeg. Op de mahoniehouten tafels, gedekt met kleedjes met retroruitje, staan nog borden met half opgegeten ontbijt en overblijfselen van bonen. Op de originele jarenvijftigbar staan gebruikte koffiekopjes hoog opgestapeld. De hele zaak lijkt doortrokken van baconvet.

Ik richt me weer op Gina, die nu vol gas in de vechtersfase gaat. Ze herkauwt de gebeurtenissen van de afgelopen paar weken, speurend naar aanwijzingen voor wanneer de neergang heeft ingezet.

'Ik zou het niet zo erg vinden,' zegt ze, terwijl ze een espresso achteroverslaat, 'maar vorige week heeft hij nog zitten zeggen dat hij echt voor me viel. Dat ik "de intelligentste vrouw was die hij ooit had ontmoet". Ha! Wat een onzin. Zo intelligent dat ik niet kan zien wat er voor mijn ogen gebeurt. Een volslagen gek, maar wel een slimme gek.'

Ik bijt op mijn lip en staar naar de grond. Het is altijd een beetje gênant wanneer Gina zo begint, vooral op een openbare plek. Nogal hoorbaar.

'Je moet jezelf niet gek maken, je kunt er beter nu achter komen dat het een eikel is. Stel je voor dat je helemaal aan hem verslingerd was geraakt en het dan ontdekte. Dan is het echt mis.'

'Dat zal wel,' mompelt ze. 'Beter kwijt dan rijk en zo. Maar goed, ik heb het helemaal gehad met die losers, ik denk dat ik single beter af ben. Ik bedoel maar, wat is er mis met mij? Heb ik soms een bord met "Ik zoek een sukkel" om mijn nek hangen?'

'Nee, natuurlijk niet, idioot,' zeg ik, en ik sta op om een arm om haar heen te slaan, maar ze weert me af.

Helaas is het zo dat Gina altijd valt voor mannen die voorbestemd zijn om haar teleur te stellen. Ze heeft eens een fatsoenlijk vriendje gehad, Mark Trelforth, met doctoraal diploma en al. Maar Marks aanbidding stootte haar uiteindelijk af, ze moest hem uit zijn lijden verlossen – de ochtend na het afstudeerbal; om zijn kater er fijn in te wrijven, de arme sukkel.

Sindsdien is ze op zoek naar een opwindender man, een bijzonder persoon. Een zogenaamde Mister Perfect.

Het probleem is (zoals ik haar vandaag al heb voorgehouden) dat als een man van vijfendertig 'bijzonder', 'opwindend' en 'lijkend op bijvoorbeeld Pete Doherty' als kerneigenschappen heeft, dan de kans groot is dat een vaste relatie en onvoorwaardelijke liefde niet boven aan zijn prioriteitenlijstje staan. Maar dat heeft Gina nog niet helemaal begrepen.

De ramen van het café zijn helemaal beslagen door de aanhoudende, Londense miezerregen die alles in een zachte waas hult. Het is nog maar twee uur 's middags, maar het voelt veel later, waarschijnlijk omdat we hier al twee uur zitten. We hebben bij elkaar twee lattes, een espresso en een thee op en hebben gezelschappen zien komen, eten en gaan. Eerst de groep dertigers uit Islington met kater, hun haar nog nat van de douche, in hun Racing Green-bodywarmers. Daarna de twintigers die veel cooler zijn en dus later binnenkomen en die vaak nog dezelfde kleren als gisteravond aanhebben.

Gina heeft al die tijd amper ademgehaald, en ik al die tijd maar knikken en hummen en mijn mond houden. We hebben een eetlust ontwikkeld die een 24 uursontbijt waard is.

Ik vind het niet erg, hier komt wel een eind aan. Na een paar dagen is dit raaskalstadium voorbij en heeft het plaatsgemaakt voor een korte periode van rust en zelfreflectie. Dat zal naadloos overgaan in een milde euforie zodra Gina haar herwonnen status als single omarmt, een periode waarin ze me meestal meesleept naar afgrijslijke avonden voor speeddating, tot ze weer een volslagen ongeschikte vent voor zichzelf vindt, en tegen die tijd ben ik weer grotendeels overbodig.

Ik weet niet waarom ik hierover doorga. In mijn huidige puinhoop ben ik niet echt een lichtend voorbeeld van hoe je relaties onderhoudt. Alleen als je iemand zo lang kent, dan weet je dit soort dingen. Je deint met hun mee op de golven, maakt hun stormen mee en hun korte zonnige dagen. Alleen deint ze niet mee op de mijne; de hoogste, engste golf in mijn hele leven. Ze kan me niet helpen. Want ik heb het haar niet eens verteld.

Een stuurs kijkende serveerster mikt de 24 uursontbijten voor ons op de tafel en beent heupwiegend weg.

'Kop op, meid,' zegt Gina. 'Wie weet gebeurt er geen ramp.'

Maar liefst drie mensen hebben dat de afgelopen week tegen me gezegd. 'Te laat!' wilde ik elke keer roepen. 'Die ramp is al gebeurd!'

Gina bedekt haar hele ontbijt met tomatenketchup – een bloedbadontbijt – en ineens word ik een beetje misselijk.

'Weet je waar ik echt nijdig van word?' zegt ze, en ze zet haar mes agressief in haar eten.

'Ik heb honderd pond uitgegeven aan mijn jurk om op dat suffe feest van hem te dragen.'

'Heb je het bonnetje niet meer?' vraag ik. 'Kun je hem niet gewoon terugbrengen?'

'Misschien, maar het gaat om het principe, Tess,' snibt ze, met haar vork een worst doorborend. 'Het feit dat ik mijn eigen geld heb verspild, om hém een plezier te doen, terwijl ik dat in New York had kunnen uitgeven!'

Mijn maag trekt samen als ze dat zegt. New York. Shit. Hoe kan ik nu nog naar New York? Gina en ik hadden een jaar geleden, toen we in een pub zaten (waar ik meestal ja zeg op dingen) afgesproken om samen naar New York te gaan. Maar hoe kan ik überhaupt ergens heen nu ik zwanger ben?

Gina bekijkt mijn gezicht, mijn maag draait zich om: weet ze iets? Elke keer dat we de afgelopen week hebben gepraat, elke keer dat Vicky belde en ik een smoes verzon om op te hangen, dacht ik: nu ben ik erbij. Dit is het moment dat mijn dekmantel afvalt. Maar haar gezicht betrekt.

'Moet je ons nou zien zitten,' zegt ze lachend. Ik zet me schrap. 'Wat een stel sukkels.'

Je moet Gina zien als ze dit doet. Dit iedereen over dezelfde kam scheren. Het is haar irritantste gewoonte.

'Spreek voor jezelf!' zeg ik lachend. 'Wat heeft dat nu weer te betekenen?'

'Ik bedoel er niets negatiefs mee,' zegt ze schouderophalend. 'Ik bedoel alleen, moet je ons zien, snap je?'

'Wat moet ik zien?'

'Ons leven, denk ik. Moet je ons leven zien. We zijn een eind in de twintig, in de kracht van ons leven, slim, getalenteerd, onweerstaanbaar aantrekkelijk...'

'Zo mag ik het horen.'

'Precies. En spelen we het klaar om een vriendje te vinden? Dacht het niet.'

Ik probeer iets filosofisch of positiefs te zeggen, maar ik kan alleen maar aan de golf misselijkheid denken die momenteel over me heen spoelt. Ik wou dat Gina haar mond even hield.

Dat doet ze niet.

'Weet je nog dat we in onze studietijd altijd "Wat is erger?" speelden?'

Wat is erger speelden we allemaal als we blut waren en niet konden uitgaan. Het voornaamste doel was bepalen wat erger was: een wip met Noel Edmonds of bijvoorbeeld zwanger zijn van Bruce Forsyth.

Als we genoeg hadden van het bespreken van belachelijke scenario's, bedachten we ernstiger dilemma's, zoals of we een huwelijk boven kinderen zouden verkiezen, of een fantastische carrière belangrijker was dan ware liefde. Het kwam in die tijd, toen we dertigers gewoon zagen als mensen die klassieke pumps of schoenen droegen, natuurlijk niet in ons op dat we zouden overschieten zonder (nou ja, bijna zonder) een van beide te hebben gevonden.

'We weten nog steeds niet wat we erger vinden, toch?' zegt Gina. 'We weten nog steeds niet wat we willen.'

Ik geef geen antwoord, ik kan niet. Ik voel me ellendig. Bovendien staat het me niet aan waar het gesprek heen gaat.

'Kijk nou naar Jim en jou. Dat zou nooit wat worden.'

Ze zegt het nonchalant, maar ik krimp in elkaar.

'Ik vind Jim een leuke gozer, weet je, ondanks zijn tekortkomingen...'

'En die zijn?'

'... en volgens mij is hij gek dat hij jou niet aan de haak slaat. Maar als het erin had gezeten, dan was het nu toch wel gebeurd. Jullie moeten stoppen met maar aanzooien, jullie twee, en op zoek gaan naar de ware. Ik heb altijd gedacht dat Laurence en jij het zouden halen, als hij het niet had verknald, in elk geval. Jullie waren een te gek stel. Alleen was jij te jong.'

Ik voel de kleur uit mijn gezicht wegtrekken. Had ik een afspraakje met hem moeten maken? Had ik sowieso moeten terugmailen? Misschien doe ik Laurence tekort door aan te nemen dat hij nooit met me uit zou willen omdat ik zwanger ben. Hij is een volwassen vent die zijn eigen beslissingen kan nemen.

'En ik dan,' gaat Gina verder, 'geen flauw benul wat goed voor me is. Ik dacht dat Jasper fantastisch was, zo anders dan al mijn voorgaande vriendjes...'

Zo'n evenbeeld van alle andere eikels met wie je sinds Mark iets hebt gehad, wil ik zeggen, maar ik word in beslag genomen door de aanblik van de bloederige massa van eieren en bonen met ketchup op haar bord en probeer de inhoud van mijn maag in toom te houden.

'Gelukkig hebben we elkaar nog, hè? Gelukkig ben jij er nog, Tess Jarvis. Wie had gedacht dat we nu nog samen zouden wonen, hè? Stelletje lesbo's dat we zijn.'

Gina is nu goed op dreef, maar ik luister niet. Plotseling ben ik heel erg ziek. Als ik me nu heel koest hou, zal het wel gaan. Als ik me concentreer, gaat deze misselijkheid wel voorbij, toch?

Niet dus.

De adrenaline raast door mijn aderen, mijn wangen gloeien ineens, mijn mond vult zich met vocht; ik ga overgeven. Ik moet echt kotsen!

'Tess, wat is er? Gaat het wel?' vraagt Gina, maar het is te laat.

Ik sta op, gooi mijn stoel met zoveel geweld naar achteren dat hij een doordringend krijsgeluid maakt over de natte vloer. Even overdenk ik nog wat ik zal doen – de deur, de wc of mijn tas. Ik heb (zelfs in deze toestand) nog het benul om te bedenken dat er een heel mooie Mulberry-portefeuille in mijn tas zit en dat ik de wc beneden niet meer haal, dus ik duik op de deur af.

Ik sprint letterlijk het hele café door, duw iedereen – een blondine met paardentanden, een kind – uit de weg.

Ik grijp de deurkruk, gooi de deur open, duik de stoep op en... laten we zeggen dat het er niet mooi uitziet. Ik heb net een paar drankjes en een half 24 uursontbijt verspild en een mooie mama met een brandschone peuter in een buggy op een haar na gemist.

Ik hoor Gina in het café vloeken en dan naar buiten komen.

'Jezus, Tess,' zegt ze tegen me met haar armen over elkaar geslagen. Ze geeft me bijna een standje. 'Waar komt dat ineens vandaan?'

'Joost mag het weten,' zeg ik, de tranen van mijn wangen vegend. 'Waarschijnlijk een 24 uursbacterie.'

De misselijkheid gaat even snel over als hij is opgekomen. Na een glas water, dat ik met trillende handen leegdrink, en wat billendoekjes van de mooie mama – veel mooier dan ik, nu ik nog niet eens een baby heb – ben ik klaar om de terugtocht te aanvaarden.

Het plan is perfect: dvd's, toast en een regelrecht onderduikplan voor de rest van de dag.

Als we over Essex Road lopen legt Gina een arm om mijn schouders.

'Ik schrok me dood, net,' zegt ze. 'Waarom heb je niet gezegd dat ik mijn mond moest houden?'

'Makkelijker gezegd dan gedaan,' zeg ik.

'Da's waar,' zegt ze. 'Sorry hoor.'

Het is een miezerige, grijze slakkengangdag; zo'n dag die geen moment echt op gang komt. De afgelopen acht dagen, sinds de ruzie in

Frankie's, heeft het enige contact met Jim bestaan uit stijve telefoongesprekken. Meestal kunnen we uren doorkletsen, Jim en ik. We hebben het eens een uur lang gehad over de vraag of Davina McCall boven haar stand was getrouwd toen ze met die fitte kerel van Pet Rescue trouwde. Van Jim is bekend dat hij soms midden in een gesprek wegslentert, terwijl ik nog aan de lijn ben en hem winden hoor laten. We voelen ons zo op ons gemak bij elkaar, dat het bijna belachelijk is. Maar deze week niet. Deze week heb ik voor het eerst geen kletspraat met Jim Ashcroft.

Maar nu, en ik weet niet of het komt doordat ik niet meer zo misselijk ben, of doordat ik een band voel met Gina en troost put uit het feit dat ze bij me is, na de vertoning op de stoep, maar voor het eerst sinds lange tijd voel ik een voorzichtig begin van een soort rust die mijn zinnen beroert.

Het is nog heel subtiel. Als een onscherpe Polaroid, maar het is er en het voelt goed. Het lijkt wel alsof alles wat in de storm van mijn emoties plotseling zachtjes omlaag komt zweven om zijn normale plaats weer in te nemen.

Ik zou me bijna lekker voelen als ik dat grote geheim niet had dat in mijn hoofd blijft rondgalmen, en eruit probeert te komen. Misschien moet ik het haar vertellen. Nu we ons verbonden voelen in al onze misère.

We lopen Blockbusters in, nemen wat schaamteloos meisjesachtige films, voor zondagmiddagen, en lopen verder over Essex Road, waar we zo vaak hebben gelopen dat hij een afdruk in onze schoenzolen heeft achtergelaten, ons bekende territorium.

Tegen de tijd dat we thuis zijn, zijn onze broekspijpen drijfnat en hebben we het gevoel nooit meer warm te worden. Ik ga me omkleden terwijl Gina water opzet, de cv omhoog draait en onze proviand in schaaltjes doet.

'Wenst arme patiënt een kopje thee?' gilt ze van onder aan de trap, terwijl ik in mijn badjas iets zoek om aan te trekken.

'Alstublieft, zuster,' roep ik met een glimlach terug. Is dit nu zorgzaamheid waar ik op getrakteerd word? Is dit Tess Jarvis die voor de verandering in de watten wordt gelegd door Gina Marshall? En ze weet het nog niet eens.

Ik trek een oude joggingbroek aan en mijn basketbalsweater. 'Officieel beter,' verklaar ik, wanneer Gina me onder aan de trap een dampende mok geeft.

Ik wil het haar vertellen. Ik wil het eruit gooien, zodat ik er niet meer alleen mee rond hoef te lopen, maar toch wil ik van dit moment genieten, het eeuwig vasthouden. We zullen nooit meer als twee single, kinderloze vriendinnen in deze keuken staan, alleen wij tweeën met de regen die op het dak klettert als enig gezelschap.

We lopen naar de zitkamer en ploffen op de bank neer. Nu is het moment. 'Zeg het nu,' spoor ik mezelf aan. 'Zoek de woorden, kom op!'

'Gina,' zeg ik. Mijn hart bonst tegen mijn ribben.

Ze springt overeind. Shit, nu komt het!

'Ik weet het, we kunnen maar beter in actie komen. Welke zullen we kijken?' vraagt ze, en ze marcheert naar de tas met dvd's.

Ze haalt *Lost in Translation* eruit, laat hem aan mij zien en ik knik zwakjes. Ze kruipt naar de tv, bukt zich, met haar rug naar me toe, terwijl ze iets over Bill Murray mompelt, en duwt de dvd in de speler.

Ik denk aan mijn belofte aan Jim, dat we hebben afgesproken dat we tot na de scan zouden wachten en het dan aan iedereen vertellen... maar de woorden zijn te groot, ze passen niet meer in mijn mond. Ze vallen eruit alsof ik Giles de la Tourette heb.

'Gina,' zeg ik, 'ik ben zwanger. Ik krijg een baby.'

Als ik had gedacht dat Gina positief zou reageren, dan had ik het mis, finaal mis. Ik ben niet voorbereid op de uitdrukking op haar gezicht wanneer ze zich omdraait. Geschrokken is het woord niet. Walgend zou een betere beschrijving zijn. Een eeuwigheid lang zegt ze niets. Ze zit daar maar met de dvd in haar hand en staart me woest aan.

'Wat?' zegt ze met opeengeklemde kaken. Het is nauwelijks hoorbaar, een fluistering.

'Ik ben zwanger.'

'Van wie...'

'Van Jim,' zeg ik met mijn blik op de grond gericht.

Ze kijkt me tussen haar vingers door aan.

'Hoe zwanger ben je?'

'Achtenhalve week.'

'En je hebt het me niet verteld?!'

'Dat is toch niet zo vreemd?' zeg ik. 'Moet je zien hoe je reageert.'

'Maar Tess, je hebt niet eens iets met Jim, je houdt niet op die manier van hem. Je bent niet verliefd, jullie allebei niet!'

De woorden steken. Dacht ze dat ik dat niet al wist? En dacht ze niet dat ik het anders had gewild?

'Dat weet ik,' zeg ik zacht. 'Maar nu is het gebeurd, en we hebben besloten het kindje te houden.'

'Wát?' zegt Gina lachend en huilend tegelijk. Ik druk me dieper weg in de bank.

'Maar dat kan niet,' zegt ze, 'dat is belachelijk; je kunt dat kind niet krijgen, niet zó.'

'Wie zegt dat?' zeg ik. Ik huil nu. 'Waarom is dat zo verkeerd? We zijn allebei volwassen, ik ben geen tienermoeder. Als ik van dit kind wilde afzien, dan zag ik af van leven, dan kies ik de makkelijkste weg, snap je?'

Gina veegt haar gezicht af, waar plotseling een vastberaden uitdrukking op ligt.

'Luister,' zegt ze, en ze komt naast me zitten. 'We kunnen nog kiezen; laten we erover nadenken. Want dit gaat niet over Jim of over de baby – het is nog niet eens een baby, Tess, dat zei Mark toen ik abortus liet plegen en hij had gelijk, het was maar een klompje cellen – de enige om wie het gaat ben jij. Je moet aan jezelf denken.'

'Maar dat doe ik ook, ik wil het houden.'

'Dat meen je niet.'

'Jawel!'

Ik geloof mijn oren niet. Ik weet dat het een schok is en dat ik dom ben geweest dat ik het zover heb laten komen, maar waar is die lieve vriendin gebleven die een arm om me heen slaat en me al die vragen stelt die je nou eenmaal stelt als iemand vertelt dat ze zwanger is?

'Ik ga morgen wel met je mee naar de dokter,' zegt Gina kordaat. 'Ik kan me ziek melden. We komen er wel uit. Ik heb het ook meegemaakt, weet je nog, dus ik weet hoe het is, ik weet wat ik moet zeggen...'

'Nee,' zeg ik, en ik sta op. Ik heb het gevoel alsof ik nooit iets zo ernstig heb gemeend. 'Nee! Je weet niet wat je moet zeggen. Ik ga niet naar de dokter, ik ben al geweest en dat was om te vragen wanneer ik ben uitgerekend. Veertien december, als je het wilt weten, zet het maar in je agenda. Ik wil geen abortus, Gina. Ik hou het, wíj willen het kind houden.'

Ik loop de kamer uit en sla de deur achter me dicht.

7

'Ik dacht dat de liefde vanzelf zou komen. Dat ik mijn kindje zou aan-
kijken en we elkaar meteen zouden aanvoelen. Maar toen Poppy was
geboren, was ik doodsbang, alsof ik andermans kind had gekregen om
voor te zorgen. Het heeft zeven maanden geduurd voordat ik oprecht
kon zeggen dat ik van haar hield. Nu weet ik natuurlijk dat ik ziek was,
maar toch voel ik me schuldig.'
  Sam, 36, Didsbury

Ik lig naast Jim, met mijn buik in de holling van zijn rug. Buiten
trekt een vlucht vogels zoevend door de ochtendlucht. Na de ruzie
van gisteren met Gina was de sfeer op z'n zachtst gezegd zo ijzig dat
ik de bus heb genomen en hierheen ben gekomen, naar Jim in zijn
knusse Victoriaanse appartement in East Dulwich.

Het was een week na de ruzie in Frankie's en ik wist niet hoe ik zou
worden ontvangen.

Ik had me geen zorgen hoeven maken.

Toen Jim opendeed, in zijn mosterdkleurige badjas (het resultaat
van een verdwaald badlaken in de was) voelde ik me meer welkom
dan ooit en had ik hem nooit liever willen knuffelen dan op dat moment. Ik stond voor hem; een verloren figuur in het felle licht van de
straatlantaarn.

'Hallo, dame,' zei hij met over elkaar geslagen armen. Zijn hoofd
rustte tegen de deurpost alsof hij me verwachtte. 'Kom binnen.'

Hij ging me voor door zijn smalle, lichte gang met als enige opluis-
tering een ingelijste foto van een Amerikaans bord met het opschrift
LET OP: BIJ REGEN WATER OP WEG.

Word ik altijd weer vrolijk van.

De begane grond bij Jim is helemaal open. De woonkamer is gezellig ingericht met geïmproviseerde meubelen. Twee gestreepte banken met donkergrijze grand foulards erover, een enorm, rond zwart-wit kleed en een bobbelige, groene draaistoel, waarin hij altijd zit na te kijken. Hij heeft een waardeloze tv. Je kunt er maar drie zenders op ontvangen als je de kamerantenne op een mok zet. Vandaag ligt er op de bank een dikke stapel nakijkwerk die hij kennelijk net opzij heeft gelegd. Hij legde het op de IKEA-tafel, bij de afstandsbediening, de overblijfselen van een Muller Light en Shakespeare's *Henry IV*. Toen legde hij zijn handen op mijn schouders, duwde me op de bank en liep naar de keuken om thee te zetten.

Het is een mannenkeuken – een oogverblindende verzameling onnodige gadgets: een sapmachine, een pastamachine, een ijsmachine, een bloedrood DeLonghi-espressoapparaat dat een ton weegt – die iets minder oogverblindend is geworden door een subtiel laagje vuil.

Op de planken boven de gootsteen staan kookboeken van Jamie Oliver en een paar met verdachte titels als *Met huid en haar* waar alleen maar recepten in staan waarin slachtafval en varkenspoten verwerkt zijn. (Jim denkt graag dat hij een onverschrokken kok is – wat eerder inhoudt dat je onverschrokken moet zijn om te eten wat hij kookt.) Naast een bierglas vol muntjes staat een bak met tuinkruiden die hij echt verzorgt, terwijl ik er elke keer een bij Tesco koop en hem dan drie maanden later uitgedroogd op de koelkast zie staan.

'*Henry IV*, hè?' zei ik, denkend dat zomaar een praatje me goed zou doen. 'Sorry, maar ik heb nooit echt warm kunnen lopen voor Shakespeare.'

'Ga je mond spoelen!' zei Jim verontwaardigd. 'Het is een van de grappigste, grofste boeken die ooit zijn geschreven. Hoe kun je nou niet vallen voor een kei van een kerel als Hal, of een volslagen dronkenlap als Falstaff? Vooral jij?'

'Hoho,' zei ik. 'Wat insinueer je daar?'

Jim gaf me een kop thee. 'En,' zei hij, 'waar heb ik dit genoegen aan te danken?'

Dat was het teken, ik vertelde alles. Ik stortte alle details over de bekentenis aan Gina over hem uit, en terwijl ik het hardop uitsprak vond ik het steeds ongelooflijker klinken.

'Het spijt me dat ik vorige week zo'n huilebalk was,' zei ik schaapachtig, toen ik alles van me afgepraat had. 'Om maar te zwijgen van het feit dat ik mijn mond niet kon houden tegen Gina. Je zult wel kwaad op me zijn.'

'Ja, ontzettend. Ik ben woedend,' zei Jim effen. 'Je bent een kreng, maar dat schuiven we gewoon op de hormonen, toch?'

'Als ik zo doorga, staat dat straks op mijn grafsteen.'

Het zal ongeveer één uur 's nachts zijn geweest toen we naar bed gingen. Ik had de bibbers nog in de benen over Gina, en Jim vond het even verwarrend als ik. 'Weet je zeker dat ze dat heeft gezegd?' vroeg hij. 'Ik weet dat Gina onvoorspelbaar kan zijn, maar dat is gewoon idioot.'

'Ik weet het, ik snap het ook niet. Het leek wel of ze het als een persoonlijke aantijging opvatte dat ik zwanger was. Als iets wat ik verkeerd had gedaan. Ik bedoel, ik weet dat ik me niet meer lazarus kan drinken, maar ik ben toch nog steeds Tess? Ik ben nog dezelfde met wie ze al ruim tien jaar bevriend is.'

Jim sloeg een arm om me heen. Het voelde alsof hij alle lucht uit mijn longen kon persen.

'Weet je, het komt wel goed, dit allemaal,' zei hij. Hij staarde voor zich uit en zei het met die profetische zekerheid waarmee hij alles brengt. 'Ik weet dat het er nu niet op lijkt, maar het komt goed.'

'En Gina?' vroeg ik voorzichtig terwijl we de trap op liepen, naar bed.

'Die draait wel weer bij.' Jim gaapte. 'En zo niet, nou, dan zal ze ervan lusten.'

Ik glimlachte, maar ergens in mijn achterhoofd maakte ik me nog steeds zorgen. Hoe kon ik haar nog dingen toevertrouwen? En stel dat iedereen, zelfs Vicky, zo negatief reageerde? Stel dat ik me ernstig vergiste en dat dit kindje houden het slechtste, meest onverantwoordelijke idee ter wereld was?

'Een baby heeft alleen maar liefde nodig,' zei Jim. Die woorden keer ik in mijn hoofd maar om en om. 'Een kind wil zich gewoon gewenst voelen.' En ik wens deze baby te krijgen. Waarom zou ik anders bij elke kriebel in mijn buik met bonkend hart wakker worden, doodsbang dat dit het begin van een miskraam is? Als je het goed beschouwt, bedenk ik terwijl ik daar lig, kunnen we het niet nog eens proberen als ik dit kind nu kwijtraak. Niet zoals echte stellen doen.

Je kunt een ongelukje hebben en dan het beste maken van een situatie die niet helemaal ideaal is, maar het is iets heel anders om iets weer te laten gebeuren dat helemaal niet had horen te gebeuren.

Dit ongeboren kind dat al vingertjes en teentjes heeft, en misschien mijn welvingen en Jims lange benen (daar zou Eva Herzigova jaloers op zijn) is een toevalstreffer, het is door de mazen van het net geglipt. Dus als het lot beslist dat het niet zo mag zijn, dan zou dat vreselijk zijn, maar dan zouden we het moeten accepteren. Waarom joeg die gedachte me zo'n angst aan?

Jim slaapt maar ik kan de slaap niet vatten, mijn hersens malen maar door. Ik weet dat het bijna ochtend moet zijn omdat ik in het flauwe licht de vertrouwde vormen van zijn kamer net kan zien. De foto op zijn nachtkastje, die in de rode lijst die nooit echt veel te betekenen had, staart me nu aan en roept het verleden op.

Ik, Jim, Gina en Vick onder de luifel van onze caravan tijdens de kampeervakantie van afgelopen jaar in Norfolk. Jim en ik doken toen al drie maanden wanneer we maar zin kregen met elkaar het bed in. Hoe vaak heb ik al naar deze foto liggen kijken? En voorheen heeft het nooit meer dan weemoed losgemaakt. Maar plotseling spreekt de lichaamstaal boekdelen: Gina en Vicky tegen elkaar aan geleund, lachend naar de camera die we op een bierkrat hebben gezet. Ik in een strandstoel met mijn benen onder me getrokken en mijn hoofd op Jims schouder. Maar wat doet Jim? Hij woelt door mijn haar. Geen vonkje seksuele aantrekking tussen ons.

Dat heeft me er niet van weerhouden om me te laten meeslepen. Ik begon toch te denken dat ik misschien wel verliefd op Jim aan het worden was, dat hij misschien wel op mij viel.

Mijn tenen krommen nog als ik denk aan wat er gebeurde een paar uur nadat de foto was genomen. We waren die avond naar de pub geweest en liepen arm in arm over de winderige landwegen naar de camping. Toen we op de camping waren, liep Jim regelrecht naar zijn tent naast de caravan toe, en ik kroop bij hem in de tent.

'Jim, we zijn nu al een poosje met dat rare wel/niet-gedoe bezig,' zei ik, naar het canvas starend en met mijn hart in mijn keel. 'Misschien moeten we het eens proberen. Echt met elkaar gaan, bedoel ik.' Na een lange stilte waarin ik me afvroeg of hij mij zijn eeuwige liefde zou verklaren, draaide hij zich gewoon op zijn andere zij.

'Tess, je bent dronken,' zei hij vlak. 'We zijn boezemvrienden, we hebben iets bijzonders, iets heel moois. Laten we dat niet bederven.'

Wat een etter. Wat een ontzettende eikel! Leg ik mijn ziel bloot, stel ik me helemaal open, geeft hij me het gevoel dat ik zo klein ben dat ik in zijn achterste had kunnen verdwijnen, zijn eigen hoofd achterna. Stik toch, dacht ik. Maar ik zei niets. Ik was te hevig ontsteld.

Ik maakte alleen maar ernstig volwassen V-tekens naar het tentdak.

Maar natuurlijk had hij gelijk. Gelukkig was er iemand die zijn hersens gebruikte. Als ik nu naar ons kijk, zoals we daar onder die luifel zitten, vind ik het ongelooflijk dat ik dat heb gezegd. Ik was evenmin verliefd op Jim als hij op mij – niet echt, niet op de juiste manier. Het was allemaal whishful thinking.

Het rottige is dat als ik het niet met Laurence had verknald, dan had ik waarschijnlijk nooit in die tent gelegen, dan had ik mezelf nooit voor schut gezet, dan was ik nooit doorgegaan met die vrijblijvende wip tussendoor met Jim en dan zou ik zeker niet zwanger van hem zijn!

Onder Jims geruite dekbed voel ik dat hij een erectie heeft. Een hoera-hij-is-wakker-slip. Gewoonlijk, dat wil zeggen in het pre-babytijdperk, betekent dit: een slaperig, alcoholnevelig vluggertje, waarna ik het voldane gevoel heb dat ik echt een meid van deze tijd ben. Ik ga af en toe met mijn beste vriend naar bed en dat vinden we allebei prima.

Maar vandaag is het een onwelkome druk, en ik voel mijn lichaam verstarren terwijl hij dichterbij schuift. Hij haalt slaperig adem en als hij uitademt port hij zachtjes met zijn knie tussen mijn dijen om me open te duwen. Ik verzet me. Ik kan dit niet. Mijn hoofd zit te vol met zorgen. Was seks vroeger een extraatje, nu is het beladen met betekenis. Het is alsof de luchtigheid ervanaf is, alsof er een ballon is lek gestoken, die nu verschrompeld op de grond ligt.

Jim legt zijn arm om me heen.

'Morgen,' mompelt hij en hij drukt een kus op mijn hoofd, waarna hij een hand tussen mijn benen laat glijden.

Ik trek hem zacht weer weg.

'Jim,' zeg ik. Ik duw hem zachtzinnig van me af en probeer niet te knorrig te klinken. 'Jim, luister... ik kan het niet, sorry.'

Hij rolt op zijn rug en zegt een hele poos niets.

Als hij zich weer laat horen, klinkt hij bijna verdrietig.

'Het is nu anders, hè?'

'Ja,' zeg ik. 'Ik denk van wel.'

Hij zoekt mijn hand, streelt die even en komt dan op zijn zij liggen.

'Kom,' zegt hij, en hij drukt zijn lange, warme lichaam tegen het mijne. 'Laten we gewoon even knuffelen.'

We moeten uiteindelijk weer zijn ingedommeld, want als ik weer wakker word, is het tien over zeven en ligt Jim niet in bed. Ik ga zitten en hoor de douche lopen, dus ik stomp mijn kussen op en pak *De roze wolk.*

Ik houd ervan in Jims flat wakker te worden. Net als alles in zijn leven – zijn auto, zijn geliefde boeken, zijn vrienden – heeft hij hem al heel lang, zorgt hij er goed voor en krijgt hij daar veel voor terug.

Jim heeft altijd goed voor dingen moeten zorgen, want hij wist nooit wanneer er iets nieuws of beters zou komen. Toen hij vijftien was nam zijn zuipende vader de benen, waardoor het gezin moest rondkomen van zijn moeders inkomen van haar parttimebaan als schoolverpleegkundige, dus zijn zus Dawn en hij hebben nooit veel gekregen. Daarom staat de boekenkast, gemaakt van losse planken en bakstenen, vol met kinderboeken waar hij ruim twintig jaar zuinig op is geweest. En sommige lp's heeft hij al sinds de jaren tachtig, en hij heeft allerlei retrochics – een leren fauteuil, een oranje jarenzeventigtelefoon – die hij niet in een trendy designwinkel heeft gekocht, maar gewoon al die tijd heeft bewaard.

Jim komt de slaapkamer in lopen. Hij is nog kletsnat en heeft alleen een handdoekje om zijn heupen hangen. Hij trekt de gordijnen open waarna we een wederom grijze meimorgen in kijken. Hij gaat voor zijn spiegel staan en bekijkt zijn stoppelbaard.

'Daar lees je graag in, hè?' zegt hij, terwijl hij via de spiegel naar me gluurt.

'Zou kunnen,' zeg ik schalks, 'hoezo?'

Jim haalt zijn schouders op. Hij spant zijn 'spieren' aan, zogenaamd om te imponeren, en draait zijn lichaam voor de spiegel van links naar rechts.

'Grrr,' zegt hij, 'één bonk mannelijkheid, een strak getraind instrument, dat zul je merken.' Hij heft zijn armen een voor een op en spuit een royale regenbui deodorant. Met een lijf zo dun als een bonenstaak en een huid zo bleek dat hij in een bepaald soort licht wel blauw lijkt is dit Jims grote grap.

'Ja hoor. Vijftig kilo ruige kracht,' zeg ik, en ik kijk over mijn boek heen naar hem. 'Moet je zien hoe dun je bent!'

Daarop rukt Jim de handdoek weg, trommelt als Tarzan op zijn borst en duikt nog steeds kletsnat bij me in bed. Ik slaak een gilletje van schrik.

'Aaah, je bent ijskoud en kletsnat, ga alsjeblieft van me af!' roep ik terwijl hij windkussen op mijn buik blaast.

'Ik ben Tarzan, jij bent Jane. Ik ben man, jij bent vrouw!'

'Jim!' gil ik, half serieus, half lachend. 'Wat doe je nou, idioot, zo meteen plet je de baby nog!'

Abrupt en met een geschrokken gezicht springt hij naar achteren.

'Shit, verdomme, shit, sorry, dat had ik niet moeten doen,' kreunt hij met zijn handen voor zijn ogen. 'Ik vergat dat je zwanger was, wat ben ik toch een klungel. Gaat het?'

'Ja hoor, dank je,' zeg ik, trek het dekbed op en pak mijn boek weer. 'Schiet nou maar op en kleed je aan, domoor. Straks kom je nog te laat.'

Hier zijn we goed in, Jim en ik. Een beetje dollen, grapjes maken over ons lichaam en onze tekortkomingen. Maar mijn kind krijgt ook genen van deze man, dus het is wel handig als ik hem een beetje leuk vind. Als ik eerder naar Laurence keek, naar die hele één meter achtentachtig aan adonis-achtige schoonheid, dan wist ik precies wat ik voelde. We konden nog geen twee seconden samen zijn (tenminste in het begin niet) of we besprongen elkaar, bevangen door lust. Maar met Jim is het nooit zo; het gaat nooit om lust, hartstocht of dierlijke begeerte. Ook al heb ik ooit gedacht dat dat genoeg was, voor mij is hij altijd alleen maar die lieve Jim; meer gevoel dan begeerte.

Ik bekijk hem nu, hij staat in alleen zijn boxershort met zijn rug naar me toe zijn overhemd aan te trekken. Het is zeker geèn adonis, maar hij heeft iets, ik weet niet, iets aangenaams.

Hij is goed geproportioneerd: lange benen, een sierlijke nek, een mooie, sterke rug en slanke armen. Zijn schouders zijn hier en daar getooid met wat sproeten. Dat is zijn Schotse bloed natuurlijk, van zijn vaders kant – gelukkig is dat het enige wat hij van hem heeft geërfd, dat en zijn manier van lopen, met de armen over elkaar geslagen en de schouders een beetje afhangend. Ik denk altijd dat het een Schots loopje is, alsof hij het permanent koud heeft.

Ja, Jim, de vader van mijn kind is een leuke man om te zien. Maar mijn gevoelens voor hem komen uit mijn hoofd en mijn hart en niet uit mijn kruis, zoals het hoort.

Jim heeft nu een standaard docentenoutfit aan: Gap-broek, blauw overhemd en hij doet nu een of andere afzichtelijke das om. Het is een bruine met verontrustende paisleyprint.

'Wat is dat voor een das die je daar om hebt?' vraag ik.

'Welke das?'
'Die je om hebt.'
'Wat is er mis mee?'
'Wat is er goed aan?'
'Het is een doodgewone das.'
'Precies.'
'Heb je daar last van?'
'Nee, ik dacht alleen: ik zeg het even.'
'Juist,' zegt hij, en hij snuift nadrukkelijk.
'Juist,' zeg ik, en ik onderdruk gegiechel.
Hij loopt naar de deur, trekt hem open en staat even stil.
'Wat ben je nu? Mijn vriendin?' vraagt hij uiteindelijk. Ik hoor
hem zacht grinniken terwijl hij de deur dichtdoet.

Ik zit in de bus, bijna op mijn werk, als Vicky belt.
'Hoi,' zegt ze.
'Hoi.'
'Met mij.'
'Weet ik.'
Ze zwijgt even. Ik weet dat ze dat doet om me de kans te geven
haar iets te vertellen. Ze weet dat ik de laatste tijd vreemd doe. Voor
Vicky hou je niets verborgen, die heeft je in een paar seconden door.
Ik wou dat ik het haar kon vertellen. God, wat zou ik het haar graag
vertellen, ze is mijn beste vriendin! Maar ik weet dat Jim het me niet
zou vergeven. Het tegen Gina zeggen was een grote fout, maar ik
moest het aan iemand kwijt en zij was toevallig in de buurt. Maar als
Vicky – of wie dan ook – het eenmaal weet, heb je maandenlang
geknipoog, grapjes en vragen als 'En, wanneer gaan jullie trouwen?'
En daar hebben we nu helemaal geen behoefte aan.
'Eh, ik bel even om te zeggen dat ik – zoals je weet – over acht da-
gen jarig ben en ik probeer te bedenken wat voor thema mijn feestje
moet hebben.'
'Oké,' zeg ik.
Weer een stilte.
'Mag ik de opties met je doornemen?'
'Eh, ja, alleen...'
'Tess?'
'Ja?'
'Gaat het goed met je?'

'Ja hoor, prima. Ik zit alleen in de bus. Ik kan niet echt praten.'

'O, oké. Je klinkt alleen vreemd.'

'O ja?'

'Ja, alsof je me iets niet vertelt.'

Ik slik krampachtig.

'Nee, er is niets. Eerlijk, er is niets aan de hand,' zeg ik, en ik heb onmiddellijk spijt van het 'er is niets aan de hand' omdat ze nu weet dat er wel iets aan de hand is.

Mijn huisgenote heeft zich tegen me gekeerd en ik ben zwanger van mijn beste vriend, meer niet.

Wanneer ik langs de receptie loop zegt Jocelyn niets. Ze kijkt me niet eens aan. Ze trekt alleen maar een geeltje van het blok op haar bureau en geeft het me, met om haar hoofd zwierend haar en een geheimzinnige blik van tevreden gewichtigheid op haar gezicht.

Er staat: *Laurence heeft gebeld. Kun je vandaag met hem lunchen? Het zou zijn hele week goedmaken. Bel hem: 0771 6543 893.*

En omdat ik op het punt sta een vrouw te interviewen die de huwelijksreis van haar minnaar heeft gesaboteerd, denk ik: wat kan het mij schelen, het is maar een lunch met een ex. Ik loop naar mijn bureau en bel het nummer.

8

'Ik was vijfendertig weken zwanger, en toen struikelde Hamish over een cricketbat op de trap en brak zijn enkel. Ik weet niet met wie de verpleegsters in het ziekenhuis meer medelijden hadden, met hem of met mij. We hadden een peuter en een kind van zeven om voor te zorgen en in de wijde omtrek was er geen hulp te bekennen. We zullen er in bed wel komisch hebben uitgezien – hij met drie kussens voor zijn voet en ik met drie kussens voor mijn buik. We moesten wel lachen, want anders hadden we liggen janken.'
Siohban, 48, Londen

We staan voor het National Film Theatre.

Hij geeft me twee kaartjes... met British Airways erop. Dat meen je niet, denk ik. Dan denk ik: o god, dat is toch niet waar, hè? Dat hij echt tickets naar Parijs heeft gekocht zonder mij iets te vragen.

'Ik heb een risico genomen,' zegt Laurence.

'Dat is niets voor jou,' zeg ik, en even ben ik me ervan bewust dat ik niets liever zou willen.

'Wat zijn we sarcastisch,' zegt hij, en hij lacht kort.

Dan kijk ik nog eens en zie dat het kaartjes zijn voor het reuzenrad London Eye. 'Leuk, zeg. Heel lief van je,' stamel ik, 'maar er staat vast een enorme rij en ik heb maar drie kwartier... ik moet om...'

Maar hij trekt me aan mijn arm mee, en ik ren toch mee, giechelend als een tiener.

'Kom op, joh! Even een lolletje,' roept Laurence over zijn schouder. 'Jezus, wat is dat voor tijdschrift waar je voor werkt? Een totalitair regime, of zo?!'

Boven ons rommelt een trein over de Hungerford Bridge en meeuwen zwenken krijsend over de Theems. Op de zuidelijke oever wemelt het van de toeristen, luidruchtige groepen Franse schoolkinderen met rugzakken, halsdoekjes en een grote mond met een docent die er duidelijk genoeg van heeft.

'Nee,' roep ik. Ik lach en krijg grote happen lucht naar binnen. 'Alleen moeten sommige mensen werken, snap je. We kunnen niet allemaal ons brood verdienen met de hele middag rondhangen, drie uur lang lunchen en bier tappen.'

Hij draait zich om, trekt stevig aan zijn sigaret en blaast de rook omhoog, de blauwe lucht in. 'Ja, ja,' zegt hij, met zijn armen gebarend. Hij ziet er zo Frans uit. 'Ik was vergeten dat jij tegenwoordig een belangrijke baan in de media hebt. Heb je nu niet een uurtje over voor je oude vriend?'

Ik wou dat ik dat had, Laurence Cane. Ik wou dat ik vijf uur, vijf dagen, vijf weken met je had. Wat heeft die man toch dat hij dit met me doet? Me verleiden. Me recht in het hart treffen wanneer ik er niet op bedacht ben. Met een knipoog met die dikke, zwarte wimpers mijn gezonde verstand uitschakelen.

Maar dat doet hij, en ik ben bij hem en hij maakt geen aanstalten om van plan te veranderen, dus ik moet me wel laten meesleuren, struikelend bijna. En dan staan we als dwergjes naast de reusachtige London Eye met zijn rijen mensen, alsof we bij een gigantisch schip staan dat gaat uitvaren.

De rij kronkelt twee of drie keer om de witte pilaren heen, en daarachter staan nog minstens twintig mensen. Laurence peilt de zorgen op mijn gezicht.

'Maak je geen zorgen,' zegt hij bijna lachend, en hij masseert mijn schouder. Er trekt een schok door mijn lichaam en ik besef dat het, afgezien van dat prehistorische meesleuren van daarnet, de eerste keer in ruim vier jaar is dat hij me heeft aangeraakt. Het voelt vertrouwd en toch vreemd aan, prettig maar om een of andere reden krijg ik er toch een schuldgevoel van. Het ongerijmde van de hele situatie zit me dwars. Ik ben een aanstaande moeder. Ik zou aan kindernamen moeten denken en me zorgen moeten maken over het hechtingsproces, en niet hier tijdens mijn lunch in de zon staan om straks met mijn ex in een toeristische attractie te stappen.

Gelukkig was Jocelyn toen ik het kantoor uit glipte te zeer verdiept in een van haar 'korte gesprekjes' met haar zus in Australië om me te ondervragen. Het is vast geweldig om Jocelyn te zijn: ze verontschuldigt zich nergens voor, heeft er geen last van dat elke dag een uur lang op kosten van de baas met Australië bellen een beetje te veel van het goede is. Topmeid.

Ik? Ik probeer onder dingen uit te komen, maar ik ben nooit echt goed in handige praatjes. Met de kleine dingetjes kan ik wel uit de voeten – de tentamens, geldzaken, het slijmen om onder een boete uit te komen of een club in te komen. Maar als het op relaties en gevoelens aankomt, dan hoor ik dat stemmetje – mijn geweten. Het klopt op de muur als een irritante buurman. Zoals toen ik tijdens de lunch door de draaideur van Giant Publishing liep en achterom keek of niemand keek. Zoals nu, bijvoorbeeld. Het schuldgevoel dat ik heb. Je zou denken dat ik ertussenuit kneep voor stiekeme seks in een achterbuurthotel! Ik krijg er maagkramp van. Maar waarom voel ik me schuldig?

Ik hoor het Vicky al zeggen, een echte Yorkshire-preek: 'Wat heb je gedaan? Met Laurence afgesproken, die je hart heeft gebroken, die je vanaf de andere kant van de wereld heeft gedumpt via de mail? Sinds wanneer is dat een goed idee? Wat ben je toch een ongelooflijke ezel.'

En misschien heeft ze gelijk – dat heeft ze meestal – misschien is dit het slechtste idee van mijn leven. Ik had die mail kunnen wissen en Laurence Cane voorgoed uit mijn leven kunnen bannen. Maar ik had het gevoel dat ik dat niet kon. Omdat ik het anders nooit zou weten, toch?

En dat we elkaar die ochtend tegenkwamen, dat hij aan de overkant van de straat logeerde, dat we tegelijk in de stomerij stonden, met elkaars kleren. Ik had zijn overhemd, Laurence' overhemd, een week in mijn slaapkamer hangen! Als dat geen teken is... Meestal geef ik niet om tekenen, maar hier kun je niet omheen.

Maar goed, zeg ik tegen mezelf, maak jezelf niets wijs, want dit is maar één rondje in de London Eye. En hij heeft een vriendin (flinke kink in de kabel). En je bent zwanger (kink met sloophamerwerking). Dus hoeveel 'tekenen' er ook zijn, dit gaat dus niet gebeuren.

Hij steekt nog een sigaret op, de bekende Camel Lights.

'Ja doei,' zegt hij met een blik op de rij. 'Kom mee, ik heb een idee.'

Hij grijpt mijn arm en sleept me weer mee, naar een bord waarop staat: HOUDERS VAN SNELTICKETS. Bij de ingang is het hek gesloten. O jee, daar gaan we. Zwangere vrouw en ex gearresteerd tijdens lunchpauze...

Maar ik heb eigenlijk geen tijd om erover na te denken, want voor ik het weet is Laurence over de reling gesprongen en moedigt me aan hetzelfde te doen.

Ik denk: de boom in, mooi niet. Ik verwacht een kind, ik kan niet over relingen gaan springen! Maar omdat Laurence bij me is en omdat hij een stoute bui heeft en omdat ik ontzettend meegaand ben, doe ik het wel. Ik hijs mijn rok bijna tot aan mijn slipje op, neem een aanloopje en spring naar de reling, grijp de stang met mijn rechterhand en lanceer me eroverheen. Zo soepel als maar kan.

'Niet naar mijn slipje kijken!' roep ik.

'Ik kijk niet naar je slipje! Schiet nou maar op, ja?!'

Voor ons staan een paar mensen met hun hoofd te schudden en om zich heen te kijken, maar het kan me niets schelen. Ik zak bijna in elkaar van het lachen en dan is het zover, we zijn aan de beurt. Een grote witte cabine stopt voor ons en we klimmen aan boord van de London Eye. De andere zes mensen in de cabine gaan allemaal op het houten bankje in het midden zitten, maar Laurence en ik draaien ons naar het glas, en gaan naast elkaar staan terwijl Londen zich voor onze ogen ontvouwt.

'Wauw. Fantastisch, hè?' zeg ik, en ik zie de rivier glinsteren en kronkelen. Rechts van me schitteren de Houses of Parliament als een goudkleurige bruidstaart.

'Het is wel een coole stad,' stemt Laurence in, die van het uitzicht geniet. 'Hé, kijk daar eens, dat brengt herinneringen naar boven, toch?'

Ik kijk waarnaar hij wijst, voorbij de Houses of Parliament, naar Battersea Powerstation, met zijn vier witte torens die omhoogsteken, als de poten van een koe die op zijn rug ligt.

'Hoe kan ik dat nou vergeten? Ik ben er zo vaak geweest. Eigenlijk zijn de keren dat jij naar Islington bent gekomen op de vingers van twee handen te tellen.'

'Nou, jij had een afgrijslijk bed,' zegt hij.

'Wat een laffe smoes!' werp ik tegen.

'Maar je weet hoe graag ik in mijn bed lig.'

'Daar heb je gelijk in,' zeg ik. 'Daar is niets tegen in te brengen.'

Ik heb nooit iemand gekend die zoveel slaapt als Laurence. Het grenst aan narcolepsie. Ik overdrijf niet.

'Maar het was wel een leuke tijd, hè?' zegt Laurence. Ik voel dat zijn

gewicht zich verplaatst. Ik voel zijn zware gewicht rechts van me.
'Zeker weten,' zeg ik. 'Lunchen in het Latchmere, 's nachts rotzooien in Jez' huis, frisbeeën in het park...'
We kijken elkaar aan en barsten tegelijk in lachen uit.
'Die verrekte parkwachten!' zeggen we tegelijkertijd.
Iemand op de bank, kennelijk iemand die Engels spreekt, kucht nadrukkelijk, maar het kan ons niets schelen.
'Waar ik niet bij kan is dat we naakt waren. Twee dagen voor Kerstmis!' zegt Laurence, en hij lacht een diepe keellach. Hij legt een hand tegen mijn rug, stevig en vertrouwd. Even kan ik geen adem krijgen.
'Wat een geweldige kerst was dat, hè? Ik weet het nog allemaal.'
Hoe kon ik het vergeten? Ik heb het hele kerstdiner bij Laurence' ouders thuis doorgebracht met mijn handen in twee glazen ijswater omdat ik – tot ieders vermaak – de scherpte van de chili's voor het voorgerecht van 'Algerijnse gekruide gehaktballen' had onderschat en ze met blote handen had gesneden.
Het was niet de eerste keer dat ik een modderfiguur had geslagen bij Laurence' moeder. Na het incident op de keukentafel (alsof dat niet erg genoeg was) sliep ik op het luchtbed naast een snurkende, naar bier walmende Gina en droomde van Laurence, in de slaapkamer ernaast. Ik dacht dat ik de volgende dag wel ongezien weg zou kunnen glippen zonder mijn schandelijke gezicht te hoeven laten zien. Niet dus. Het bleek dat ik mijn sportschoenen in de woonkamer had laten liggen en er de volgende ochtend niets anders opzat dan naar beneden te gaan en een praatje te maken met Laurence' moeder die naar dat stomme *Seafood Odyssey* van Rick Stein zat te kijken.
'O, je zit naar Rick Stein te kijken,' stelde ik nogal dom vast en pakte mijn schoenen.
'Ja, ik hou wel van Rick Stein,' zei Joelle, niet onvriendelijk, maar verder zei ze niets.
'Hij is nogal gek op vis, hè? Nogal erg. Rick Stein,' zei ik na een veel te lange stilte, en ze gaf er niet echt een antwoord op. Dus toen zei ik: 'Ik hou van vis.' Het was niet te geloven.
'Dat is mooi,' zei ze, met een beleefde glimlach die ook kon betekenen 'en sodemieter nou maar op'. 'Vis is heel goed voor je.'
'Ja, ik eet het liefste zalm,' zei ik. 'En daarna denk ik kabeljauw.'
Na die spetterende afscheidspeech maakte ik dat ik wegkwam en ik verwachtte er nooit meer te komen. Maar Laurence en ik waren

blijkbaar begonnen zoals we wilden verdergaan: het volgende weekend belde hij me en eiste dat hij me mocht komen opzoeken in Manchester. Hij scheurde er vanuit Leeds heen in zijn rode Lelijke Eend om de twaalf uurtjes die hij had voordat hij weer een college moest bijwonen met me door te brengen. Daarna hebben we tweeënhalf jaar onophoudelijk gevreeën. Maar nu als officieel stel. Ik was helemaal verkocht, volledig in de ban van zijn koele Britsheid en zijn Franse sensualiteit. Ik behandelde hem als een exotisch huisdier. Ik schepte met hem op, vergaf hem zijn lastige buien, accepteerde zijn onregelmatige aanhankelijkheden voornamelijk omdat ze hemels waren als ze kwamen.

Maar het was helemaal niets voor mij, vooral omdat ik normaal gesproken nooit naar iemand als hij had omgekeken. Want jongens als hij keken voor zover ik wist nooit om naar meisjes als ik. Mannen als Laurence – half Frans (Frans-Algerijns om precies te zijn), een beetje humeurig, een beetje ondeugend, die mengeling van populair en ietsje arrogant – vielen meestal op bescheiden meisjes. Meisjes die hun stem nooit verhieven, die zijdezacht haar hadden dat uit hun staart piekte, meisjes met zwoele ogen. Meisjes die zo verstandig waren niet halsoverkop verliefd te worden op iemand als hij.

De timing had niet slechter kunnen zijn – echt iets voor mij om drie maanden voor de laatste tentamens verliefd te worden. De wittebroodsweken waren intens en uitputtend: hij kwam naar Manchester (of ik ging naar Leeds), we lagen dan vierentwintig uur in bed en kwamen er alleen uit om te eten, en dan, om vier uur, moesten we elkaar letterlijk wegduwen. Ik duwde hem zijn auto in, hij mij de trein in, om in elk geval nog een heel klein beetje werk te kunnen doen. Ik heb het hem nooit verteld, maar elke keer dat de trein wegreed zat ik te huilen.

Laurence was hartstochtelijk en onvoorspelbaar; hij vond mij onweerstaanbaar en sexy, terwijl jongens op school me altijd 'lief en grappig' hadden gevonden. Hij zei dat ik de grappigste, coolste, makkelijkst te onderhouden vriendin aller tijden was. En hij was cool, verdomme. Ik geef toe dat hij cool was. Hij was weleens dj, rookte Camel Lights en hij reed als een echte Fransman. En ik hield van hem, ik was gek van hem, droomde van hem. Ik hield van hem op een manier die soms aandeed alsof we één waren. En als ik naar zijn gezicht keek, in die donkere ogen, zag ik een nieuwe, zelfverzekerde, sexy ik.

En natuurlijk was er heel veel seks, te gekke, verliefde seks. Hongerige, door lust aangevuurde seks. Het kon ons niet schelen waar we het deden en of we werden betrapt. We deden vluggertjes in zijn ouders huis en ik pijpte hem onder een brug op de Pennine Way. De eerste paar maanden na mijn afstuderen bleef ik in Manchester en nam ik een baantje in een café in Castlefield. Laurence kwam dan vanuit Leeds langs en dan vreeën we de hele nacht. We deden geen oog dicht. De volgende dag serveerde ik met een ontzettend rauw kruis cappuccino's, maar wel met een brede, besmuikte grijns op mijn gezicht. Alles en niets voelde toen alsof het voor eeuwig was. Voor het eerst in mijn leven was ik echt verliefd.

En het bleek dat Joelle helemaal niet boos op me was. Ze maakte zelfs snedige opmerkingen over 'keukentafel-gate', waar ik dan van moest blozen en zij meisjesachtig lachte. Ik werd lid van de familie; ik was de dochter die Joelle nooit had gehad. En ik dacht dat dit het was, dat dit de Ware was, en dat ik tweetalige kinderen zou krijgen en bij een bohemien familie zou gaan horen.

Maar ik had het mis. Net zo makkelijk als hij mijn leven in was geglipt, glipte hij er ongeveer tweeënhalf jaar later weer uit, per e-mail, toen ik aan de andere kant van de wereld zat.

'Hoe is het met je moeder?' vraag ik, omdat ik van onderwerp wil veranderen, voordat Laurence zich de chilivingers of mijn flitsende kabeljauw/zalmconversatie herinnert.

'Geweldig. Nou ja, compleet maf natuurlijk, nog steeds voortdurend teleurgesteld in mij, je weet hoe dat gaat...'

'Ah,' zucht ik weemoedig. 'Ik ben gek op je moeder.'

'Zij ook op jou,' zegt Laurence, en hij draait zich om en kijkt me met zijn ontwapenende blik aan. 'Ze heeft me nooit vergeven wat er toen is gebeurd.'

Ik kijk verlegen naar de vloer. Onder ons krioelen mensen over Westminster Bridge. Ze worden kleiner, net mieren. Hier boven, hangend in de lucht, weg van de wereld en de werkelijkheid voel ik me ook klein.

'Mag ik je iets vragen?' vraagt Laurence.

'Tuurlijk,' zeg ik. 'Wat is er?'

'Waarom heb je mijn e-mail niet beantwoord?'

Ik ben met stomheid geslagen. Ik was de e-mail helemaal vergeten.

'Welke e-mail?' zeg ik, onder de indruk van mijn snelle herstel.

'De e-mail die ik je vorige week heb gestuurd. Ik vroeg of je vrijdagavond uit wilde – ik was er kapot van toen je me helemaal links liet liggen.' Hij zegt het met een glimlach, half gekwetst, half flirtend. Ik word knalrood.

'Ik heb hem niet gekregen,' zeg ik uiteindelijk.

'Oké, ik snap 'm,' zegt Laurence, duidelijk niet overtuigd. Dan pakt hij mijn handen en houdt ze vast, en ik weet niet waar ik moet kijken. Dit heeft me verrast.

'Zeg eens eerlijk. Ik ben een echte eikel geweest, hè?' zegt hij. 'Dat ik het zo heb uitgemaakt.'

Ik kijk hem nu aan, tot hij zijn ogen dichtdoet en zijn hoofd laat hangen. Ik onderdruk een tinteling van plezier.

'Ik wil niet liegen,' zeg ik. 'Ik was er kapot van.'

Ik ben terug op de dag dat hij het uitmaakte, alles komt weer terug. Ik was in Victoria Falls, had de Zambezi af gekanood, maar zelfs met dat wereldwonder om me heen werd ik nog afgeleid door gedachten aan hem. Hij had al dagen niet gemaild, en als ik belde, was hij om geheimzinnige reden niet bereikbaar. Voor de tweede keer die avond liep ik op blote voeten over de camping, het internetcafé in om nog één keer te kijken of ik berichten had. En daar stond het:

Liefste Tess,
Het spijt me, ik kan dit niet meer. Ik weet dat je me een eikel zult vinden – ik hoop van niet, Tess! –, denk aan alle fijne momenten die we hebben gehad!! Maar drie maanden is zo lang en ik mis je!! Ik kan het gewoon niet. Ik heb ook iemand leren kennen – ik wilde niet dat je dat van iemand anders zou horen! Er is nog niets gebeurd, maar misschien komt dat wel. Ik wilde je het persoonlijk vertellen maar ik had het te kwaad. Ik wilde het kwijt.
Ik zal altijd van je houden. XXX

God, wat heb ik gehuild. Ik heb gehuild alsof mijn hart uit mijn lichaam werd gerukt en toen nog wat meer. Ik kon niets doen, daar weggestopt in dat verrekte Afrika, ik had geen telefoonkaart, niets. Ik mailde terug:

Bel morgen om 22.00 uur alsjeblieft het nummer van de camping. Ik zal er zijn.

Maar niets. Geen woord. In een paar uur veranderden mijn gevoelens van verdriet naar woede. Wie was dat andere meisje dat zo goed was dat hij niet op me kon wachten? Hoe had ik zo'n ezel kunnen zijn om te denken dat hij zijn handen thuis kon houden? Hoe durfde hij een relatie van twee jaar per mail uit te maken? Dacht hij soms dat al die uitroeptekens de klap zouden verzachten?!!!

Ik was totaal van de kaart. Halverwege mijn reis van zes maanden door Afrika, de reis van mijn leven, mijn laatste maanden vrijheid voor ik me echt zou settelen, dacht ik. Laurence zou proberen werkervaring op te doen in de filmbusiness (daar is nooit wat van gekomen) en ik zou mijn vleugels uitslaan voordat ik me uiteindelijk zou werpen op de zoektocht naar een fatsoenlijk tijdschrift (in plaats van schrijven over koperen pijpleidingen voor *Keukens en Badkamers*). Ik was alleen nog maar naar Spanje geweest (Lanzarote in 1992, waar mijn ondankbare broer klaagde over het zwarte zand). Ik had mezelf om vier uur 's ochtends uit bed gesleept om vliegtuigen schoon te maken om voor deze reis te sparen. En hoewel ik wist dat ik Laurence zou missen, voelde ik dat ik dit moest doen; het was een belofte aan mezelf die ik moest inlossen, al was het alleen maar zodat ik me niet zo onwetend zou voelen vergeleken bij Laurence' wereldwijze familie.

Het afscheid op Heathrow was hartverscheurend. Ik huilde, Laurence huilde. We klampten ons aan elkaar vast, ik met mijn handen in de kontzakken van zijn spijkerbroek, midden in de vertrekhal, tot de laatste oproep voor mijn vlucht. Ik moest rennen, anders was ik nooit gegaan. Ik heb niet gezwaaid, geen dag gezegd, ik kon het niet over mijn lippen krijgen, dat deed lichamelijk pijn.

'Ik hou van je, schat,' fluisterde Laurence, en hij drukte een lange kus op mijn voorhoofd.

'Ik ook van jou,' zei ik, en ik kuste hem voor de laatste keer. Toen zette ik het op een lopen, stapte in het vliegtuig, de zilte smaak van zijn tranen nog op mijn lippen.

Het plan was als volgt: na vijf maanden zou Laurence naar me toe komen, in Tanzania, drie heerlijke weken doorbrengen als in de Bacardi-reclame in het paradijs, voordat we zouden thuiskomen en gaan samenwonen. Maar dat is natuurlijk nooit gebeurd.

Nadat hij me had laten vallen, verlengde ik mijn ticket tot een heel jaar. Waarvoor moest ik nog thuiskomen? Ik had in die laatste paar maanden wat avontuurtjes, maar hoe leuk die ook waren, het waren alleen maar (mislukte) pogingen om het gapende gat te vullen dat Laurence had achtergelaten. Daarna was het een ware woestijn. Drie jaar in een sekswoestijn. Tot Jim, in mei van 2006, had ik geen enkele man dicht bij me laten komen – niet dichtbij genoeg om op wat voor manier dan ook tot me door te dringen – ik was te zeer gebroken, te gekwetst.

Laurence doet zijn ogen nu open en zijn blik is intens.

'Ik weet het. God, Tess, ik had zo'n hekel aan mezelf,' zegt hij. 'Toen zag ik jou bij de stomerij en dacht ik: wauw.'

'Zeg maar niets meer, echt,' zeg ik, 'het maakt niet meer uit. Jij bent nu in elk geval gelukkig, je hebt een vriendin.'

Ik weet niet zeker of hij een vriendin heeft, dat was een truc. De laatste keer dat ik Gina vroeg of hij nog met Chloe ging – en ik probeer echt om een paar maanden tussen twee keer vragen te laten vallen – was het nog aan, maar hij heeft er bij de stomerij niets over gezegd. Chloe behoort tot Gina's uitgebreide vriendenkring. Ze zat op kostschool een jaar onder Gina en Laurence, maar kwam pas boven water (en stal pas mijn vriendje) toen ze naar een barbecue ging waar Laurence toevallig ook was terwijl ik op reis was, en strikte hem toen hij stomdronken, zwak en dom was.

Ik houd mijn adem in.

'Vriendin?'

Mijn hart bonkt in mijn keel. Geen vriendin?

'O, je bedoelt Chloe?' Hij klinkt verrast.

'Ja. Het meisje waar je me al die jaren geleden voor liet vallen. Het meisje dat je hebt leren kennen toen ik in Afrika zat, weet je nog? Jullie zijn toch nog steeds samen?'

Ik zeg het meer om zijn geheugen op te frissen, want hij ziet eruit alsof hij dat nodig heeft, dan om gemeen te zijn. Ik ben helemaal klaar met gemenigheid. Als ik het vanuit zijn standpunt bekijk, was ik toch degene die hem verliet om de wereld rond te reizen. Ik was degene die ervoor koos om zes maanden zonder hem door te brengen. Wat moest hij daaruit opmaken over mijn gevoelens voor hem? Wat had ik gedacht als het andersom was geweest en hij op reis was gegaan? Ik zou hem hebben aangemoedigd, maar ik zou er niet blij mee zijn geweest.

Ik ben weer terug bij Laurence. 'Ja,' zegt hij uiteindelijk. 'Ik ben nog met haar. Maar luister Tess, het is niet dat zij beter was dan jij. Het is niet dat ik haar boven jou heb verkozen.'

(O, nee? Nou daar leek het anders verdacht veel op.)
'Het was meer dat zij er was, snap je, en jij niet...'
Hij ziet aan mijn gezicht dat het er bij mij niet helemaal in wil.
'Maar goed,' zegt hij, 'hoe is het met jou? Heb jij iemand?'
Hoewel ik nee zeg, denk ik daar onwillekeurig over na. Mijn hoofd
is een warboel van tegenstrijdige emoties, net de wirwar van grasvel-
den, rivieren, parken en gebouwen daar beneden. Aan de ene kant
sta ik hier naast de man van wie ik had gedacht dat hij de ware was,
een man die nu echt nogal duidelijk met me staat te flirten, maar
toch zoomt mijn brein als een telescoop in op een klaslokaal ergens
in een schoolgebouw, daar waar de rivier langs Hyde Park stroomt,
waar de vader van de baby die in mijn buik groeit, een man met
weerbarstig haar en de meest glinsterende groene ogen die ik ooit
heb gezien, pubers probeert warm te laten lopen voor de *Canterbury
Tales*. Ik voel me... ik weet het niet, ontrouw? Maar waarom eigenlijk? Jim is mijn partner niet, ik de zijne niet. Ik ben hem niets schuldig, bovendien zijn we niet verliefd op elkaar, dus het heeft geen
enkele zin.

'Daar geloof ik niets van,' zegt Laurence, waardoor ik weer terug
ben in het reuzenrad. En dan stopt de cabine, de deuren gaan open
en een stem zegt: 'Tot ziens bij British Airways' en we stappen uit, het
platform op. We staan weer met beide benen op de grond.

Hij grijpt mijn bovenarmen vast en trekt me tegen zich aan. Er
schiet een pijnscheut door mijn borst die me naar adem doet happen.

'Au!'

'Wat is er?' Laurence doet van schrik een sprong naar achteren.

Mijn borsten! denk ik. Mijn borsten voelen als twee gigantische,
bikkelharde blauwe plekken! En ik besef dat ik bijna een uur lang
niet aan zwanger zijn heb gedacht.

'Niets,' zeg ik, en ik besef dat ik er nogal ontdaan moet uitzien.
'Niets, maak je geen zorgen.'

'Oké,' zegt Laurence. 'Oké, nou... dat was cool, hè? Kunnen we dit
nog eens doen?'

'Tuurlijk!' zeg ik, en ik bedenk dat dit tegelijk een supergoed en
een superslecht idee is. 'Geweldig idee.'

Hij blijft even over mijn armen wrijven, geeft me een klapje op
mijn billen en trekt zich terug met een glimlach waaraan ik zie dat
als hij dat niet had gedaan hij misschien een grens had overschreden

waarna hij voor de bijl zou zijn gegaan. Ik geef hem een kusje op zijn wang; ik wil degene zijn die het eerst weggaat, die hem verlangend achterlaat.

Dan bedank ik hem voor een fantastische lunch, sla de richting van het kantoor in en verdwijn in de anonieme menigte. Terwijl ik naar mijn werk loop, de echte wereld weer in, weet ik niet of het door het reuzenrad komt of door wat net heeft plaatsgevonden, maar mijn benen trillen onder mijn lijf.

9

'Het was een onenightstand, meer niet, iemand met wie ik na te veel tequila's op op een salsa-avond was meegegaan. Ik was tweeëntwintig, wilde de week erna aan mijn master beginnen. Ik zou liegen als ik zei dat ik niet af en toe had gewenst dat ik niet had besloten de baby te houden, maar nu mijn zoon er is houd ik ongelooflijk veel van hem.'
Kate, 24, Londen

Ik weet niet wat Gina heeft. Het is nu vier weken geleden dat ik haar heb verteld dat ik zwanger ben, maar toch zien we elkaar alleen in het voorbijgaan. Gina gaat 's morgens het huis uit en komt pas thuis als ik in bed lig. Ik ben meestal bij Jim, omdat ik geen zin heb in de confrontatie. Maar ik mis haar. En wat me nog het meeste kwetst is dat ik niet goed weet waarom we geen contact meer hebben.

Wat ook bijna vier weken geleden is gebeurd en me denk ik ook dwarszit, is dat dat de laatste keer was dat ik Laurence zag. Sindsdien heb ik in totaal tweeënhalf sms'je gekregen (het halve was een verzamelbericht aan al zijn vrienden dat hij voorlopig ergens anders woonde). Ik moet het gewoon vergeten. Hij heeft een vriendin, dus ik weet toch niet waar dit heen gaat. En ik heb het kind van een ander in mijn buik, dus als we het realistisch bekijken dan is de kans dat het iets wordt tussen ons nog kleiner dan de kans dat Posh zich laat gaan.

Jim is laat. Onbeschoft en onvergeeflijk laat. Ik laat mijn blik door de straat gaan en wiebel nerveus met mijn benen. Laat me vandaag nu niet kwaad op je worden, Jim. Van alle dagen dat ik je wel kan vermoorden, langzaam, pijnlijk en liefst met een bot wapen, wil ik niet dat het vandaag is.

Weer zo'n stel dat me, hand in hand, meelevend toelacht als ze langs de plek lopen waar ik zit, op de trap van de prenatale kliniek van University College Hospital. Ik heb een poosje teruggelachen, maar sinds mijn gevoel voor humor me heeft verlaten, ongeveer tien minuten geleden, staat mijn gezicht op onweer.

Waar zit hij verdomme?

Ik bel zijn mobiel en overweeg de mijne over straat te keilen als ik zijn voicemail hoor.

'Hoi, dit is de voicemail van Jim. Ik kan nu even niet opnemen, maar als je een bericht inspreekt...'

Dan zal ik je straal negeren?

Ik zou er geen moeite mee hebben, maar dit is helemaal niets voor Jim. Jim komt niet graag te laat, hij vindt het onbeleefd en onnadenkend als anderen te laat komen. Hij heeft veel irritante trekjes: onverklaarbare vrolijkheid in de ochtend, praten tijdens het tv-kijken, waarbij hij de film van commentaar voorziet, en een ongezonde Manchester United-obsessie. Maar onbeschoft en onnadenkend is hij niet, en daarom ben ik bezorgd aan het worden. En heel boos.

Als hij dit mist, onze twaalfwekenecho, de dag dat we ons kind voor het allereerst zien, praat ik nooit meer met hem. Misschien ontzeg ik hem zelfs alle omgang met zijn kind. Oké, dat is misschien een beetje rigoureus, maar ik zal hem het nooit laten vergeten, dat is een ding dat zeker is. Daar kun je op rekenen, James Ashcroft.

Ik kijk op mijn horloge. Het is halftwee. Hij is nu officieel een kwartier te laat. Ik overweeg om dan maar alleen te gaan. Ik heb de vriendelijke receptionist toch al gezegd dat ik er ben, dus ik sta op, mompel nog wat verwensingen (het zullen de hormonen wel zijn. De laatste tijd heb ik de broodrooster nogal eens staan uitkafferen) en laat mijn blik voor de laatste keer door de straat gaan.

Dan zie ik hem.

Ik weet dat hij het is, omdat alleen Jim zo'n bos haar heeft en alleen Jims hoofd zo wiebelt als hij loopt. Maar wacht eens even, waarom loopt hij zo? Alsof hij een trein nadoet voor een kind, met maaiende ellebogen, een debiel soort snelwandelen?

Pas als hij dichterbij komt, waarbij hij als een dolle naar me zwaait, zie ik dat hij hinkt. Daar maak ik me minder zorgen over, dan over wat hij aan heeft. Het is een zwart met fluorescerend geel ensemble, de bovenkant gestreept en de onderkant glanzend, waarin hij op een uit de kluiten gewassen hommel lijkt die op de pijnbank heeft gelegen (en toen door een zwaar roofdier onder de voet is gelopen), als ik zie hoe hij eraan toe is.

Ik loop met half dichtgeknepen ogen naar hem toe en probeer deze informatie te verwerken. En dan, alsof de film versneld wordt afgespeeld, staat hij voor mijn neus en wordt het allemaal afgrijslijk duidelijk. Hij heeft de sportkleren van zijn school nog aan en die zitten onder de modder, net als hijzelf. Zijn gezicht is dieppaars, hij zweet hevig en hij heeft iets engs met zijn voet gedaan.

'Tess... luister... het spijt me zo, het...'

Hij zakt tegen de reling naast het ziekenhuis in elkaar, met een hand op mijn schouder, happend naar adem.

Ik sta een paar seconden naar de lucht te kijken en probeer de juiste woorden te vinden.

'Je stinkt,' zeg ik uiteindelijk. 'Je stinkt een uur in de wind.' Met die woorden been ik weer naar de ingang van het ziekenhuis, de draaideur door (waar mijn tas in blijft steken, waardoor ik een paar rondjes moet maken en het effect er een stuk minder op wordt) en roep over mijn schouder naar een hinkende Jim: 'Zorg dat je die modder weghaalt, was jezelf en zoek een of andere deodorant, anders vergeet ik dat jij dit kind hebt verwekt, begrepen?'

De wachtkamer van de prenatale kliniek wordt verlicht door fel tl-licht waarin iedereen groen ziet. Maar Jim ziet nog fuchsiaroze.

'Het spijt me, oké?'

'Weet ik.'

'Ik moest invallen voor Rotkop, hij is ziek.'

'Ziek?' Ik werp hem mijn hartgrondigste geërgerde-echtgenotenblik toe (ik heb er de laatste tijd op geoefend).

'Oké, hij heeft een kater. Maar het is mijn beste vriend, dat had hij voor mij ook gedaan. Hij geeft geen Engels of Aardrijkskunde of iets waarbij hij rustig kon gaan zitten terwijl de kinderen hun werk doen, toch?' zegt Jim in een poging me vriendelijk te stemmen. 'Het was een blokuur gym, rugby, en hij zag griezelig groen, Tess, ik meen het. Dat had hij echt niet volgehouden.'

Hij zegt het met een irritant oprechte bezorgdheid in zijn stem.

'Het was een echo van ons kindje, Jim,' sis ik, en ik probeer zacht te praten zodat niet de hele wachtkamer meegeniet. 'En nu heb je vast je been gebroken.'

Jim kijkt me aan en lacht door zijn neus. Op dit moment kan ik die neus wel een stomp verkopen.

'Niet overdrijven,' zegt hij op de vaderlijke toon die hij voor Gina en mij bewaart. (Jim is een van de weinige mensen die weet hoe je met Gina moet omgaan.) 'Jij overdrijft altijd zo.'

Op dit moment heb ik een pesthekel aan Rotkop. Ik kan me nu levendig voorstellen waarom vriendinnen soms de pest hebben aan de beste vriend van hun vriend, en Jim is niet eens mijn vriend. Rotkop (Warren Rothop, maar we noemen hem gewoon Rotkop) is Jims boezemvriend, maar soms vraag ik me af of Rotkop niet méér wil zijn. Ze zijn samen opgegroeid in 'Stokey' (voor de niet-Stokeys: Stoke-on-Trent), hebben bij elkaar op de basisschool en middelbare school gezeten en hebben zelfs in dezelfde stad gestudeerd (hoewel Rotkop slechts Manchester Met kon doen, waar zijn ego nooit helemaal van is hersteld). Ze zijn elkaar tussen 1998 en 2000 even uit het oog verloren, toen Rotkop een Pools vriendinnetje kreeg, Marta, dat hij als een stuk vuil behandelde. Maar kennelijk hielden Jim en hij het zonder elkaar niet uit, want Jim kreeg in het najaar van 2001 een baan als leraar Engels op Westminster City School, en wie dook op als de meest onwaarschijnlijke kogelronde gymleraar die je ooit hebt gezien? Warren Rotkop Rothop.

'Oké, ik was de tijd vergeten,' zegt Jim, nu verdedigend. Ik besef dat er ook een einde zit aan mijn strafmaatregelen. 'Pas toen ik in de kleedkamer stond en jouw sms las, zag ik dat het kwart over was en niet half. Ik heb niet gedoucht en ben hier zo snel als mogelijk is voor een man die het gevaar loopt zijn voet te verliezen naartoe gekomen, snap je.'

'Ha! Wie overdrijft er nou?' zeg ik.

'Maakt het uit,' zegt hij narrig.

'Ik kon je niet bereiken, Jim.'

'Mijn mobiel was niet opgeladen.'

'Ik dacht dat je het was vergeten.'

'Het spijt me, oké?! Het was stom van me.'

Stilte. Ik zucht en geef hem nu maar een klopje op zijn knie. Jim zegt dat hij 'hartstochtelijk moet lozen' – ik hoop echt dat dit kind meer gevoel voor decorum heeft – en slentert naar de wc. Waarom gaat niets soepel? Waarom gaat dit, de eerste mijlpaal in mijn zwangerschap, niet als in de film, en waarom hobbelt de vader van mijn kind met een opgezwollen voet, gehuld in een wolk Impulse-bodyspray naar het toilet?

Gelukkig had de lieve dame van de receptie, die hem haar spray leende, medelijden met ons en gaat de scan nog door, maar ideaal is het niet. Bovendien loop ik, omdat ik volgens instructie een liter water heb gedronken (heeft ermee te maken dat ze dan de baby op de echo goed kunnen zien), nu het risico in mijn broek te plassen.

Het is raar hier. Maar raar past wel in mijn huidige levensomstandigheden. Als ik naar alle zwangere vrouwen om me heen kijk, naar de artsen en verpleegsters die in witte jassen heen en weer lopen, naar de oude posters over borstvoeding waarop alle vrouwen een prinses Diana-kapsel hebben, voel ik me een toeschouwer, geen deelnemer. Ik voel me een bedrieger. Een vrouw die een peuter met snotneus naast zich heeft zitten, strijkt over haar bolle buik. Ik vraag me af of ze ons doorheeft. Er is iets vreemds met die twee daar, denkt ze vast. Die twee zijn geen stel, ze belazeren de boel.

Ik kijk om me heen. Het is waar, iedereen ziet er professioneel zwanger uit, behalve ik. Ik dacht dat je het aan me kon zien. Met bijna dertien weken voel ik me al enorm. Maar als ik naar een paar van deze vrouwen kijk, besef ik dat ik nog een lange weg te gaan heb.

Dat meisje daar in de hoek bijvoorbeeld. Ze ziet eruit alsof haar vliezen elk moment kunnen breken. Haar vriend en zij zijn zelf nog kinderen. De vriend heeft zijn haar met gel in pieken overeind gezet en je kunt tussen de pieken zijn hoofdhuid zien zitten. Het meisje heeft steilgemaakt kroeshaar en een buik die zo bol is dat je hem eerder in een comedy zou verwachten. Hij steekt van onder haar zuurstokroze trainingsjackje naar voren. Haar outfit doet me denken aan Mr Greedy uit de Mr Men-boeken. Ik glimlach naar haar; zij neemt me van top tot teen op. Ik wend een beetje geïntimideerd mijn blik af.

Jim komt uit de toiletten hobbelen en vecht tegen de pijn maar probeert het niet te laten zien. Hij wil zich net in zijn stoel laten zakken, waarbij hij mij als steunpilaar gebruikt, als de wederhelft van het intimiderende meisje in roze zegt: 'Gaat het, meneer?'

Ik werp Jim een verschrikte blik toe, maar hij ziet er heviger ontsteld uit dan ik. Zijn wangen worden plotseling lijkbleek.

'O, hoi, Connor,' zegt hij, niet in staat de ontzetting uit zijn stem te weren. 'Ik eh, ik zou kunnen vragen wat jij hier nou doet, maar ik denk dat dat wel duidelijk is.' Hij gebaart naar de skippybalbuik van zijn vriendin. Bij de vuile blik die zij hem toewerpt, moet ik de andere kant op kijken om mijn gezicht in de plooi te houden.

Briljant. Alsof deze hele prenatale ervaring niet erg genoeg was, moeten we nu gaan zitten babbelen met een van Jims leerlingen en zijn nurkse tienervriendinnetje.

'Ja,' zegt Connor, en zijn trainingspak ruist als hij zich naar voren buigt. 'Over twee weken is ze uitgerekend, meneer, het is echt maf.'

(Dat kun je wel zeggen, ja.)

'Gefeliciteerd,' zegt Jim. 'Ik wist niet dat je vader zou worden.'

'Ik eigenlijk ook niet, meneer,' zegt hij. Hij glimlacht en er blikkert een gouden tand. 'Het was niet ech' gepland, zou'k zo zegge, hè Sade?' Sade trekt een wenkbrauw op – de eerste keer dat ik haar gezicht zie bewegen. 'De eerste keer dat we het sowieso deden, dus da's niet echt handig maar zo ist leven, toch niewaar?'

Jim glimlacht verlegen naar Connor, kijkt dan mij aan en rolt met zijn ogen. Blijkbaar heeft hij meer gemeen met zijn leerlingen dan hij dacht.

Connor zit te wiebelen, leunt naar voren en dan weer naar achteren. Hij zal een uurtje geleden wel een lijntje coke hebben gesnoven, maar ik berisp mezelf om die discriminerende gedachte.

'Dus eh... u verwacht ook een kindje, meneer?'

Sade geeft haar vriend een stomp op zijn arm. 'Connor, hou je mond, ja?'

'Wie? Ik?' Jim weet even niets te zeggen. 'Nee, maar Tess is zwanger,' zegt hij, alsof ik zomaar iemand ben die hij net op straat is tegengekomen.

'Is zij uw vrouw, meneer?'

'Nee, nee. Ze is niet mijn vrouw.'

'Ik ben níet zijn vrouw,' zeg ik om alle misverstanden wat dat betreft uit de weg te ruimen.

'Dus ze is uw vriendin?'

Jim kijkt me hulpeloos aan. 'Ja,' zegt hij. 'Ze is mijn vriendin.'

'Best een stuk, meneer.'

'Connor!' barst Sade hierop uit. 'Hou je mond, oké. Iedereen zit zich te ergeren!'

Jim en ik proberen nu niet te lachen, en ik kan niet verhullen dat ik er blij mee ben dat een tienerjongen me een stuk noemt.

'Gefeliciteerd,' zegt Connor, voordat hij door zijn vriendin wordt meegesleurd. 'Ik hoop dat alles goed gaat met de kleine.'

'Dank je,' zegt Jim. 'En met die van jou, Connor.'

Jim en ik schudden ons hoofd, en dan kijkt er een verpleegster om de hoek van de deur.

'Mevrouw Jarvis?' zegt ze op jubeltoon. 'Kom maar mee, en neem je papieren mee, wil je, liefje?'

De kamer met het echoapparaat is donker en stil, afgezien van een zacht piep-piep van een of ander apparaat.

Ik ga op mijn rug liggen, met mijn rok tot mijn heupen afgezakt. Hier en daar groeit een verdwaalde schaamhaar. (Waarom heb ik daar niet aan gedacht?)

Dit is het moment waar ik zeven hele weken op heb gewacht – de zeven langste weken van mijn leven, gevuld met een eindeloze reeks leugens en mensen die ik heb ontweken. Dit is het moment van de waarheid.

'Dus dit is je... man?' zegt de verpleegster terwijl ze de ijskoude gel over mijn buik wrijft. Ik zet me schrap. 'Eh, nee.'

'Je vriend?'

'Eh... nou...'

'Partner,' zegt Jim. Ik kijk hem aan, hij geeft me een knipoog. 'Ik ben haar partner.'

Het is een woord waar ik in het verleden om heb gegnuifd. Het soort woord dat Anne-Marie op mijn werk zou gebruiken, uit een misplaatst gevoel voor politieke correctheid. Maar nu, op dit moment, in deze kamer, was het ineens een woord dat me wel aanstond, een woord dat tenminste bij ons paste. We waren niet veel, maar hierin waren we wel partners.

We zijn nu al tien jaar partners in crime. We hebben ontelbare nachten met elkaar doorgebracht om essays te schrijven; hij was de eerste die ik belde toen mijn broer een ongeluk had gehad, de eerste die ik het wilde vertellen toen ik mijn eerste baan kreeg. Hij had me zien hikken van de lach, met sokpantoffels aan en een wollen muts op, zo ladderzat dat ik het verkeerde eind van mijn sigaret aanstak. En nu zijn we hierin partners, ons grootste avontuur tot nog toe. Ineens voelde het goed. Echt goed.

We kijken allemaal naar het troebele scherm voor ons en plotseling vliegen de zenuwen me naar de keel: stel dat er niets zit? Mijn god, stel dat ik het me allemaal heb ingebeeld! Stel dat het maar een hersenspinsel is! Ik kijk Jim steunzoekend aan, en hij zit op zijn stoel te schuifelen, zenuwachtiger dan ik hem ooit heb gezien.

En dan hoor ik de woorden waardoor ik vanbinnen helemaal volschiet. De woorden die het werkelijkheid maken.

'Kijk eens aan. Daar is jullie kindje,' zegt de verpleegster, naar het beeldscherm wijzend. En verhip, daar is het. Een klein wezentje dat binnen in mij in een luchtdichte bol rondzwemt. Zich nergens van bewust.

Naast me hoor ik Jims glimlach. 'Jee,' zegt hij, terwijl hij zijn stoel dichterbij trekt, naar het beeldscherm kijkt en dan naar de verpleegster. 'Is dat zijn hartje, dat daar klopt? Is dat het hart van onze baby?' En voor het eerst sinds ik weet dat ik zwanger ben, krijg ik opeens het gevoel dat dit misschien wel het begin is van iets moois. Iets wat onverwacht is, maar wel heel mooi.

Als we later op de middag het ziekenhuis uit lopen, nou ja, Jim hinkt (het blijkt dat hij een teen heeft gebroken), zien de bomen langs Tottenham Court Road roze van de bloesem en kun je de komst van de zomer in de lucht ruiken.

10

*'Tegen de tijd dat het bergafwaarts ging met Toby en mij, was ik ne-
genendertig, een volslagen workaholic zonder kinderen, en ik had mezelf wijsgemaakt dat dat me prima beviel. Toen ging ik naar Cuba en
waren de poppen aan het dansen. Het is nu drie jaar later en ik ben
smoorverliefd, en nog wel op een Cubaanse drummer! Ik verwacht de
baby waar ik onbewust mijn hele leven naar heb verlangd.*
Cecile, 42, Warwick

'En wat zijn je meest dierbare herinneringen? Waar moet je om lachen als je aan Jamie denkt?'

Ik werp een blik op de dictafoon op de smetteloze, glazen salontafel om te zien of de opneemknop nog brandt.

Danielle gaat naast me op de lage bank zitten en geeft me een kof-
fiemok waarop staat: LIEFSTE PAPA VAN DE WERELD.

'Dat zijn er te veel.' Ze heeft oogschaduw op in de kleur van schelpen. 'Hij was iemand die elke dag bijzonder maakte.'

'Wauw,' zeg ik met een oprecht wauwgevoel. 'Bofkont. En als je de
mooiste dag met hem zou moeten aanwijzen, welke zou dat dan zijn?'

Ik ben gek op mijn werk. Ik houd ervan om met al die verschillende mensen te spreken – van knettergekken die poep in de oven-
schotel van hun man stoppen tot mensen die hun volwassen varkens
bij zich in huis laten leven. Maar soms hebben verhalen geen vrolijke
noot. Dan is het geen geluk bij een ongeluk, maar is er alleen ongeluk. En dan heb ik een hekel aan dit aspect ervan: ik moet de meest
hartverscheurende details uit ze lospeuteren. Danielle heeft me elk
gruwelijk detail van haar nachtmerrie verteld: de laatste keer dat ze
haar vriendje van huis zag gaan, zoals hij dat elke zaterdag deed, om
een lot te gaan kopen; het valse gejammer van zijn kapotte telefoon;

het gekras op de deur; de gruwelijke ontdekking toen ze die opendeed: Jamie, die wijdbeens op de grond lag en met zijn handen tegen het hout klauwde terwijl hij bloed uitspuugde omdat hij was neergestoken alleen vanwege zijn iPod. Als ik het voor het zeggen had, zou ik nu stoppen en haar een dikke knuffel geven. Maar ik weet dat Judith uit haar vel springt als ik die details niet uit haar lospeuter en me weer terugstuurt hier naar Danielle, en dat kan ik die laatste echt niet aandoen.

Buiten in de gang klinken holle voetstappen. Danielle kijkt naar haar zoon, Kyle, die in de ban is van The Lion King. 'We gingen niet zo vaak uit. Jamie moest in het weekend altijd werken. Maar afgelopen november was er een dag, het was eigenlijk niets bijzonders...'

'Vertel maar, volgens mij was het dat wel...'

'We gingen naar Greenwich Park. Het was een zonnige dag, weet je, zo'n heldere herfstdag. Ik duwde de buggy en Jamie had Kyle op zijn nek en rende door grote bergen bladeren – ze kwamen bijna tot zijn bovenbenen, zoveel bladeren lagen er.'

'Klinkt leuk.'

'Ik ging in de rij staan om wat te drinken te kopen en toen ik een kwartier later terugkwam...'

De tranen springen in haar ogen en ze moet even stoppen om zich te vermannen.

'Ik weet nog hoe hij keek. Ik had hem nog nooit zo gelukkig gezien. Hij wist niet dat ik naar hem keek, maar Kyle was in zijn buggy in slaap gevallen en Jamie lag op het gras en was helemaal bezweet door het rennen. Hij had een hand op Kyles been liggen. Hij had zijn ogen dicht en er lag een glimlach van oor tot oor op zijn gezicht. Hij zag er zo blij uit, snap je? De gelukkigste man ter wereld. Hij was gewoon zo blij met zijn leven.'

Ze zwijgt even. Het bandje snort.

'Kun je nog praten?'

'Ja.' Er rolt een traan, die ze wegveegt. 'En hij was ook gek op voetbal, dat wilde ik alleen nog maar zeggen.'

'Vertel mij wat,' zeg ik met een blik op de foto's waarmee de schoorsteenmantel vol staat: Jamie en Kyle in hetzelfde voetbaltenue naast de kerstboom, Jamie in iets wat eruitziet als de voetbalkantine, zo onder de douche vandaan, met een hand in zijn zij en de andere om Danielles schouder heen. Zo trots en vitaal als maar kan.

'Hij ging graag met Kyle en mij naar een wedstrijd kijken. Of we nodigden wat mensen hier uit als er een belangrijke wedstrijd was. Dan maakte ik worstenbroodjes voor alle jongens.'

'Klinkt alsof jullie dolgelukkig met elkaar waren.'

'Waren we ook. Hij was een kei van een vent, mijn beste vriend en een fantastische vader.'

Ik ben me bewust van de warmte van de mok in mijn hand en de levensgrote brok in mijn keel.

'Maar het zijn niet de dagjes uit die ik mis, het zijn de kleine dingen, die mis ik het meest,' zegt ze, en de tranen rollen nu over haar wangen. Ze neemt de moeite niet ze weg te vegen. 'Hij belde me elke middag op om te zeggen wat hij tussen de middag had gegeten, en nu gaat de telefoon soms de hele dag niet. En hij was zo enthousiast, net een labradorpuppy, zoals mijn moeder altijd zei. Als er voetbal op tv was en Palace scoorde, dan gooide hij zich voor de tv op zijn knieën en rende daarna door het huis om mij te zoeken en knuffelde me halfdood!' lacht ze. 'Echt, hij was zo gek als een deur.'

Ze loopt naar de schoorsteenmantel, pakt een foto in een zilveren lijst en loopt ermee naar mij. Hij is van Jamie op de bank, met een slapende Kyle die zijn hoofd op dat van zijn vader laat rusten.

'Hij was dol op Kyle,' zegt ze. 'Ik weet wat mensen over tienervaders zeggen, maar zo was hij niet. Elke ochtend, voordat hij naar zijn werk ging, maakte hij Kyle wakker, zette *Jungleboek* op en kleedde hem dan aan terwijl ze luidkeels 'Ik ben Baloe de bruine beer' zongen. Ik werd er gek van. Nu zou ik er wat voor geven om van dat geluid wakker te worden.'

Kyle draait zich om en als hij ziet dat zijn moeder huilt, waggelt hij naar haar toe. Hij laat zijn donzige, blonde hoofdje in haar schoot rusten. Ik leg mijn hand op die van Danielle en de grote brok in mijn keel schrijnt als een blaar in een stugge schoen.

'Ik denk dat het moeilijkste nog is,' gaat Danielle verder, 'dat ik hiervoor niet gekozen heb, dit was mijn beslissing niet. De meeste mensen die ongetrouwd zijn, kiezen ervoor om ongetrouwd te zijn, toch? Om wel of geen relatie te hebben, om te scheiden of wat ook. Maar ik heb er niet voor gekozen om het zonder Jamie te doen. Hij is me afgenomen terwijl we nog een hele toekomst voor ons hadden liggen.'

'Je hebt in elk geval die prachtige herinneringen,' zeg ik maar, en denk: da's een goeie, Tess. Alsof dat het verlies van je geliefde en de vader van je kind op je negentiende goedmaakt. Maar wat ze zegt verrast me.

'Weet ik. Weet je wat me in feite op de been houdt als ik het heel moeilijk heb?' zegt ze. 'Dat is het feit dat ik ondanks alles niets zou veranderen als ik het kon overdoen. Want sommige mensen vinden nooit de ware, hè? Maar ik wel, ook al kon het niet voor altijd zijn. Dus ik heb geluk gehad.' Ze glimlacht. 'Ik ben een van de gelukkigen.'

Ik sta in de steeg naast Danielles flat. Kyle kijkt van achter zijn moeders benen naar me. 'Het is www.wegmetmessen.co.uk.'

'Ik heb het,' zeg ik, en denk: alstublieft God, laat ze niet zeggen dat daar op de site geen plaats voor is.

Tien seconden later ren ik de brandtrap naast haar brandschone schoenendoosflatje af en jank mijn ogen uit mijn hoofd.

11

'*Ik heb altijd moeder willen worden, maar zoals met alles in mijn leven was het een geval van: hoe doe ik het? Hoe verschoon ik een luier? Hoe houd ik ze veilig? Maar toen ik zwanger was van mijn zoon, was ik in de wolken. Toch is het wel moeilijk geweest. Ik laat mijn vingers over hun gezicht gaan en stel me voor hoe mijn kinderen eruitzien, maar ik word er verdrietig van dat ik hun gezicht nooit zal zien.*'
Monica, 39, Henley-on-Thames

'Uit het leven gegrepen' is voor mij brood op de plank. Mensen vertellen me alles, ze vertellen me de intieme details van hun leven: de dag dat hun kind na de geboorte was verwisseld met een andere baby, de dag dat hun huisdier hun leven redde, het feit dat hun man ze nooit klaar likt, wat ze van hun eigen borsten vinden. Soms is het hartverscheurend, soms is het wreed; vaak is het echt om te gillen. Maar het is mijn werk niet om te helpen, maar alleen om te luisteren en kennis te nemen van de feiten. En dus kan ik meestal afstand houden van wat ik hoor.

Meestal.

Deze keer, Joost mag weten wat er gebeurde. Judith zou des duivels zijn als ze me nu zag.

'De eerste regel van smartlappenjournalistiek,' zegt ze altijd als ze door het kantoor rondsluipt, 'je mag goddomme niet emotioneel betrokken raken.' (Judith mag graag zomaar eens vloeken.) 'We zijn geen therapeut. Of een liefdadigheidsinstelling.'

Ik sta op het perron van New Cross, doe mijn ogen dicht en laat het zachte zonlicht op mijn gezicht schijnen. 'Als ik het kon overdoen, zou ik het precies zo doen.'

Wauw. Dat moet wel echte liefde zijn, toch? Als je alle verdriet en ellende kiest omwille van drie jaar met je grote liefde, en niet een leven lang in blije onwetendheid en waarschijnlijk met een heel lieve tweede keus. Heb ik dat ooit voor iemand gevoeld? Voor Laurence? Voelt Vicky dat voor Rich? Mam voor pap? Geen idee. Wat ik wel weet, is dat je dat soort liefde moet koesteren. Wat Danielle is kwijtgeraakt is te erg om aan te denken, maar wat ze heeft, de zekerheid over haar gevoelens, daarvan ben ik ondersteboven.

Er stopt een trein en ik stap in. Ik ga tegenover een man van neushoornafmetingen zitten die gehuld is in grote lappen grijs tricot en knikt op de maat van iets blikkerigs op zijn iPod Nano. We rijden rammelend naar London Bridge. De torenflats van Zuid-Londen flitsten voorbij als kaarten die geschud worden.

Ik doe mijn ogen dicht en de melodie van 'Baloe de bruine beer' klinkt in mijn hoofd. Ik zie de hele tijd Jamie voor me die zachtjes een T-shirt over het blonde hoofdje van zijn zoon trekt, zich er niet van bewust dat hij aan het eind van de dag dood zal zijn. Drie levens verwoest.

Hoeveel zielige interviews heb ik al niet gedaan? Ik heb me nog nooit zo laten gaan als nu. Maar de sluizen gaan nu echt wijd open. Ik heb mezelf eraan overgegeven, ik zit bijna van mijn smartenfeest te genieten, als de sirene-achtige jammerklacht van mijn telefoon me doet opschrikken uit mijn ellende.

'Hallo.'

Wie het ook is, hij lacht. 'Jezus, je klinkt alsof er iemand is doodgegaan.'

Laurence.

Het stoort me hoe snel de zware steen in mijn maag wordt vervangen door kleine fladderende vlinders. Snel veeg ik de tranen van mijn gezicht.

'Is dat zo? Nee. Er is niemand doodgegaan,' zeg ik en ik dwing mijn mondhoeken omhoog.

'Ben je dan ziek? Je klinkt alsof je zwaar verkouden bent.'

Typisch Laurence. Als hij ook maar een keertje snufte zag hij zich al met één been in het graf staan en voerde zijn moeder hem een of ander Afrikaans kruidendrankje.

'Nee, nee, ik ben niet ziek. Ik zit gewoon in de trein. Ik heb iemand in New Cross geïnterviewd.'

Plotseling schaam ik me voor mijn kennelijke gebrek aan professionaliteit. Jeremy Paxman gaat na een hartverscheurend interview waarschijnlijk niet brullend terug naar de redactie.

'Oké, prima. Dat komt mooi uit, want ik hoopte dat we ergens konden afspreken.'

'Wanneer?' Het komt eruit als 'waddeer?'.

'Zo meteen met de lunch, op Borough Market. Ik heb iets wat ik je graag wil laten zien.'

Dat gevoel, die zware steen in mijn maag, het is er weer en zegt me dat ik niet zou moeten gaan. Eén keer lunchen is oké, dat kan nog gewoon bijkletsen zijn. Ik zou mijn kind krijgen en er zou niets aan de hand zijn, het zou zelfs allemaal goed gaan, en ik zou verder gaan met mijn leven. Maar twee keer? Twee keer betekent dat je iets begint.

Maar ik hoor Danielles woorden weer. Heeft ze echt geluk gehad? Of heeft ze haar eigen geluk gemaakt?

En stel dat Laurence de Ware is? Stel dat hij mijn Jamie is en we het de eerste keer gewoon verknald hebben? Stel dat dit mijn herkansing is?

'Oké, leuk,' zeg ik uiteindelijk. 'Ik kan doen alsof mijn interview is uitgelopen. Bovendien heb ik wel een lunchpauze verdiend.'

'Slimme meid,' zegt Laurence. 'Ken je dat stukje bij de pinautomaten bij de ingang van Borough Market? Ik zie je daar om ongeveer één uur, oké?'

Ondanks mijn verwoede pogingen in de Body Shop bij treinstation London Bridge om wat poederspul en rouge op te doen, kan ik het niet verbloemen.

'Shit. Wat is er met je gezicht gebeurd?' Laurence heeft nooit aan discretie gedaan.

'Je ziet er een beetje...'

'Vlekkerig? Dat is een lang verhaal,' zeg ik, een beetje getemperd.

Laurence trekt een gezicht dat zegt: 'Jij zegt het, niet ik.'

We lachen allebei verlegen en wenden onze blik af. We staan er even als een stel idioten bij; en ik bekijk Laurence' gezicht. De rechte, ravenzwarte wenkbrauwen als merels in volle vlucht, de karamelkleurige lippen die permanent ondeugend opkrullen, de slaperige oogleden waarmee hij er stoned uitziet, ook al is hij klaarwakker. Met een baard van een dag of twee ziet hij er beter uit dan ooit. Ik zie zijn blik naar mijn buik zweven en ik krimp letterlijk in elkaar. Ik trek mijn tas voor mijn buik. Opeens denk ik paniekerig dat het door mijn shirtje heen te zien is en vraag ik me af of ik hier sowieso wel hoor te staan. Maar dan zegt hij: 'Nou, zullen we?' En hij gebaart naar de menigte. 'Als we zitten mag je me alles over je vlekkerige gezicht vertellen. Ik ben een en al oor, dat beloof ik je.'

De junizon schijnt blauw door de victoriaanse bogen over Borough Market. Een gastronomische broeikas. Een eetparadijs. Ik loop voorop en Laurence stuurt me met zachte hand voor zich uit. Ik heb geen flauw idee waar hij me naartoe brengt in dit uitgebreide netwerk van keiensteegjes en kramen met geel en rood gestreept tentdoek erboven, maar het kan me niet schelen. Ik geniet gewoon van het moment.

We komen langs kramen met olijven, fruit en jam, gevilde konijnen, gigantische hammen die aan het plafond hangen, een berg enorme kazen zo groot als ouderwetse hoedendozen. Ik word omgeven door de geur van verse koffie en ovenvers brood. Ik voel de warmte van de zon op mijn haar en elke vingertop van Laurence' handen tegen mijn rug.

'Waar breng je me heen?' roep ik over mijn schouder.

'Voor jou een vraag, voor mij een weet. Nou, draai je eens om.' Ik doe wat me gezegd wordt, en hij stopt een chocoladetruffel in mijn mond.

'Lekker?' Hij leunt over mijn schouder en ik vang een zweem van zijn aftershave op – een complexe muskusgeur, zelfverzekerd zoet. Hij roept veel herinneringen op. 'O, verrukkelijk,' mompel ik tussen chocoladetanden door.

We nemen een scherpe bocht en komen bij een viskraam. Er liggen bergen oesters op snippers ijs, enorme zeebrasems met ogen als knikkers. Dan gaat Laurence snel voor me staan en houdt zijn hand zo dat ik de mijne erin kan leggen.

'We zijn er,' zegt hij met een knik naar een deurtje dat in de zijkant van een spoorbrug is gebouwd. 'Dit is de befaamde Bedales. Dit is echt wat voor jou.'

Het is een heel coole tent. Laag, gewelfd plafond, muren van ruwe, witgepleisterde bakstenen met eindeloze rijen flessen serieus uitziende wijn hoog ertegenop gestapeld. In het midden van het vertrek zitten fijnproevertypes op banken – waarschijnlijk wijnschrijvers en zo – en doen zich te goed aan hapjes op borden en aan glazen wijn.

'Geweldig,' zeg ik. 'In elk geval beter dan de doorsnee hapklare sandwich.' Maar ik ben me er ook van bewust dat er iets niet helemaal in de haak is. Het is de geur: doordringend, een beetje snobistisch. En dan zie ik dat het eten op alle borden van dezelfde, beperkte soort is: verschillende soorten paté en uitlopende kazen.

'Loop een marathon als je wilt, heb een woeste, hartstochtelijke vrijpartij, want je kindje heeft er geen last van!' lachte dokter Cork. 'Maar blijf van rauwmelkse kaas, paté en grote hoeveelheden alcohol af.' Ik raak in paniek.

'Fantastisch, hè?' zegt Laurence. Hij staat de planken wijn in zich op te nemen, zijn handen in zijn zakken, waardoor zijn gebruinde onderarmen goed uitkomen. 'Welke zou je willen kopen als je het geld had?'

'Al sla je me dood,' zeg ik. 'Als er maar alcohol in zit.'

'O, kom nou toch, cultuurbarbaar, je weet toch wel welke druif je lekker vindt?'

'En wie ben jij ineens?' zeg ik lachend. 'Oz Clarke of zo?'

'Nee,' zegt hij toonloos. Ik vraag me bezorgd af of ik hem heb beledigd. 'Maar ik ben Frans, en ik run een bar, dus eigenlijk, mevrouw Jarvis...' Onbewust trekt hij zijn T-shirt op en wrijft over zijn buik. Ik vang een glimp op van buikspieren als door water gevormde ribbels in het zand '... weet ik wel het een en ander van wijn.'

Ik speur de planken af op zoek naar die ene wijn die ik ken. 'Oké,' zeg ik, 'ik weet wat ik zou kiezen, hij heet Ten huppeldepup, en daarna komt een lang woord dat klinkt als hermiet.'

'Tain L'Hermitage?' Hij spreekt het met een natuurlijk Frans accent uit alsof het de gewoonste zaak van de wereld is.

'Ja,' zeg ik, onder de indruk. 'Hoe wist je dat?'

'Ik weet het gewoon,' zegt hij. '*Bon choix, mademoiselle.*'

Laurence kijkt het vertrek door, checkt zijn spiegelbeeld even in de spiegel aan de muur, gaat zitten en schraapt zijn keel.

'Zo, ga je me nog vertellen over het vlekkerige gezicht?'

'Wil je 't echt weten?'

'Ik wil 't echt weten.'

Dus ik vertel hem het hele verhaal. Dat Danielle en Jamie elkaar op hun vijftiende op school leerden kennen, dat ze zoveel van elkaar hielden, dat ze dol waren op hun zoontje, dat Jamie was neergestoken, stervend in de armen van zijn vriendin lag, en wat het laatste was wat hij tegen haar zei, en welke muziek ze op zijn begrafenis hebben gespeeld.

'En weet je waar ik echt kapot van was?'

Laurence schudt zijn hoofd.

'Ze zei dat ze liever al die ellende en al dat verdriet weer zou doormaken en hem weer zou willen leren kennen, dan dat ze hem nooit had gekend; vind je dat niet ijzersterk?'

Pas als ik mijn mond houd besef ik dat ik bijna zit te huilen en dat Laurence me zit aan te staren, alsof ik knettergek ben.

'Tjonge, dat is je niet in je koude kleren gaan zitten, hè?' zegt hij fronsend en lachend tegelijk. 'Of zijn het maandelijkse perikelen?'

'Nee!'

(Weinig kans!)

Laurence buigt zich naar voren en kijkt me aan. Ik glimlach nerveus en wend mijn blik af.

'Nou, ik kan je wel vertellen,' zegt hij met zijn kin in zijn handen, 'ik vind het wel lief. Ik vind je er prachtig uitzien als je huilt.'

'Wilt u de wijn proeven, meneer?' We duiken uit elkaar als ouders die worden betrapt tijdens de seks. Een rondborstige serveerster staat ineens bij onze tafel met... O god, een fles Tain L'Hermitage.

'Laurence!' zeg ik ademloos. 'Die kost een fortuin!'

'Ik mag je toch weleens verwennen? Bovendien wil ik sorry zeggen.'

Laurence proeft de wijn en knikt goedkeurend. 'En twee proefporties,' zegt hij zonder mij iets te vragen. De serveerster schuifelt weg.

Shit! Hoe kom ik daar nu weer onderuit?

We kletsen een beetje gespannen over de andere gasten, de kaart op het bord, het stel aan de overkant. Dan haalt Laurence diep adem.

'Luister,' zegt hij, en hij schenkt mijn glas vol. Ik kijk weerloos toe en breek mijn hoofd over goede smoezen.

'Toen ik vorige week met jou in de London Eye zat, heb ik je niet de waarheid over Chloe verteld. Eigenlijk... zijn we niet samen.'

'O! Meen je dat?' Ik kan de belachelijk enthousiaste toon niet uit mijn stem weren.

'Nou ja, we hebben wel iets, maar dat zijn maar stuiptrekkingen. Man,' hij nipt aan zijn wijn, 'ze is een nachtmerrie, ze is zo verdomde moeilijk.' Ik moet op mijn lip bijten om niet te glimlachen.

'De reden waarom ik bij mijn vriend in huis woon is niet omdat ik op zijn appartement pas zoals ik zei, maar omdat ik bij haar ben weggegaan. Ik had echt mijn portie wel gehad. Het gaat niet meer tussen ons.'

'O, wat vervelend,' lieg ik.

'Nee, hoor,' zegt hij schouderophalend. 'Ik denk dat er niet meer in zat.'

Ik laat de wijn in mijn glas rondwalsen.

'*Et voilà!*' De serveerster is terug met de proefporties. Ik kijk neer op de mooi geschikte stukjes paté en kaas die ik geen van alle kan eten, en denk de blik van Laurence te voelen. Een minuut of twee lang eten we in stilte, dat wil zeggen: ik knabbel op een augurk en ga mijn opties na.

Laurence kauwt langzaam. Dan legt hij het stuk brood dat hij vasthoudt op de rand van zijn bord en glimlacht naar me. 'Het was lachen, hè, laatst in de London Eye?'

'Ja, de leukste lunchpauze die ik ooit heb gehad.'

'Ik meende wat ik zei, Tess. Het was hufterig hoe ik het met je heb uitgemaakt.'

'Laat maar. Echt. Dat is nu verleden tijd.'

'Nee, laat me mijn verhaal even vertellen,' zegt hij. 'Toen jij op reis ging voelde ik me zo eenzaam thuis. Toen ik Chloe tegenkwam ben ik gewoon bezweken. Het was een moment van zwakte,' hij pakt zijn hoofd met beide handen vast, 'dat op een of andere manier verdorie wel vijf jaar lang heeft geduurd!'

'Nou,' zeg ik, in een poging tot luchtigheid, 'kan gebeuren, neem ik aan. Dat soort dingen komt op je weg, hè? We kunnen niet altijd ons lot bepalen.'

Laurence staart me doordringend aan. 'Nee, je hebt gelijk.'

Natuurlijk heb ik gelijk!

'Maar ik wil mijn leven beter organiseren, Tess. Ik wil – wat zeggen ze ook weer in *Trainspotting*? *Choose life!*' Hij lacht nu en ik lach ook, en ben zowel verrast als vrolijk. 'Ik wil trouwen, het huis, de kindjes. Het hele verhaal.'

'Krijg nou wat,' zeg ik, in een poging nonchalant en afstandelijk te klinken, terwijl mijn hart de gekste buitelingen maakt. 'Hoor ik dat goed? Wordt Laurence Cane eindelijk volwassen?'

'Ja, ik denk van wel,' zegt hij. Hij trekt zijn stoel dichterbij, vol jongensachtig enthousiasme. 'Ik heb er genoeg van maar wat aan te rotzooien met de verkeerde vrouw en een klotebaan – ik bedoel, ik ben toch maar een veredelde barkeeper, in feite, daar komt het wel op neer. Ik wil een nieuwe carrière beginnen – misschien begin ik zelfs wel aan het filmgebeuren!'

Ik weet niet hoe ik moet reageren. Ik weet niet waar hij op aanstuurt. Ik bedoel, zou hij met die hele nieuwe toekomst ook mij bedoelen?

'O, jee,' zegt Laurence opeens. 'Kijk, je hebt je eten niet aangeraakt, en je wijn ook niet. Sorry, ik heb maar zitten kletsen. Luister, ik ga naar de wc.' Hij staat op, veegt zijn mond af met zijn servet en geeft me een knipoog. 'En terwijl ik weg ben zorg jij dat je niet meer zo verbijsterd kijkt. Ik word bang van je.'

Ik kijk neer op mijn onaangeroerde bord en erg volle glas wijn en besef dat ik snel moet handelen; dit is Operatie Red de Baby.

Eerst de kaas en paté. Waarschijnlijk mag ik best even van de kaas knabbelen, maar in mijn zwangere hoofd heb ik mezelf ervan overtuigd dat de kaas vol zit met listeria. Ik aarzel niet, maar pak wat servetjes, wikkel de kaas erin en stop die onder in mijn tas met een boek en mijn make-uptasje erbovenop om de geur te maskeren. Nu de wijn. Ik zoek naar een plant in een pot en zeg tegen mezelf dat clichés niet voor niets clichés zijn. Er staat niets in de buurt, maar net buiten de deur zie ik een pot met een nepcitroenboompje staan. Met mijn glas in de hand slenter ik erheen, en zie dan dat hij vol ligt met peuken, dus volgens mij kan een beetje Tain L'Hermitage van 1992 geen kwaad. Ik sta bij de deur en doe alsof ik geniet van de sfeer op de markt terwijl ik beetje bij beetje de wijn in de pot laat druppelen.

Ik zit nog maar net op tijd weer op mijn stoel om een natuurlijke houding aan te nemen voordat Laurence terugkomt van het toilet.

'Wauw, indrukwekkend. Ik zie dat je nog kunt speeddrinken,' zegt hij met een nog wat vochtig gezicht doordat hij er water tegenaan heeft gegooid.

'Je kunt het meisje uit Morecambe halen maar niet Morecambe uit het meisje!' zeg ik. En dan zeg ik: 'Maar ik vind het fijn je weer te zien.'

Laurence gaat zitten. 'Dat vind ik ook.' Hij glimlacht. 'Belachelijk fijn.'

Laurence eet de rest van zijn eten op en ik kom met een smoes over aan de lijn doen, wat hij als man zonder slag of stoot accepteert. Dan gaan we, ik verward en opgewonden; ik vraag me af hoe ik deze middag in vredesnaam nog kan werken terwijl ik er met mijn hoofd helemaal niet bij ben.

We zigzaggen over de markt, waar de venters er ontspannen bij staan na de drukte van de lunch, en lopen naar de ingang bij Park Street.

Naast een spoorbrug staan we in een bundel zonlicht en omhelzen elkaar. Boven ons hoofd dendert er een trein voorbij. Een vlucht spreeuwen verzamelt zich en vliegt de blauwe hemel tegemoet, alsof ze zich beleefd uit de voeten maken voor wat er gaat komen, en dat is dat Laurence Cane zijn handen om mijn gezicht legt, me aankijkt met het soort tederheid dat bijna op pijn lijkt en me kust, even heftig genietend als rokers op de vooravond van het rookverbod.

12

'Ik dacht dat ik gewoon dik was, dat ik al dat babyvet nog niet had kunnen wegwerken (en er nog wat bij had gekregen). Ik gaf een baby van zeven maanden de borst: ik kon toch niet zwanger worden? De komst van Ellie-Rose overtuigde ons van het tegendeel. Ik heb mijn kinderen altijd vlak na elkaar willen krijgen, maar dit is belachelijk.'
Bethan, 31, Llandudno

Go Grease Lightning la la la la la... kilometer
Grease Lightning! Oh, Grease Lightning

Go Grease Lightning bla-bla-bla iets met beter
Grease Lightning zo... Grease Lightning!

You are supreme. Oh yeah it's cream???
Oh, Grease Lightning
Go. Go. Go-go-go-go-go-go-go!

Hoe bizar kan mijn leven nog worden? Ongeveer elf uur geleden kuste ik mijn ex-minnaar onder een zonovergoten brug alsof we poseerden voor zo'n zwart-witfoto van Henri Cartier Bresson. Nu sta ik in Beckenham een *Grease*-liedje te zingen, heel erg slecht, met een karaokemicrofoon, en heb ik een mannenkostuum maat 44 met daaronder een dikmaakpak aan.

Van Vicky kun je het verwachten: een *Pop Idol/X-factor*-thema voor haar feestje op haar negenentwintigste verjaardag in het jaar dat ik broodnuchter moet blijven. Natuurlijk weet ze niet dat ik niet mag drinken, zij denkt dat ik even zat ben als zijzelf. Ik zal haar hierna snel over de baby vertellen – voordat Gina het doet – want Gina's vermogen haar mond te houden kent zijn grenzen. Maar ergens heb ik het vage idee dat vanavond – nu ik er als Rik Waller bij loop en Vicky als Sharon Osborne – niet het ideale moment is.

Ik wilde ook als Sharon Osborne komen, maar ik dacht dat een korset in mijn toestand niet zo'n goed idee zou zijn en besloot dat een groot pak in elk geval eventuele tekenen van de buik onzichtbaar zou maken. Maar nu wens ik eigenlijk dat ik niet zoveel moeite had gedaan.

Nuchter blijven op het verjaardagsfeestje van mijn beste vriendin is in elk geval heel verhelderend. Rechts van me bewijst Vicky zich mijn meerdere met haar geweldige, jazzy stem die in de finale van *X-factor* niet uit de toon zou vallen. Links van me staat Jim, in een hoog opgehesen Simon Cowel-spijkerbroek en met een Lego-achtige pruik op, met zijn ogen dicht en een bijna orgastische uitdrukking op zijn gezicht met zijn bekken naar voren en naar achteren te stoten. Helemaal opgaand in de muziek.

Jezus, wat een puinhoop hier. Met mascara besmeurde meisjes springen rond met bezwete kerels, er gaan dienbladen met tequila rond. Hannah Burns – een Beckenham-vriendin van Vicky – ligt voor dood met haar hoofd tegen de luidspreker aan, of moet ik gewoon 'dood' zeggen, zich er niet van bewust dat haar broek tot op haar heupen is afgezakt en haar string erbovenuit komt.

Daar in de hoek, bovenop een berg jassen en tassen, ligt een stel met verstrengelde ledematen elkaar al minstens vier uur lang min of meer op te eten, met de ogen dicht, in hun eigen wereld van extase, net als in die reclame voor Match.com. Ik denk dat zij verkleed was als Michelle McManus (maar ik heb er niets over durven zeggen, voor het geval ze gewoon dik is, dat is moeilijk te zien). Hoe dan ook, ik vraag me af of ik er ook zo debiel uitzie als ik dronken ben. Dat is een ontnuchterende gedachte. Ik zou kunnen beweren dat ik daarom nooit meer bier zal drinken, maar dat zou een regelrechte leugen zijn. Alle zwangere vrouwen ter wereld worden groen als ze alcohol ruiken, maar ik word eerder groen van jaloezie, en dan steek ik mijn neus in je glas om eens diep te inhaleren. Ik vind het vreselijk dat ik nog zes maanden van deze afstompende nuchterheid moet ondergaan. Jim Ashcroft heeft een hoop te verantwoorden.

We krijgen na het zingen een daverend applaus. Ik denk dat niemand het doorhad. Om te beginnen zou niemand ooit vermoeden dat ik naar een feestje zou komen (laat staan een feestje waarin ik in pak naartoe ga) en vrijwillig niet zou drinken, bovendien heb ik de techniek van 'wodka lemon' drinken ontdekt waarbij je de wodka weglaat. Een briljant staaltje bedrog.

'Vergeleken bij ons is dit niks,' zegt Jim, met zijn ene arm om mijn schouder en de andere om die van Vicky. We zitten op het aanrecht naar drie meisjes van Vicky's osteopathiecursus te kijken die *Gold* van Spandeau Ballet doen.

'Jij was verdomme echt Robbie Williams daarzo,' zegt Vicky met dikke tong. Ze is echt dronken; als ze nuchter is vloekt ze nooit.

'Jullie willen natuurlijk mijn *My Way* horen. Ik lijk ook sprekend op ouwe Frankie Blauwoog. Maar vanavond doe ik het niet. Ik wil de jarige Jet niet de loef afsteken,' plaagt Jim. 'Kom op, Vick, het podium op.' Hij duwt haar van het aanrecht. 'Laat ze eens zien hoe het moet.'

Vicky beent doelbewust naar het karaokeapparaat, duidelijk met de bedoeling het over te nemen, zoals ze de hele avond overneemt.

'Daar komt nog een ballad op honderd procent alcohol,' zeg ik. Jim lacht en kijkt me aan. 'Gaat het?' mimet hij naar me. 'Even serieus.'

'Ja hoor,' zeg ik schouderophalend. Dan kijk ik neer op de enorme lappen van mijn glimmende, marineblauwe pak die mijn reusachtige, opgevulde gestalte bedekt. 'En nou serieus: ik stik de moord.'

Jim geeft het op en begint te lachen alsof ik in een dikmaakpak het grappigste is wat hij ooit heeft gezien.

'Eerlijk, Jarvis. Ik ken niet veel meiden die het lef hebben om als Rik Waller naar een gekostumeerd feestje te komen. Vooral geen nuchtere, zwangere meiden!'

'Mijn outfit heeft tenminste nog klasse. Jij trekt je broek de hele tijd te ver op.'

'Brutaaltje!' Jim trekt hem nog hoger op. 'En trouwens,' zegt hij, 'ik vind het wel staan zo. Zo komt mijn mannelijke bobbel goed uit.'

Jim springt van het aanrecht en slaakt een kreet (het feit dat er geen gips om zijn kleine teen zit houdt in dat hij voortdurend vergeet dat hij gebroken is) en loopt naar de koelkast, waar hij stilstaat om een stukje *Gold* te luchtdrummen.

'Ik neem een biertje, wil je ook iets, bolle?'

'Een fles witte wijn? En dan vier vaten bier en veertig Marlboro Lights. Nee, laat maar. Ik neem gewoon een limo.'

Jim kijk om de hoek van de koelkastdeur.

'Goede beslissing,' zegt hij, en hij neemt me van top tot teen op. 'Volgens mij ben je al babyvet aan het opslaan.'

Plotseling ben ik me ervan bewust dat ik broodnuchter ben. Ik zou met Gina willen praten, maar die staat met Vicky, haar studievriendin Claudia en nog wat andere mensen die ik niet ken Sambuca te drinken. Ze is verkleed als Ginger van de Spice Girls en heeft verdorie míjn glitterjurk aan!

Oké, ik kan hem niet aan – ik moet een beha dragen omdat mijn borsten tot dubbele grootte zijn opgezwollen. Maar gezien het feit dat we de afgelopen maand amper een woord hebben gewisseld, vind ik het geen stijl. Het ging ietsje beter, tot vorige week, toen ik haar moest vertellen dat ik niet naar New York kon.

Gina had net een uur aan de telefoon gehangen met een of andere gozer die ze in de metro had opgedoken toen ik erover begon.

'Juist, dus je gaat niet?' snauwde ze, met de armen over elkaar geslagen, leunend tegen de radiator in onze gang.

Ik was vergeten hoe eng ze is als ze kwaad is. Haar neusvleugels staan wijduit en ze staart je aan alsof je het meest waardeloze stuk vuil ter wereld bent.

'Sorry, ik denk echt dat het geen goed idee is,' jammerde ik, en ik kreeg een hekel aan mezelf omdat ik als een zacht ei klonk.

'Dat was toch alleen als je zo ongeveer op springen staat? Als je bijvoorbeeld niet in een vliegtuigstoel past omdat je zo dik bent?'

(Gina Marshall op de gevoelige toer...)

'Volgens de dokter mag ik na dertig weken...'

'Nou, wat is het probleem dan? Je bent nog maar tien weken.'

'Eigenlijk is het dertien weken,' zei ik, 'maar dat is ook de reden niet. Er zou voor mij niet veel aan zijn, toch, als ik niet mag drinken? Bovendien zou ik me niet kunnen ontspannen, er gaat te veel door mijn hoofd op dit moment.'

Gina keek me aan alsof ze wilde zeggen: zie je wel, en stampte toen naar haar slaapkamer om nog een sigaret op te steken. Ik weet wat ze dacht – dat ik er spijt van heb dat ik het houd – maar niets is minder waar. Nu ik de echo heb gezien, de werkelijkheid van dat kindje, ben ik blij met mijn zwangerschap. Ik wou alleen dat het niet zo'n puinhoop was.

Jim zet een glas limonade naast me neer, compleet met ijs en schijfje citroen, en een wodka-tonic voor Vicky.

'Alsjeblieft. Hou je daar maar bij,' zegt hij. 'Ik wil niet dat die baby net zo'n zatlap wordt als zijn mama.'

Hij hinkt weg, probeert te dansen met een meisje met een T-shirt met LOUIS WALSH HEEFT ALTIJD GELIJK erop, en ik weet, ik weet gewoon dat zijn permanente goede bui aan één ding te danken is: het wazige fotootje dat opgevouwen in zijn portefeuille zit. Tastbaar bewijs dat dit echt gebeurt.

O, misschien moeten we er gewoon een relatie van maken, doen wat je nou eenmaal doet als je zwanger bent, nog lang en gelukkig leven – ook al moeten we water bij de wijn doen. Het leven zou er zoveel makkelijker door worden.

De muziek dreunt, discolichten draaien en vegen over de muren, even verblindend en afleidend als mijn gedachten: ik krijg een kind van Jim, maar ik word verliefd op iemand anders. Het is totale gekte als ik het zo zeg. Moet ik het mezelf wel toestaan? Kan ik mezelf nog tegenhouden? Ik weet niets meer.

'God, wat ben ik zat.' Er komt iets warrigs en gevlekts in mijn schoot terecht. Vicky's hoofd. 'Ik heb net twee Sambuca's achterovergeslagen.'

'Waar is Rich?' vraag ik en geef een klopje op haar hoofd. 'Ik heb hem de hele avond nog niet gezien.'

'Joost mag het weten, je kent hem.' Vick gebruikt het keukenraam als spiegel om haar Sharon-pruik recht te trekken. 'Waarschijnlijk is hij ergens helemaal in zijn element met zijn Rolf Harris-act. Zit hij zijn verhaal te vertellen over die keer dat de papegaai tijdens een kinderfeestje "krijg de klere" zei – alsof we dat verhaal nog niet kennen.'

'Ja, maar het is wel een grappig verhaal.'

'Niet als je het voor de duizendste keer hoort.'

Uit andermans mond zou dat kattig kunnen klinken, maar over Vicky en Rich maak ik me nooit zorgen. Sinds de dag dat ze elkaar bij de audities voor *Oliver Twist* in de Musical Theatre Society hebben leren kennen, is het Rich en Vicky en Vicky en Rich geweest. Niemand kan zich nog iets anders voorstellen. Het verhaal wordt tijdens drinkavonden in de pub vaak opgedist. Rich had nog nooit van zijn leven gezongen; hij ging alleen naar de auditie voor *Oliver Twist* omdat hij wist dat Vicky ook ging en hij al tijden voor haar viel (door de zwoegende boezem in de frivole jurk). Maar toen kreeg ze de rol van Nancy en hij die van Fagin, en dat was het dan, de rest weten we. Het feit dat ze op hun bruiloft een speciaal voor hen bedacht dansje deden op *I Had the Time Of My Life,* compleet met de lift aan het eind (wat alleen maar kon omdat ze zes maanden op een kalkoendieet waren geweest) zegt genoeg. Vicky had haar Patrick gevonden. Haar Pa Larkin. Hij was haar bon vivant, zij was zijn zout der aarde.

'Eh... hoe is het met Gina?' vraag ik, en ik probeer nonchalant te klinken. Ze heeft vanavond nors 'hoi' tegen me gezegd, meer niet.

'In vorm,' zegt Vicky. 'Heb je haar de hele avond niet gezien? Hé,' en ze krijgt ineens een glinstering in haar ogen, 'en ze heeft Sambuca. Kom mee, we gaan er nog een halen.'

'Nee!' protesteer ik een beetje te braaf. 'Ik ben nu al dronken zat, ik ga over mijn nek als ik er nog een neem.'

Vick staat stil en kijkt me met toegeknepen ogen aan. Haar gezicht zit onder de glitteroogschaduw.

'Is dat zo, Tess?' zegt ze uiteindelijk, en ze kijkt me kritisch aan. 'Want zo dronken kom je niet op me over.'

'Okééé!'

De muziek gaat onverwachts uit. Jim staat op de salontafel een beetje te zwaaien op zijn benen, met een biertje in de hand.

'Omdat we Victoria's wederhelft niet kunnen vinden...'

'O ja, waar is mijn man eigenlijk?' zegt Vicky, alsof ze zich net herinnert dat ze er een heeft.

'En waarschijnlijk ligt hij met zijn mond open onder een vat Guinness of is hij met de hond aan het praten, of wat Dokter Dolittletypes ook doen, ik heb het op me genomen om Peddlars jaarlijkse speech te doen.'

'Goeie, Jimmy!' roept Gina van opzij. (Ik weet niet wat ze heeft; ze heeft al een maand niets tegen hem gezegd.)

'Hup Ashy!' roep ik, in de hoop wat vriendschappelijks met Gina terug te krijgen. Ze kijkt niet eens mijn kant op.

'Zoals we allemaal weten is dit een belangrijk jaar geweest in huize Moon. Vicky is goddank eindelijk weer fatsoenlijk gaan drinken, na wat alleen maar kan worden omschreven als een heel egocentrische beslissing van haar om het feestvieren met haar vriendenschaar eraan te geven om haar zoon op te voeden...'

Ik werp Jim een geamuseerde blik toe die zegt: en wat doen wij nu dan? Hij beseft wat hij heeft gezegd en slaat onwillekeurig een hand voor zijn mond.

'En...' Hij neemt een slok bier en probeer eroverheen te praten. 'Zoals iedereen weet is ze een supermoeder geweest, die erg haar best heeft gedaan op haar osteopathiecursus en met vlag en wimpel is geslaagd...'

Er klinkt een donderend geraas als er iemand letterlijk de keuken in valt.

'Ik ben er! Iedereen rustig aan, ik neem het wel over!'

De zee van mensen wijkt uiteen en Rich zwalkt naar de salontafel.

'Rich! Jezus!' Vicky hapt naar adem. 'Hoe dronken ben je nou?'

Rich is heel erg dronken. Stomdronken. In al die jaren dat ik hem nu ken heb ik hem nog nooit zo gezien. Zijn wangen lijken wel die van dwerg Bloosje, de gel die zijn haar altijd in stekels overeind houdt laat het afweten, zodat het slap om zijn hoofd hangt. En zijn buikje...

'Liefje, hou je buik eens in!' zegt Vicky, met een ruk aan zijn T-shirt. Maar zijn buik steekt onder zijn shirt uit waarop staat IK HOU VAN MAMMIE.

Maar het kan Richard geen lor schelen, want dit is zijn moment, dit is zijn wereld, die van hem en Vicky. Dit is zijn huis, de vrouw van wie hij houdt, zijn jaarlijkse speech.

'T-t-t-ten eerste...'

Iedereen snapt zijn Gareth Gates-grap. Het publiek hangt nu al aan zijn lippen.

'Ik wil alleen mijn beeldschone Sharon bedanken...'

Iemand aan de kant brult van de lach.

'...omdat ze het weer een jaar met me heeft uitgehouden.'

En hij gaat verder. Straalbezopen, maar zonder haperen. Hij vertelt iedereen hoe geweldig zijn vrouw is, dat ze hem overeind heeft geholpen toen zijn vader was overleden, dat ze een fantastische moeder is, de indrukwekkendste borsten van Beckenham heeft, dat ze zo bij het circus zou kunnen met haar jongleeract. Dat ze hem gelukkig maakt.

Zo'n speech – voor een gewone verjaardag – kan zoetig overkomen, maar op een of andere manier is dat bij Vicky en Richard niet zo. Rich zegt dat hij met zijn speech 'alle ellende wil goedmaken' die hij haar de rest van het jaar heeft bezorgd. Vick zegt dat ze alleen voor de speech bij hem blijft.

'Richard Moon, jij zatlap!' Als hij uiteindelijk de tafel af wankelt geeft Vicky haar man een klapzoen op de mond. 'Waar heb je in vredesnaam de hele tijd gezeten, ik heb je de hele avond niet gezien.'

Er klinkt drie keer hoera voor Vicky's verjaardag en dan pakt ze haar wodka-lemon.

O. Nee! Dat is mijn limonade.

'Aargh! Wat is dit?' ze kijkt Jim aan. Ik zie Jim in paniek naar mij kijken. 'Hier zit helemaal geen wodka...' Ze kijkt mij aan. 'Alleen maar limonade.'

O, nee.

Er staat een besef in haar ogen te lezen. Ik weet dat er een dodelijk verschrikte uitdrukking in de mijne staat.

Ze kijkt naar Jim, die op zijn hoofd krabt en een smoes mompelt. Ze kijkt weer naar mij. Dat was het dan, we zijn gesnapt.

Op dat moment is het doodstil in de kamer. Niemand verroert zich, er klinken geen stemmen, geen muziek, niets. Vraag me niet hoe, maar ze weet het gewoon. Ze is mijn boezemvriendin, ze weet alles.

'O god,' zegt ze heel zacht. 'Je bent zwanger, hè? Jim en jij krijgen een kindje.'

Even staan we er allemaal zwijgend bij, Vicky met haar hand voor haar mond, ongelovig met haar hoofd schuddend. Dan kijkt ze Jim aan, die knikt, en mij. Ik doe mijn ogen dicht. Dan breekt de breedste grijns op haar gezicht door die ik er ooit op heb gezien, gooit ze haar handen in de lucht en rent naar me toe.

'Aaaahh!' Vicky's oorverdovende gil vult de kamer. 'Dat is het beste nieuws wat ik ooit heb gehoord!' zegt ze, en ze omhelst me zo stevig dat ik bijna geen adem krijg. Daarna doet ze hetzelfde met Jim, die lacht. Een lieve, verlegen lach.

'Rich, hebben we champagne?' Ze rent nu door de kamer en wappert met haar armen. 'Zo niet, ga dan een fles kopen, we moeten champagne hebben!! Tess, dit is het beste nieuws van mijn leven! Iedereen, luister.' Ze gaat nu zelf op de salontafel staan. 'Jim en Tess krijgen een kind!!'

Leuk hoor, Vick. De kamer staat op zijn kop. Mensen bespringen ons en dan elkaar. 'Hoogtepunt van de avond! Geweldig, jongens!' lallen ze hartelijk.

En ondanks het feit dat ik dit helemaal niet heb gepland, vind ik het ook het hoogtepunt van de avond. Na Gina's reactie nam ik aan dat niemand blij voor ons zou zijn, dat ze misschien gelijk had, dat het een rampzalige vergissing was. Maar nu is dit de reactie waarnaar ik heb verlangd (nou ja, ik verlangde naar hun steun, maar dit is nog beter).

'Dus je bent niet gewoon dik, je bent aan het broeden!' Richard slaat zijn mollige armen om mijn nog molliger middel, valt op zijn knieën en kust mijn buik.

Ik lach, de eerste echte lach van vanavond. Rich staat op en geeft Jim een high-five.

Het is gaaf en positief en het is, besef ik, waar ik echt behoefte aan had. Maar ondanks dit alles knagen er twee gedachten aan me: 1) Gina is de enige die niet meedoet. Ze staat daar met haar armen over elkaar geslagen en spreekt de overtuigendste lichaamstaal die ik ooit heb gezien en 2) Vicky gaat met de werkelijkheid aan de haal. Ze denkt dat het zover is, dat we gaan trouwen. Voor Vicky is het niet alleen de aankondiging van een baby, maar ook de bevestiging aan iedereen dat Jim en ik een stel zijn.

Ze is nu in haar element, vult glazen, met haar pruik scheef op haar hoofd, en knoeit de helft van de champagne op de grond.

'Is dit alles, Rich?' Vicky houdt twee flessen Cava omhoog. 'Nou ja, het is wel geen Moët, maar we doen het ermee!'

'Eh...' Ik wil iets zeggen, maar Vicky valt me in de rede.

'Een klein glaasje mag je wel hebben, toch?' zegt ze, en ze roept naar Richard in de keuken: 'Dronk ik veel toen ik zwanger was?'

'Elke avond straalbezopen!' roept hij terug.

Ze klakt met haar tong, schenkt dan een glas halfvol, geeft het aan mij en drukt een kus op mijn wang.

'Vicky...' Ik moet het nu zeggen.

Ze schenkt de glazen van Claudia en haar vriend Martin klokkend vol, en zegt: 'Ik heb altijd geweten dat die twee uiteindelijk verstandig zouden worden. En nog op mijn verjaardag ook. O god, ik ben helemaal ontroerd!'

'Vicky...' zeg ik met een rare stem – om over mijn rare Rik Waller-pak maar te zwijgen – 'dat ik zwanger ben, dat was een ongelukje, snap je, het verandert niets tussen Jim en mij. We zijn nog steeds gewoon vrienden.'

'Ja hoor, en ik ben lesbisch,' zegt Vicky die me helemaal niet serieus neemt. Dan gaat ze nog eens met kousenvoeten op de salontafel staan, met door de drank uitpuilende ogen, en heft haar glas: 'Drie-werf hoera voor Jim en Tess en hun ongeboren kind!'

Ongeboren kind? Zo klinkt het als een anti-abortuscampagne!

'Ze zijn niet alleen mijn beste vrienden,' gaat ze verder, 'maar ze zijn ook nog eens het meest ideale, voor elkaar bestemde stel dat je ooit zult tegenkomen.'

'Oooo god,' hoor ik Jim achter zijn glas kreunen. Ik voel mijn wangen rood worden van verlegenheid en gebaar naar Vicky dat ze van de tafel moet komen.

'En als ze een kind krijgen weet ik zeker dat ze hun domme koppen bij elkaar steken, bij hun positieven komen en nog lang en gelukkig zullen leven; ik heb het altijd wel geweten. Driewerf hoera voor Jim en Tess, hieperdepiep hoera! Hiep...'

Maar de rest is niet aan mij besteed. Ik verdwijn de keuken in om me achter het buffet te verstoppen. De rest van de avond krijgen Jim en ik nog meer van hetzelfde over ons heen. 'Is het niet het meest romantische verhaal dat je ooit hebt gehoord? Net Ross en Rachel van *Friends*, maar dan in het echt.'

'Eh, nee,' zeg ik met moeite. Tegen het eind van de avond kan ik ze wel slaan of in huilen uitbarsten. 'Zo ligt het niet, het zit eigenlijk iets ingewikkelder in elkaar.'

Na twee uur 's nachts kan ik Jim eindelijk overhalen samen een taxi te nemen. Ik ben uitgeput. Jim zijgt neer op de achterbank en laat zijn hoofd op mijn schouder rollen.

'Jezus christus,' zegt hij, en hij laat zijn adem langzaam ontsnappen. 'Was dat een feest of niet?'

Ik mompel een antwoord maar ben te moe om te praten, dus ik staar maar wat uit het raampje naar de kattenogen die als meteoren in het donker op ons af komen. Ik vraag me af of hij hetzelfde denkt.

'Jim?' zeg ik, als hij een poosje zijn mond houdt. 'Ben je wakker?'

'Ja, ik ben wakker.'

'Weet je, vanavond...'

'Ja, ik weet het.'

'En wat iedereen zei?'

'Wat bedoel je?'

'Nou, vind je dat we dat zouden moeten doen?'

Jim tilt zijn hoofd op.

'Wat doen?'

'Een relatie beginnen.'

Hij kijkt naar mijn gezicht. De lichtjes van de stad dansen in zijn ogen.

'Ik weet wat je bedoelt,' zegt hij, en hij komt nu echt overeind. 'Het zou alles wel veel makkelijker maken, laten we wel wezen. Maar nee. Nee, ik vind niet dat we gewoon maar een relatie moeten beginnen.'

'Echt niet?'

Ik voel dat dit het juiste antwoord is.

'Nee, want ik wil geen relatie beginnen omdat het toevallig zo uitkomt, daar vind ik wat wij hebben te goed voor. Ik heb liever dat we honderd procent zijn wat we kunnen zijn, vrienden dus, dan dat we vijftig procent zijn van wat we zouden moeten zijn.' Jim kan soms zo irritant verstandig zijn.

'En ik zou het niet kunnen uitstaan als het zou mislukken.'

'Nee, ik ook niet. Dat zou vreselijk zijn.'

'Want er staat nu veel meer op het spel. Er is zoveel meer te verliezen.'

De rest van de weg doen we er het zwijgen toe, maar als we mijn huis naderen wordt mijn schuldgevoel me te veel.

'Weet je, het is grappig.' Ik weet niet hoe ik het onderwerp anders moet aansnijden, dus ik gooi het er gewoon uit. 'Ik heb vandaag met Laurence geluncht.'

Jim zegt een hele poos niets.

'Beetje vreemd, vind je niet? Nu jij zwanger bent en zo?' zegt hij uiteindelijk, en ik slaak een zucht van verlichting omdat hij het niet erg lijkt te vinden. 'Maar als jij hem maar hebt laten weten dat je nu zwanger bent en jullie gewoon vrienden zijn, kan het geen kwaad.'

Ik knijp mijn ogen dicht en leg mijn hoofd tegen het raam.

'Je hebt hem toch wel laten weten dat je zwanger bent?'

'Natuurlijk,' zeg ik terwijl ik uit het raam kijk. 'Natuurlijk heb ik gezegd dat ik zwanger was. Waar zie je me voor aan?'

13

'Waarschijnlijk was ik de enige aanstaande moeder in Engeland die bad om een roodharig kind. Dat slippertje met Glenn was een vergissing. Een enorme, verschrikkelijke vergissing. Het heeft mijn zwangerschap volkomen verpest – ik kwelde mezelf van begin tot eind – en de timing had niet slechter kunnen zijn. Toen Dave Ben omhooghield en ik die bos peenhaar zag, net als die van zijn vader, heb ik gehuild van blijdschap. Dave denkt dat het was omdat het een jongetje is, maar ik zal altijd weten hoe het zit.'
Emma, 34, Portishead

Het zit zo: ik zie er dik uit. Niet zwanger, gewoon dik. Ik zie eruit als al die middelbare vrouwen die buiten het seizoen op vakantie gaan naar de Costa del Sol: geen taille, een appelvorm en raar, zo zien ze eruit.

Juist, laten we de spijkerrok eens proberen. Ik zoek tussen de berg kleren op de stoel in mijn slaapkamer tot ik hem vind, als een bal opgeknoedeld. Ik trek hem aan en kijk in de spiegel. God, wat zie ik er vreselijk uit. Mijn ogen zijn dof, ik heb een krans pluis om mijn hoofd en er zijn hier en daar wat hormonale pukkels opgekomen. Zwangerschapspukkels zijn anders dan gewone pukkels. Ze verzamelen zich niet in hetzelfde gebied als menstruatiepukkels, en ze doen geen pijn zoals allergische uitslag. Ze zijn gelig rood en komen op de meest onelegante plaatsen op – midden op je wang, op het puntje van je neus; net als die neppukkels die je in de feestwinkel kunt kopen.

Het verbaast me ook niet, omdat ik het hele weekend maar ongeveer vijf uur heb geslapen. Nadat ik om drie uur 's nachts van Vicky's feestje terug was gekomen, werd ik om vijf uur wakker door dreunende muziek van Daft Punk beneden en het geluid van twee stemmen: die van Gina en een stem die ik niet kende, die kakelden als twee dementerende heksen. Toen ik foeterend naar beneden ging, zag ik Gina en een vriendin die helemaal high waren van de coke, en dikke lijntjes snoven van de spiegel uit de gang, die voor deze gelegenheid op de salontafel was gelegd.

Ik betrapte me op de gedachte dat Gina me iets duidelijk wilde maken. Nee, ik weet gewoon dat Gina me iets duidelijk wilde maken: kijk mij dan, jong en leuk, met een nieuwe jonge en leuke vriendin. Moet je jou zien: zwanger en helemaal niet leuk.

En het trof doel. Ik voelde me ontzettend duf zoals ik daar in mijn bedsokken en mijn flanellen pyjama stond. Mensen die hebben gesnoven braken ook zulke onzin uit.

Gina: 'Hé Tess! Hoe gaat ie?' (Ze doet nu vriendelijker.)

Ik: 'Niet echt geweldig. Eh... het is vijf uur 's morgens.'

Gina: 'Echt waar? Shit. Echt?! (Ogen als stuiterballen.) Dit is Michelle, trouwens.'

Michelle plukte nog wat moleculen coke van de spiegel en wreef ze op haar tandvlees. Ik wreef in mijn ogen en gromde een 'hallo'.

Gina: 'Wat is ze beeldschoon, hè? Ze heeft een Soedanese vader. Jee, ik wou dat ik een halfbloed was. (Kreun.) Halfbloedjes zijn altijd zooo mooi, vind je niet? (Kreun en nog eens kreun.) En haar moeder komt uit Stockholm. Ja toch?'

Michelle: 'Het is eigenlijk Stockport.'

Toen gaf ik het op. Ik trok de deur achter me dicht en strompelde met een gemompeld 'egoïstisch teringwijf' weer naar boven. Ik hoopte dat ze het kon horen. Het kan me niet schelen. Ik heb me de afgelopen paar weken zorgen over Gina en mij lopen maken, en gedacht dat ik haar had teleurgesteld door zwanger te raken. Nou, dat is afgelopen! Ik kan niet meer uitgaan en dronken worden (hoe graag ik ook zou willen), ik kan dat leven niet meer leiden, en als ze dat niet kan accepteren, wat kan ik er dan nog aan doen?

Ik kijk in de spiegel, draai me opzij, stop mijn shirt in mijn rok, en trek het er weer uit. Wat ik ook doe, het ziet er niet uit, net als alles wat ik vanochtend heb gepast. Uiteindelijk kies ik maar (weer) voor een spijkerbroek en (weer) een wijde witte blouse van Monsoon. Oké, het glamourlevel bij *Believe It!* is nooit haute couture geweest. (Ik schaam me altijd een beetje als mensen mijn hoofdredactrice ontmoeten. Ze verwachten een verzorgde verschijning in Gucci en op Manolo Blaniks, maar krijgen een beige geest op gezondheids-sandalen met altijd-plakkerige tissues in de zakken van haar vest.) Maar toch moeten ze hebben gemerkt dat ik het erbij laat zitten en dat ik loop te schranzen alsof er morgen niets meer zal zijn. Anne-Marie heeft bijvoorbeeld gemerkt hoeveel muffins ik wegwerk.

'Al dat graan en die suiker zijn funest voor je spijsvertering, wist je dat?' zong ze gisteren nog, net toen ik mijn tanden in een tweede bananenmuffin zette. 'Greg (vegetarisch vriendje) zei dat hij daardoor candida kreeg.'

'Wat is candida?' vroeg ik. Ik wou dat ik dat niet had gedaan.

'Een schimmelinfectie, maar niet zoals wat je in je vagina kunt krijgen?' (De muffin hing ineens los in mijn mond.) 'Het zit in je maag?' (Anne-Marie gaat in toonhoogte aan het eind van elke zin omhoog, zodat het als een vraag klinkt.) 'En het schakelt alle goede bacteriën uit? En als het echt chronisch wordt, kun je een maagperforatie krijgen? En dan sijpelen alle onverteerde stukjes eten in je bloedstroom?'

Ik besluit de rest van de muffin voor later te bewaren.

Ik sta weer eens voor de spiegel. Ja, ik zal het op mijn werk moeten vertellen. Ik heb nu mijn echo gehad, dus ik heb nu echt geen excuus meer, maar ik zie er als een berg tegenop.

Ik zie de kop al voor me: *Shockerend! Zwanger van beste vriend omdat ze niet kon rijden!*

Ik hoor Gina beneden aanrommelen en denk dat ik mijn ontbijt toch maar oversla, dus ik doe snel mijn ding: smeer wat foundation op mijn snoet en ben de deur uit voordat ik een confrontatie met Gina moet aangaan, of de lounge in ogenschouw moet nemen, waar het er, als er sinds gisteren niets is gebeurd, uitziet als het festivalterrein van Glastonbury.

Ik stap in de bus en ga voorin zitten, waar de voorjaarswind warm als een föhn door het raam blaast. Ik zie Laurence overal: een zongebruinde nek, de achterkant van een geschoren hoofd, een zweem aftershave, een gorgelende lach. Sinds we elkaar op vrijdag hebben gesproken zijn er heel wat sms'jes en e-mails over en weer gegaan. Vrijdagmiddag kon ik werk wel vergeten. Ik zat voornamelijk gevatte mailtekst te bedenken (dat wil zeggen: e-mails schrijven, wissen en weer schrijven om de schijn te wekken dat ik het allemaal zo uit mijn mouw schud) en de bar die hij runt googelen, zodat ik me hem aan het werk kon voorstellen.

Om zijn sms van zaterdag moest ik erg lachen.

Hoop dat het feest van V te gek wordt
Kleed je niet te sexy, anders zie ik groen van jaloezie.

Daar was natuurlijk niet veel kans op! (Tenzij hij valt op walgelijk dikke, in realityshows mislukte zangers.) Goddank heb ik hem niet verteld over de Rik Waller-outfit. Kun je het je voorstellen? Soms moet ik mezelf echt beteugelen.

Ik heb het hele weekend zitten hopen dat hij zou bellen. Elke keer dat de telefoon ging, klopte mijn hart in mijn keel, en zakte hij weer af naar mijn borst, alsof het een kapotte lift was. Twee telefoontjes van Vicky (Was ik al bij mijn positieven gekomen? Had Jim een aanzoek gedaan?), één van pap (mam denkt dat de kat een hersentumor heeft. Hij heeft een dof oog) en één van Jim.

Toen zijn naam, en niet die van Laurence, op mijn display verscheen was ik tot mijn schaamte teleurgesteld. Dat is toch belachelijk? De vader van mijn kind belt om te vragen hoe ik me op zondagmiddag voel en wat mijn plannen zijn, en wat doe ik? Ik smacht naar mijn ex! Jim was ook heel lief met zijn meelevende woede jegens Gina. 'Haal haar nu aan de telefoon,' eiste hij. 'Waar denkt ze dat ze mee bezig is, dat ze je tot vijf uur 's morgens wakker houdt?'

'Laat nou maar, Jim,' zei ik. 'Ik weet dat je met me meeleeft, maar je maakt het er alleen maar erger mee.'

'Nou, het gaat me niet alleen om jou, maar ook om het kind. Het staat me helemaal niet aan dat Gina in hetzelfde huis waar mijn kind woont de aso uithangt.' Voor een non-conformist kan Jim soms verrassend moralistisch uit de hoek komen.

'Oké, ik zal nu niet met haar praten als je dat niet wilt,' zei hij. 'Maar ik zal haar wel laten weten dat ze over de schreef gaat.'

Ik voel me op dit moment zo slecht en toch ook weer goed, zo... uit balans. Ergens weet ik wel dat ik al deze gevoelens niet hoor te voelen, dat voortdurende gevlinder in mijn buik hoort niet bij de natuurlijke gang van zaken. Neem nu die hoogzwangere vrouw die nu naar de bus waggelt, met haar uitpuilende navel die door haar dunne, witte blouse te zien is. Met haar glanzende haar en stralende huid ziet ze er erg begeerlijk uit, maar ze is ook het toppunt van 'bezet'. Ze draagt het etiket: 'Loop door! Ik ben bezet.'

En ik? Wat is mijn etiket? Er groeit een nieuw leven in mij, maar mijn eigen leven moet nog vorm krijgen.

Ik spreek mezelf moed in om het tegen Laurence te zeggen; ik vind het vreselijk dat ik het Laurence nog niet heb verteld! Als ik denk aan wat ik in de taxi tegen Jim heb gezegd – een regelrechte leugen, mochten we het zijn vergeten –, draait mijn maag zich om uit schuldgevoel. En zelfs al vertel ik het Laurence en loopt alles goed en is het helemaal modern en geweldig; hoe moet het dan verder met onze relatie, als we eerlijk zijn? Ik met een buik als een skippybal maar wellustig als nooit tevoren, met zin in acrobatische seks, terwijl ik mijn eigen tenen amper kan zien. Reden te meer om het er nu nog even flink van te nemen.

Op Waterloo Road stap ik uit en loop The Cut af terwijl ik mijn praatje in mijn hoofd voorbereid.

'Judith, ik moet je iets vertellen. Het is een beetje schandalig.'

Nee, nee, dat kan ik niet zeggen. Als Judith ook maar een schandaaltje ruikt, gaan haar voelsprieten uit, en voor ik het weet zit ik bij haar op de bank en trekt ze met haar nicotineklauwen elk laatste restje smeuïg nieuws uit me.

Nog een keer.

'Judith, ik moet je iets vertellen. Ik ben zwanger...'

Misschien moet ik dat 'zwanger' tot het einde bewaren. Judith mag dan irritant zijn, ik wil haar niet tegen me in het harnas jagen door de indruk te wekken dat ik niet helemaal voor mijn baan ga. Als je dit soort nieuws moet vertellen, kun je het beste vanuit de ontvanger denken, en volgens mij heeft Judith niets met baby's. Ik stel me zo voor dat baby's in Judiths ogen alleen maar overlast bezorgen, een nachtmerrie zijn. Toen het zoontje van Sonya van de afdeling Vormgeving waterpokken had en hij niet naar de crèche mocht, klonk Judiths medeleven als volgt: 'Nou, neem hem maar mee. Als hij echt zo ziek is, heb je geen last van hem en kun je toch gewoon doorwerken?' Niet echt een kindervriend.

Oké, wat dacht je van 'Judith, ik weet dat je dit misschien liever niet hoort, zo dacht ik er ook over toen ik erachter kwam, maar dit soort dingen gebeurt gewoon en, tja, ik heb besloten het kind te houden' om het z-woord te omzeilen, misschien gaat dat er beter in – 'de vader en ik hebben geen relatie, maar we zijn heel goede vrienden en...'

Te veel informatie? Misschien eerder...

'Ha die Judith!' Plotseling sta ik oog in oog met mijn hoofdredacteur. Ze staat op de stoep bij de nieuwsredactie aan een Bereley Menthol te lurken, met een mond als een kattenkontje.

'Morgen.' Ze mikt haar sigaret op de grond en verpulvert hem met een stamp-en draaibeweging van haar padvinderssandalen. 'Ik kom jou hier nooit tegen. Is dit je normale route?'

Judith is niet zo goed in zomaar een praatje maken. Laat haar aan de telefoon praten om een verhaal in de wacht te slepen en ze is zo vlot als een commentator bij de paardenrennen, maar als je tijdens een kantoordineetje naast haar zit, of nu, tijdens een wandelingetje van vijf minuten naar de redactie, krijg je nog minder te horen dan in de wachtkamer van de tandarts. Soms vraag ik me af of het haar alleen te doen is om het gevecht om het verhaal, en niet echt om de mensen zelf. En ik sta hier te stuntelen omdat ze niets over haar eigen leven loslaat om over te praten. Heeft ze een partner? Ze heeft het er nooit over gehad, maar we weten het niet zeker. Heeft ze kinderen? Die kans is zelfs nog kleiner, maar daar heeft ze ook niets over losgelaten. We weten alleen dat ze kennelijk in Hounslow woont (hoewel ze volgens Jocelyn elke avond gewoon een slaapzak onder haar bureau op kantoor uitrolt) en dat ze er meestal diep ellendig uitziet.

'En... eh... hoe is het met je hond? Hoe heet hij ook weer?' vraag ik – omdat dat het enige is wat ik kan bedenken.

Ze rommelt in haar tas op zoek naar een nieuwe sigaret.

'Titch.' Ze staat stil en steekt hem in de beschutting van haar hand op. 'En hij maakt het goed, dank je.'

En dat was het dan weer. De volledige omvang van onze conversatie. Gelukkig wordt er in Blackfriars aan de weg gewerkt zodat ze stilte niet opvalt, maar jezus, pijnlijk blijft het, of niet soms? Niet echt een goede aanloop tot het gesprek dat we straks gaan voeren. En we moeten het meteen openen. Als de dag eenmaal is begonnen, heeft ze vast geen tijd.

Wanneer we de redactie op lopen, zit alleen Jocelyn er.

'Morgen, dames! Wat een fintistische morgen is het weer!' zegt ze met haar ontembare enthousiasme. (Een kei van een meid, die Jocelyn.)

Judith hangt haar jas op, loopt haar kamer in en doet het licht aan. Ik blijf als een butler bij de deur hangen.

'Ja?' Ze tuurt over haar bril heen naar me. Ik zie dat de bril aan een kant met plakband aan elkaar zit.

'Eh...' Stik, dit is veel lastiger dan ik had gedacht. 'Heb je even?'

Nu moet ik er echt aan geloven.

Eerst denkt ze dat ik ontslag neem.

'Kom me niet vertellen dat je ertussenuit knijpt naar een concurrent, want als dat zo is, kun je beter tegen Jocelyn zeggen dat je niet naar die conferentie gaat voordat ze een reservering maakt en er weer een stuk budget wordt verspild.'

'Dat is het niet. Ik ben zwanger.' Het floept er gewoon uit.

Ze maakt geen tuttende geluiden, kreunt niet, zet haar bril niet eens af om met haar hoofd op haar bureau te bonken, zoals ze meestal doet als iemand iets komt melden wat haar niet aanstaat. Ze gaat gewoon zitten, heel langzaam, en zegt: 'Aha. Ik begrijp het.'

Ik ben verbijsterd. Helemaal verbluft! Waar blijft de beledigende snauw? De vuile blik? De minachtende blik (eigenlijk is die het ergst).

'Het was een ongelukje, helemaal niet gepland, en om je eerlijk te zeggen zijn de afgelopen weken een nachtmerrie voor me geweest.'

Ik ratel maar door...

'Maar we zijn wel heel goede vrienden, snap je, en ik weet dat we het samen goed aankunnen. Mijn werk zal er niet onder lijden...'

'Wacht eens, wacht eens...'

Judith zet haar bril af en wrijft over haar gezicht. Ik houd eindelijk mijn mond.

'Maar je houdt het kind...' Ze kijkt me met gefronste wenkbrauwen aan. 'Toch?'

'Eh...?

Ik dacht dat ze me zou aanbieden om voor een abortus te betalen (in ruil voor mijn verhaal) of me over zou plaatsen naar het tijdschrift *Een baby onderweg!* waar de rest van de mislukte carrières zit, zo ziet zij het. Maar nu zie ik iets als echt medeleven op haar gezicht. Heel even ziet Judith Hogg eruit alsof ze misschien toch echt menselijk is.

'Eh, ja,' zeg ik met een glimlach, nu veel ontspannener. 'Natuurlijk hou ik het kind.'

'Mooi.' Nu voel ik dat ze zichzelf tot de orde roept. 'Nou, ga het maar snel aan personeelszaken vertellen. Vandaag nog, graag.'

Het de rest van de redactie vertellen blijkt een minder ingetogen gebeuren te zijn.

Anne-Marie slaat haar hand voor haar mond.

'Ik wíst het! Ja hoor, ik wist het! Ik zei nog tegen Jocelyn, Joss, wat zei ik tegen jou?'

Jocelyn staat op achter haar bureau. 'Wat is er, meissie?'

Iedereen draait zich om.

'Ik zei: niemand propt zoveel naar binnen, tenzij ze zwanger is en raad eens?'

'Nou?'

'Tess krijgt een kleintje. Tess en de vrolijke Frans krijgen een kindje!'

Dat is het dan. Zo gebeurt het: de verkeerde versie van mijn verhaal gaat als een lopend vuurtje door het kantoor. Dankzij Anne-Marie die de klok heel verkeerd heeft horen luiden.

Er trekt een golf van geroddel door het kantoor. Een paar mensen beginnen met een voorzichtig 'Gefeli...' wat dan min of meer wegsterft omdat ze niet weten of er wel gefeliciteerd moet worden. Iemands mobiel gaat, en wordt uitgezet. Iedereen staart me aan. Dit is een nachtmerrie.

Zeg iets, zeg nu iets, nu de verkeerde informatie nog maar net de wereld in is geholpen! Maar ik kan het niet, niet nu al die mensen me zitten aan te kijken. Niet als het om zoiets elementairs gaat als wie de vader is!! Dus ik sta daar maar als een zoutpilaar. De auditie van Tess Jarvis, alleen is ze zojuist als verlamd op het toneel blijven staan.

Ik probeer te slikken, maar het lijkt wel of er een doodskist in mijn keel zit. Ik voel me alsof ik in een film van Richard Curtis zit (een combi van *Nightmare on Elmstreet* en *Love Actually*) maar er is geen Hugh Grant te bekennen – de enige kluns hier ben ik. Dus het moet het echte leven wel zijn.

Jocelyn kijkt me met een moederlijke blik aan. Op dit moment zou ik regelrecht in die enorme, vlezige armen willen rennen.

'Nou,' zegt ze, en ze houdt haar hoofd schuin. 'Dat is fintistisch nieuws. Maar hoe vind je het zelf, lieverd?' En ik besef dat dit de eerste keer is dat iemand me dat vraagt. 'Mogen we je een knuffel geven? Of moet je er nog aan wennen?'

Dat ze aanvoelt dat ik er niet onverdeeld gelukkig mee ben, bevestigt wat ik altijd van Jocelyn heb vermoed – dat ze niet zo dom is als ze eruitziet.

'Het is nogal een verrassing.' Het moment is voorbij, mijn kans om het uit te leggen. 'Maar ja, ik vind het wel goed. Denk ik. Ik begin er in elk geval aan te wennen!' Ik glimlach nerveus naar iedereen, en alles om me heen begint te tollen en lijkt vertekend.

Alsof dat het teken is waarop iedereen heeft gewacht, valt de voltallige redactie (behalve Barry, die zo geschokt is dat hij lijkwit ziet en Judith, die na dat eerste blijk van emoties in haar hele leven waarschijnlijk even is gaan liggen) over mijn bureau heen. Ze omhelzen me en zeggen: ja natuurlijk, nu ze erbij stilstaan, dachten ze al weken dat ik zwanger was!! Ze vonden me een beetje vadsig rond de taille worden maar hadden aangenomen dat het aan alle camemberts lag die ik elke avond met mijn Franse minnaar at.

'Tess Jarvis?'

Plotseling staat er een koerier binnen – met zijn motorhelm in de ene arm en een enorme bos bloemen in de andere – en hij noemt mijn naam.

'O... mon... Dieu.' Anne-Marie ziet eruit alsof ze elk moment kan gaan kwijlen. 'Alleen een Fransman... wat ben je toch een stiekeme geluksvogel.'

'Verwacht er maar niet te veel van, waarschijnlijk zijn ze van een pr-medewerker, dat is meestal zo bij mij,' zeg ik, denkend dat ze dat niet zijn, ik weet het gewoon. Daar zijn ze te smaakvol voor.

Ik neem de bloemen aan (dieprode klaprozen en rozen en seringen, verpakt in folie met pastelkleuren) en teken met trillende hand voor ontvangst.

'Die zijn niet gratis,' zegt Anne-Marie met haar handen in haar zij. 'Bovendien is het ook geen Valentijnsdag. Lees het kaartje eens.'

'Wat? Nu?' Ik klink verdacht gealarmeerd.

'Ja, nu.' Ze slaat haar handen ineen. 'Alsjeblíéft! Wij leven jouw leven mee omdat onze levens zo romantisch zijn als een rol beschuit.'

'Spreek voor jezelf,' mompelt Brian van achter zijn computerscherm.

Ik maak het witte envelopje met mijn duim open en schuif het zilverkleurige kaartje eruit.

'Wat staat erop, wat staat erop?!' Jocelyn klapt opgetogen in haar handen en probeert over mijn schouder mee te lezen. Ik duw haar zachtjes weg.

Als het niet zulke onhandige omstandigheden waren geweest, had ik uitgelaten staan gillen en was ik naar de telefoon gerend om Vicky te bellen, maar nu sta ik daar terwijl ik met bevende handen lees.

Je zag er vrijdag oogverblindend uit en ik verlangde naar je, naar elke welving, holte en verrekte sexy vierkante centimeter van jou. (P.S. Ligt het aan mij of zijn jouw puppy's twee keer zo groot als normaal?)

133

'Kom op, ik kan de spanning niet verdragen!' steunt Jocelyn. 'Je lacht.'

'Echt waar?'

'Ja hoor. Een beetje!'

Ik kijk op en het hele kantoor kijkt me verwachtingsvol aan. Ik haal diep adem.

'Er staat: "Succes met vertellen. Ik denk aan je. Liefs, Laurence".'

Er klinkt een genietend, ontroerd 'aaah'. Ik ga aan mijn bureau zitten. Ik wil naar huis.

Jim belt als ik net op bus 76 naar huis wil stappen. Ondanks al mijn pogingen hem ervan te weerhouden, heeft hij de hele dag woorden met Gina gehad.

'Je had niets moeten zeggen. Ik kan mijn eigen boontjes wel doppen.'

Dat zeg ik gedeeltelijk omdat het zo is, maar ook omdat ik me zo schuldig voel vanwege het feit dat Jim het de hele dag voor me opneemt, terwijl ik mijn collega's heb verteld dat ons kind niet van hem is. Daar zakt je broek toch van af.

'Ja, nou. Ik kan er echt nijdig om worden.' Jim klinkt zelden nijdig. 'Ze is soms zo verdomde egocentrisch, ik wilde haar alleen laten weten wat ik ervan vond.'

'En kwam het aan?'

'Niet echt, je weet hoe ze is.'

'Wat zei ze dan?'

'Dat het ook haar huis is bla-bla-bla en dat we niet zomaar die bom kunnen laten vallen en dan verwachten dat iedereen er blij mee is.'

Bus 76 komt aan rijden, maar ik wuif hem door, niet wetend wat ik moet doen. Ik ben drie maanden zwanger en voel me niet eens welkom in mijn eigen huis. Als je zwanger bent hoor je je toch te gaan nestelen? Het is toch niet de bedoeling dat het zo gaat als nu?

'Wat een belachelijke toestand,' zeg ik, en zodra de woorden mijn mond uit zijn, is het volkomen duidelijk. 'Ik moet het huis uit.'

Ik hoor Jim zuchten, en een poosje zegt hij niets.

Dan zegt hij: 'Volgens mij heb je weinig keus. Vooral als ze zo doorgaat. Kom vanavond hierheen, dan kunnen we samen huizen kijken op internet.'

Jim duwt zijn bril langs zijn neus omhoog en buigt zich naar het beeldscherm toe.

'Oké, hoe vind je deze? Opknappand met ruimte om uit te bouwen. Dicht bij alle voorzieningen van Camberwell Green. Ideaal voor starters.'

'Klinkt goed. Hoeveel kost het?' zeg ik.

'210.000 pond. Maar waarschijnlijk kunnen we wel wat afdingen.'

'Toch nog te duur. Dat kan ik niet betalen. Ik kom in een opvanghuis voor alleenstaande moeders terecht! Mijn kind moet dan gebreide afdankers van oude dametjes dragen. God, wat vreselijk!'

'Stil, joh, natuurlijk kom je daar niet terecht,' zegt Jim, maar aan de manier waarop hij in zijn ogen wrijft kan ik zien dat hij er ook meer dan genoeg van heeft.

Ik kan helemaal niets betalen. Eigenlijk is het me een raadsel hoe iemand die minder dan 50.000 pond verdient ooit een flat zou kunnen kopen.

'Er is nog een mogelijkheid die we nog niet hebben besproken,' zegt Jim.

'En die is...?' Ik kijk hem vragend aan.

'Nou, je kunt altijd bij mij intrekken, en zonder woonlasten leven zodat je kunt sparen voor een aanbetaling en als de baby een paar maanden is op jezelf gaan wonen.'

In eerste instantie wil ik ja zeggen, laten we nu mijn spullen gaan halen! (Hier kan ik tenminste thuiskomen zonder bang te zijn hem cokesnuivend aan te treffen.)

Maar bij nader inzien ben ik bang. Het zou wel heel erg stelletjesachtig zijn, misschien wordt onze niet zo heel ideale situatie nog sterker benadrukt.

'Dat is heel lief van je, Jim, echt. Maar ik weet het niet, ik weet het gewoon niet.'

'Geeft niet,' zegt Jim. 'Ik weet dat het misschien een beetje raar is. Maar het aanbod blijft staan, dus laat het maar weten als je van gedachten verandert. We slapen apart en natuurlijk geen gerotzooi.'

'Jaja,' zeg ik. 'Moet je zien wat daar de vorige keer van terecht is gekomen.'

14

'Toen Billy negen dagen was is Rob er zomaar vandoor gegaan en op een vliegtuig naar Australië gestapt. Hij zei dat hij van ons hield, maar meteen wist dat hij er niet aan toe was (ja, hoor, en ik zeker wel?!), dus dat we zonder hem beter af waren. Dat was twee jaar geleden, en nu denkt hij dat hij zomaar ons leven in kan wandelen. Maar we hebben het al die tijd gered, dus daar kunnen we nog wel even mee doorgaan. Hij heeft veel goed te maken.'
Maria, 30, Cirencester

Vicky's keuken ruikt naar kokos en vissaus. Ik zit aan de grenen keukentafel en snuif de geur hongerig op.

'Kom zaterdag eens langs,' had ze afgelopen woensdag aan de telefoon gezegd, toen ik net naar huis liep na een waxbehandeling van mijn bikinilijn. (Nog zo'n dure tactiek om mijn kortaangebonden huisgenoot te ontlopen, die vastberaden is de ergste scène aller tijden te schoppen.) 'Waarschijnlijk is het een gekkenhuis, maar ik kan voor ons koken en wij kunnen intussen eens goed praten.'

Ik wist dat 'goed praten' waarschijnlijk betekende dat ze me wilde ondervragen over de aanstaande 'bruiloft' van Jim en mij, maar dat kon me eerlijk gezegd niet schelen. Ook al zou Rich een legertje van zijn herrievrienden over de vloer hebben en het plafond naar beneden komen, het zou gezelliger zijn dan thuis.

Ik heb het gevoel alsof er een barbershopkwartet repetitie houdt in mijn hoofd. De hoofdstem: die vreselijke dag op mijn werk, waar ik heb gelogen over de vader van mijn kind, voert de boventoon, op vol volume. Tussen de noten van die hoofdlijn door klinkt Gina's voortdurende ijspegelgedrag en Jims aanbod om bij hem in te trekken, en de aanhoudende, driekoppige bas: het feit dat ik Vicky niet over Laurence heb verteld, het feit dat ik Laurence niet heb verteld dat ik zwanger ben en het feit dat ik tegen Jim heb gelogen dat ik het wel had verteld.

Als er iemand was die er even een dagje uit moest, was ik het wel.

Vicky komt daverend de trap af. Ze heeft opgetogen naar zwangerschapsspullen gezocht.

'Kijk, ik wist dat ik het ergens had.' Ze geeft me een boek met de titel *Zwangerschapsgids, tips van je beste vriendin* en gaat weer naar de pan die op het fornuis staat te pruttelen.

'Het is heel grappig en nuchter, met een vleugje bangmakerij.'

'Wat bedoel je met bangmakerij?' Ik begin in het boek te bladeren.

'Nou, de hele harde werkelijkheid van zwanger zijn staat erin, je weet wel, dat je een heel eng mens wordt.'

'Wordt?'

'Een baard krijgt, incontinent wordt...'

'Wat? Getver!'

'Ja, inderdaad. Als je op zoek bent naar het wonder van het nieuwe leven, zul je het daarin niet vinden.'

Ik glimlach. Vicky is misschien ooit gegaan voor de romantische kijk op het moederschap, maar nu ze echt moeder is, neemt ze een veel cynischer houding aan.

Ik leg het boek neer en loop naar haar toe om de soep te ruiken die ze maakt. Vicky zou geen slecht figuur slaan in *Ready Steady Cook.* Met een peper en een oude aardappel maakt ze nog een smakelijk diner – een vaardigheid die ze heeft overgehouden aan haar jeugd waarin ze voor haar broertjes moest zorgen. Daar praat ze niet veel over, maar ik weet dat het heel zwaar voor haar is geweest. Toen haar moeder er met een vijfentwintigjarige Boliviaanse strandwacht (moeilijk te vinden in Huddersfield, dat begrijp je, maar op de een of andere manier was het haar gelukt) vandoor was gegaan, werd haar vader depressief en begon zich elke avond achter de bar te bedienen van enorme hoeveelheden drank. Vicky veranderde op slag van grote zus in surrogaatmoeder voor Tom van zeven en Stevie van negen. Twee maanden later overleed Vicky's moeder – een ongelooflijk wrede wending van het lot –, zeven weken nadat eierstokkanker bij haar was geconstateerd, waarna haar vader helemaal doorsloeg. Op een avond kwam Vicky thuis van de repetitie van haar schoolkoor en zag ze dat er politie in huis was. Haar vader was naar de supermarkt gereden, waar hij drie van de beste opwarmmaaltijden had gepikt. Hij werd gearresteerd wegens winkeldiefstal, rijden onder invloed en het verwaarlozen van minderjarigen. Geen gekke score in een halfuur. Gelukkig waren de jongens ongedeerd en zaten ze lekker hun maaltijd op te peuzelen, maar Vicky had tegen me gezegd: 'Die dag wist ik dat het zover was. Pa was ingestort en ik moest voor de jongens zorgen.' Dat was denk ik ook de dag dat haar jeugd was afgelopen, en ze alleen het halfuurtje voor ze in slaap viel tijd voor zichzelf had. Dan luisterde ze naar de soundtrack van *Dirty Dancing* en stelde ze zich voor dat Patrick Swayze haar kwam redden.

Ik leg een arm om mijn beste vriendin en doop een vinger in de soep.

'Hela!' ze geeft een pets op mijn hand. 'Haal je vieze vingers uit mijn soep.'

'Waar heb ik die zwangerschapsgids voor nodig als ik jou heb? Ik weet zeker dat jij me alles kunt vertellen over zwangerschapsgekte, incontinentie... sorry hoor, maar eh...?'

'Doe je bekkenbodemoefeningen. Fanatiek. Iemand op mijn werk was naderhand maandenlang zwaar incontinent.'

'O god!'

Vicky lacht. 'Nou, je vroeg het toch?'

Vicky giet de Thaise kippensoep in twee dezelfde blauwomrande soepkommen. De tuindeuren beslaan, maar toch zie ik Rich en Dylan een balletje trappen onder de wilg die slaperig neerhangt in de zon.

Nogmaals: hoe heeft Vicky's leven zo kunnen lopen en heeft het mijne kunnen worden zoals het nu is? Ik zeg niet dat het ene leven mooier is dan het andere, alleen is zwanger worden van mijn beste vriend en wonen in wat aandoet als een raverscommune niet precies wat ik me had voorgesteld. Ik had het me zo voorgesteld: een leuk, comfortabel huis in een buitenwijk, man speelt in het weekend met kind in de tuin, bemodderde laarzen op de deurmat, grenen Ikeakeuken met terracotta tegels, gezamenlijke hypotheek, kosten delen. Grotendeels zoals mijn ouders het doen, denk ik.

'Maken jullie je rekeningen nooit open?' vraag ik met een blik op de torenhoge stapel ongeopende enveloppen naast me.

'Breek me de bek niet open.' Vicky schuift de stapel opzij. 'Dat is Richards taak. Waar hij tijd voor zou hebben als hij het niet zo druk had met puberaal rotzooien op Facebook en doen alsof hij een script aan het schrijven is.'

Rich was al voor Dylans geboorte bezig een romantische comedy te schrijven over (heel toevallig) een zoöloog, maar tot nu toe heeft hij niet de lof toegezwaaid gekregen waarop hij had gehoopt.

Er wordt op de deur gebonsd.

'Over de duivel gesproken,' mompelt Vicky.

'En de Oude Hertog van York, die had tienduizend soldaten! Hij liet ze de heuvel op marcheren en daarna weer naar beneden!'

Richard komt gebogen door de deuropening de keuken in stormen, met een giechelende Dylan op zijn schouders.

'Hé, daar hebben we Jarvis de Hack!' (Grapje van Richard. Het klinkt een béétje als Jabba de Hut.) 'Je hebt niet gezegd dat Tess kwam eten.'

'Ja, hoor.' Vicky slurpt van haar soep. 'Alleen heb jij het niet gehoord.'

Richard buigt zich naar voren zodat zijn zoon van zijn nek kan glijden en op zijn mollige beentjes naar zijn moeder kan hobbelen, die hem bij haar op schoot hijst.

'Zo.' Rich trekt zijn hawaïblouse over zijn buik (hij koopt al zijn kleren bij een winkel die Life is a Beach heet, wat eigenlijk alles zegt) en geeft me een kus op de wang. 'Hoe is het met de kleine? Groeit hij al een beetje?'

'Ja, ik ben zelf al een olifant!'

'Ooh.' Richard bekijkt me eens. 'Maar je moet nog een heel eind. Vick was zo groot als een dubbeldekker, hè lieverd?'

'Richard!' roep ik uit.

'Wat brengt hij dat elegant, hè?' zegt Vicky. 'Zo complimenteus.'

'En hoe gaat het met het script?' zeg ik om van onderwerp te veranderen.

'Nou, geweldig, het begint vorm te krijgen. Ik denk dat ik tegen het einde van de maand wel een kladversie heb die goed genoeg is om naar agenten te sturen.'

'Te gek.'

'Over het script gesproken... eh... Vick?'

'Ja, mijn lieve echtgenoot?'

Ik glimlach en trek gekke gezichten naar Dylan, die zijn moeder als klimboom gebruikt.

'Mag ik? Je weet wel...'

'Rich! Het is lunchtijd. Ik heb soep voor je, en nu wil je hem naar boven smeren?'

'Alsjeblieft. Ik meen het. Ik hoef nog maar één scène bij te schaven en dan...'

'Dan worden we multimiljonair wanneer jouw sitcom een hit wordt en een prijs wint. Intussen zijn we gescheiden en hebben de deurwaarders al onze spullen in beslag genomen?'

Vicky knippert sarcastisch met haar wimpers naar haar man. Ik verberg mijn grijns achter mijn soepkom.

'Ik wist dat je een visioen had gehad.' Rich legt zijn handen om het gezicht van zijn vrouw en kust haar fijngeknepen, onwillige wang. 'Een paar uurtjes maar, ik beloof het, en daarna was ik af.'

Rich snelt richting keukendeur, maar Vicky houdt hem staande.

'Volgens mij vergeet je iets.' Ze houdt hem Dylan voor. 'Het is tijd voor zijn slaapje. Leg hem even in bed, wil je, en verschoon hem eerst even.' Ze pakt de stapel ongeopende brieven van de keukentafel. 'En sorteer je post in vredesnaam, Rich. Ik heb de andere stapel al gedaan. Dat is toch niet zo moeilijk?'

'Pff, sorry, hoor,' zegt Vicky als Richard en Dylan de trap op lopen.

'Let maar niet op mij,' zeg ik. Ik ben gewend geraakt aan Rich en Vicky's amusante huiselijke taferelen, bovendien heb ik mensen die nooit ruziën waar anderen bij zijn altijd een beetje eng gevonden.

'En,' zegt Vicky die op haar soep aanvalt. 'Neem je het boek mee?'

'Ik heb er een dat er wel wat op lijkt, bedankt. Het mijne is meer een verzameling waargebeurde verhalen dan een stapsgewijze gids door je zwangerschap, maar bedankt. Maar goed...' Ik roer in mijn soep. 'Het is niet zozeer het lichamelijke dat me dwarszit, maar...'

'Maar wat dan?' Vicky legt haar lepel neer.

'Wat ik ervan vind om zwanger te zijn. Ik bedoel, neem nou Julia – ken je Julia? Met wie ik mijn journalistenopleiding heb gedaan?'

'Die met benen tot aan haar nek?'

'Ja, die. Nou ik ben vorige week met haar wezen lunchen – ze gaat met zwangerschapsverlof – en ze was zo ontzettend blij, zo opgetogen. Het is vreselijk, maar ik kan daarin niet meegaan.'

'Hoe bedoel je?'

'Nou, op een bepaald moment vroeg een van haar collega's hoe het voelde om zwanger te zijn, en weet je wat ze zei?'

'Een religieuze ervaring?'

'Nee, erger. Ze zei dat het voelde alsof ze elke dag jarig was, ze popelde om het pakje open te maken.'

Een hartgrondig 'Ha!' schiet uit Vicky's mond.

'Moet ik me eigenlijk ook zo voelen?' vraag ik.

'Welnee!'

'Want dat doe ik niet. Meestal ben ik doodsbang.'

'Dat is veel normaler, Tess. Echt.'

'Hoe vond jij het om zwanger te zijn van Dylan?' Terwijl ik dit vraag besef ik geschrokken dat ik het haar volgens mij nooit heb gevraagd. Niet echt.

'Ik was blij dat ik werkelijk in staat was om zwanger te worden, maar afgezien daarvan scheet ik meestal in mijn broek.'

Vicky geeft zwakheden alleen achteraf toe. Dat hoort bij het gevoel dat ze om een of andere reden heeft dat ze alles en iedereen overeind moet houden. 'We hadden niet zoveel geld – ik studeerde nog voor mijn cursus osteopathie dus we hadden alleen Richards hongerloontje, bovendien had je de factor Ma.'

'De factor Ma?'

'Nou, laten we eerlijk zijn, ze heeft het er niet geweldig van afgebracht, toch? Ik hield wel van haar – ze was mijn moeder – maar ze is nooit echt een goede moeder geweest.' Dat heb ik Vicky nog nooit horen zeggen. 'Ze heeft haar man en drie kinderen in de steek gelaten voor een man die zo'n beetje haar zoon had kunnen zijn! Ze heeft mij laten zitten, net toen ik voor mijn examens zat. Een deel van mij was bang...'

'Kom op, Vick, je bent een geweldige moeder.'

'Welja.' Vicky heeft complimenten nooit elegant kunnen aanvaarden. 'Maar in mijn achterhoofd dacht ik toch: stel dat ik geen moedergevoelens heb? Stel dat ik net als mijn eigen moeder blijk te zijn. Of stel dat ik net als mijn vader blijk te zijn, die kon ik ook moeilijk een rots in de branding noemen.'

Op dat moment denk ik dat ik eindelijk besef wat Vicky heeft moeten doormaken terwijl ik onbezorgd aanrommelde in Morecambe en een echte jeugd had. Plotseling ben ik zo trots op haar dat ik haar wel kan knuffelen.

'Maar goed,' zegt ze zuchtend, 'genoeg over mij. Hoe zit het met jou? Ik weet dat je je per se wilt verzetten tegen iets wat zo belachelijk voor de hand ligt, en ja, het zal wel vreemd voor je zijn dat Jim en jij officieel geen stel waren voordat je zwanger werd. Maar geduld is een schone zaak, jullie passen zo goed bij elkaar.'

'Hij heeft gevraagd of ik bij hem intrek.' Zodra ik de dolgelukkige uitdrukking op Vicky's gezicht zie, heb ik spijt van mijn opmerking.

'Dat je dat maar liefst twee uur voor je hebt kunnen houden!'

'Ik heb geen ja gezegd.'

'Téss!' Ze slaat haar handen voor haar gezicht en kreunt.

'Nee, luister. Echt, je begrijpt het niet. Het is heel lief aangeboden, en het is zo logisch gezien de situatie met Gina, en wie weet moet ik wel, maar ik heb het idee dat we dan gewoon maar zouden spelen dat we een lief stelletje zijn.'

'Maar hij wíl ook dat jullie een lief stelletje zijn. Dit is zijn manier, het is een teken – besef je dat niet – om te zeggen: "Laten we het proberen".'

'Niet waar.'

'O!' Vicky slaat met vlakke hand op de tafel. 'Hij aanbidt je! Jij aanbidt hem. Wat hébben jullie toch?' Gefrustreerd kromt ze haar vingers. 'Ik kan jullie wel met de koppen tegen elkaar slaan.'

'Hij heeft gezegd dat hij geen relatie met me wil.'

'Wanneer?!' Vicky's toonhoogte stijgt een paar octaven.

'Norfolk, toen op de camping.'

'Oké... Maar waarom heb je het me niet verteld?'

'Ik schaamde me zo. O god, Vicky ik heb mezelf zo voor schut gezet.'

Het komt er nu allemaal uit.

'Je weet wel, toen we die zaterdagavond allemaal uit de pub de camping op kwamen? Nou, je weet hoe ik ben – ik dacht: stik, ik vraag het gewoon. We waren al maanden bezig met dat belachelijk dronken met elkaar de koffer in duiken...'

'Ik weet er alles van.' Vicky rolt met haar ogen.

'En ik dacht: misschien voel ik echt iets voor hem, misschien hou ik wel echt van hem en hebben we iets wat de moeite waard is...'

'Eh... ja...'

'Dus heb ik het hem verteld.'

Vicky's mond valt open.

'Ik ben bij hem in de tent gekropen en stelde voor dat we het eens zouden proberen. Gewoon als stel met elkaar gaan.'

'En? Wat zei hij toen?' Vicky's heeft haar handen in afwachting voor haar mond geslagen.

'Nee. Daar komt het op neer. Hij zei dat ik dronken was en dat ik blij moest zijn met wat we hadden; dat we boezemvrienden waren.'

Vicky schudt haar hoofd. 'Jim, wat ben je toch een hufter!'

'Ik weet het. Een eikel. Dus met andere woorden: ik heb het hem gevraagd en hij heeft me afgewezen. Dus ik voel me net het lelijke eendje.'

Vicky slaat haar armen over elkaar en schudt haar hoofd.

'Ik snap het niet,' zegt ze. 'Echt, ik snap het niet.'

'Nou het is gewoon zo. En in de taxi toen we na jouw feestje naar huis gingen, heeft hij het weer gezegd. Toen we – toen jij, voornamelijk, iedereen had verteld van ons ongelukje en iedereen vroeg of we nu samen waren, zei ik tegen hem dat we dat misschien maar moesten doen. Maar hij zei dat het misschien niet zo verstandig was om een "gelegenheidsrelatie" aan te gaan, en ik moet zeggen dat ik het met hem eens ben. Dus dat was het dan. Het zit er niet in. En daarom vind ik het extra vreemd om zwanger te zijn.'

Ik loop met onze soepkommen naar het aanrecht. 'Ik bedoel, het is allemaal een beetje gek, toch? Deze situatie. Net iets uit een Amerikaanse sitcom.'

Vicky zegt een poosje niets en dan zegt ze met een stem waar de teleurstelling van af druipt: 'Dus dat betekent dat jullie twee gewoon doorgaan met afspreken met andere mensen. Of gaan jullie gewoon door met de seks?'

'God, nee. Dat hadden we überhaupt niet moeten doen.'

'O.' Vicky klink oprecht verward. Ik kan het haar niet kwalijk nemen. Waarom lijken sommige keuzes die je in je leven maakt pas achteraf belachelijk?

'Maar goed.' Ik ga weer aan tafel zitten. 'Ik heb nieuws...'

'O jee, ga me niet vertellen dat je een tweeling krijgt.'

'Vicky, gedraag je! Nee, ik heb iemand.'

'Wie?' Ze vraagt het alsof het toch zeker onmogelijk is dat ik ook maar iets doe met iemand anders dan Jim.

'Je zult me voor gek verslijten.'

'Probeer het eens.'

'Laurence.'

Vicky doet haar ogen dicht en denkt goed na.

'Dus, vertel nog eens, heb je hem verteld dat je zwanger bent?'

'Yep,' zeg ik, en ik denk: doe niet zo zielig, Jarvis. Je bent zo'n laffe leugenaar.

'En weet hij wat dat betekent?'

'Dat neem ik aan, tenzij hij iets gemist heeft toen het over de bloe-metjes en de bijtjes ging.'

'Dit is niet het moment om sarcastisch te doen. Is hij bereid ander-mans kind te accepteren? Ook al hebben jullie elkaar maar, twee keer was het toch, gezien?'

'Eh... yep.'

'Teeess?'

'Ja!' zeg ik, maar ik weet dat ik door de mand aan het vallen ben.

'En je hebt Jim verteld dat je weer met Laurence gaat?'

'Eh, min of meer.'

'Ik weet dat je liegt omdat je op je duimnagel bijt en je zo vaag ver-rast kijkt.'

Het is voorbij.

'O, stik. Oké!' snauw ik uiteindelijk. 'Nee, ik heb het hem niet ver-teld. Het spijt me, ik weet dat het niet deugt en de volgende keer dat ik hem zie zal ik het zeggen. Dat beloof ik.'

Net zoals Vicky alles aan mijn leugenachtige gezicht kan aflezen, wist ik onmiddellijk hoe ze zou reageren wanneer ik zou zeggen dat ik weer afsprak met Laurence. Ze geeft me geen standje en zegt zelfs niet dat ze het er niet mee eens is; ze herinnert me er vriendelijk aan dat ik van de bank een afschrift kreeg van 1200 pond door mijn urenlange telefoontjes van Afrika naar Londen, en stipt even heel diplomatiek de vraag aan waarom ik in godsnaam een relatie begin als ik zwanger ben. Van iemand anders.

Dan, nog geen vijf minuten nadat ik alles heb verteld, gaat mijn mobieltje. Ik zweer je dat het net als in de film is: ik kijk haar aan, zij kijkt mij aan, we weten allebei wie het is.

'Ik moet opnemen, het is hém.'

'Ik weet dat hij het is. Staat op je gezicht te lezen!'

Ik loop naar de patio om wat privacy te hebben en probeer, maar slaag er niet in, de nogal duidelijke glimlach uit mijn stem te weren. 'Hé, hallo.'

Laurence klinkt alsof hij buiten staat. Hij klinkt opgetogen en min of meer vrij en hij heeft nieuws, nieuws dat ondanks alles, ondanks het keiharde gefluister in mijn oor van Vicky, die achter me aan ge-lopen is, en ondanks de verkeersherrie op de achtergrond, mijn keel dichtsnoert van opwinding en de grijze mist in mijn hoofd in een helderblauwe dag verandert. Chloe en hij zullen er niet waarschíjn-lijk een punt achter zetten, ze zétten er een punt achter, en dat kan elk moment gebeuren!

'Ik moet alleen wachten tot ze met haar marketingexamens klaar is – het zou wel heel wreed zijn om haar te dumpen als ze in de stress zit...'

(Attent? Check. Edelmoedig? Check.)

'En dan doe ik het, Tess. Ik ga haar zeggen dat het definitief uit is. Het is gewoon scheef gegroeid, Tess, echt. Ik word gek van haar. Ik wist niet hoeveel geluk ik had toen ik jou had. Jij was een droomvriendin, zo makkelijk! Ik heb je echt niet genoeg gewaardeerd.'

'Nou, als je echt denkt dat het niets wordt, dan is het inderdaad misschien beter voor jullie allebei.'

(Vrij vertaald: dump die trut en ga met mij, je weet dat dat het beste is.)

'Ik denk dat dat beter is, en niet alleen voor Chloe en mij, maar, je weet wel,' hij lacht nerveus, 'ook voor ons.'

Bij de buren wordt een grasmaaier aangezet. Ik geloof mijn oren niet.

'Ik heb de grootste fout van mijn leven gemaakt, Tess, toen ik het met jou uitmaakte.'

'Nee. Het was ook mijn fout!'

Vicky rolt met haar ogen en slentert weg.

'En ik heb je gemist.'

Ik klem mijn ene hand om mijn telefoontje en mijn andere voor mijn mond om het niet uit te gillen.

'Ik heb jou ook gemist.'

'Dus zullen we samen een hapje eten? Om het te vieren. Volgende week?'

'Ja, super.'

Pas als ik ophang, met een grijns van oor tot oor, denk ik er aan om op te kijken en zie ik dat Vicky op en neer staat te springen en met een vel papier voor mijn gezicht wappert.

'DE VOLGENDE KEER DAT IK HEM ZIE, ZAL IK HEM ZEGGEN DAT IK ZWANGER BEN. DAT BELOOF IK.' JOUW WOORDEN, NIET DE MIJNE.

'En...' zegt Vicky plagend, en ze steekt een vinger naar me uit, 'sinds wanneer zeg jij "super"? Dat is echt Laurence!'

'Heb ik dat gezegd?' vraag ik afwezig.

'Zeker weten.'

'Lieve hemel!' zeg ik plagend, en ik doe een dansje van blijdschap terwijl ik mijn telefoon wegstop. 'Dan moet het liefde zijn, ik versmelt met hem!'

Vicky stopt bij station Beckenham en ik doe de passagiersdeur open.

'En beloof je me dat je het tegen Laurence zegt?'

'Dat beloof ik.'

'En zul je nadenken over Jims aanbod? Voor tijdelijk?'

'Dat zal ik zeker doen.'

'Ik hoop dat het wat wordt met Laurence, dat hij zich niet doodschrikt.'

'Ja, ik ook. Maar ik ken hem, weet je nog? Ik heb hier een goed gevoel over.'

'Maar het had Jim moeten zijn. Je weet dat ik dat altijd blijf geloven, hè?'

'Tot aan je dood, zeker, happy-endverslaafde dat je d'r bent! Maar dit wordt míjn happy end, oké?' Ik kus haar op haar wang. 'Tot het bittere einde.' Ik stap uit.

Misschien komt het door de gedachte thuis te komen bij Gina of door het zelfvertrouwen dat ik door Laurences telefoontje heb gekregen of gewoon door het plotselinge besef dat bij Jim wonen wel heel erg fijn kan zijn, maar zodra ik in de trein zit, weet ik wat ik moet doen. Dus ik bel hem. Maar de sukkel is niet thuis.

'Hier woont Jim Ashcroft. Spreek maar een bericht in.'

Piep.

'Wat zou je ervan vinden als Tess Jarvis hier ook woonde. Want die trekt graag bij je in, als het aanbod nog geldt.'

Tien minuten later belt hij terug. 'Hallo, huisgenoot,' zegt hij.

Met een glimlach hang ik op. De weilanden aan weerszijden van het spoor zijn van een mals-grasgroen. Alles lijkt op zijn plaats te vallen.

15

'*Andy was een echte rotzak. Toen Millie vier maanden was, heb ik hem eruit getrapt, al zijn pakken aan stukken gesneden, en toen ben ik de stad in gegaan. Drie weken later staat hij weer voor de deur, een en al excuses en bloemen, en ik, idioot die ik ben, ik ben zo weer met hem in bed gesprongen. Bam! Ik ben zwanger; twee baby's in een jaar. Met nummer twee ging het precies hetzelfde: ik kaffer hem tussen mijn weeen door uit via mijn mobieltje. Is hij komen opdagen? Dacht het niet.*'
Hayley, 22, Merseyside

Zodra ik een voet over de drempel zet, weet ik dat er iets is veranderd. Om te beginnen is de geur verbijsterend – fris en bloemig – en zijn alle lichten aan, wat inhoudt dat Gina op zaterdagavond toch echt thuis is. Ik loop de zitkamer in en sta als aan de grond genageld. Hij is brandschoon. Niet gewoon netjes, maar brandschoon. De kussens zijn ordelijk neergelegd, de kranten en asbakken zijn opgeruimd, het kleed is gezogen. Mijn god, zelfs de tv is afgenomen! Op de schoorsteenmantel staat een vaas met hyacinten en in de hele kamer staan geurkaarsen te branden. Ik loop de keuken in, en daar is het precies hetzelfde verhaal. Geen vieze mok te bekennen, geen uitpuilende vuilnisbak, alleen maar glanzende, schone oppervlakken en de geur van citroen. In mijn kamer tref ik nog meer schone glans aan, en een prachtige bos vlammend oranje tulpen op mijn toilettafel.
'Hoi.'
Ik kijk om en zie dat de vreemd bedeesde stem bij Gina hoort. Ze heeft een pyjama aan en haar haar is naar achteren getrokken.
'Hé, hoi,' zeg ik, maar dan vertrekt haar gezicht.
'Het spijt me,' piept ze, en dan valt ze me om de hals en barst ze in

tranen uit. 'Ik wilde ophouden met dat krengerige gedoe, maar toen ik er eenmaal mee was begonnen kon ik niet meer stoppen. En ik wist niet hoe ik sorry moest zeggen en, jezus, ik heb je zo gemist!'

Ze staat nu te jammeren. Ik sta met mijn armen om haar heen, totaal verbijsterd.

'Dus ik dacht dat als ik een gebaar maak, omdat ik zo'n oen ben met woorden, als ik schoonmaakte en zorgde dat het huis er mooi uitzag...'

'Gina, het ziet er prachtig uit.'

'Vind je dat echt? Vind je het mooi? Daar ben ik blij om, want dit is bij wijze van excuus, Tess.' De sluizen staan helemaal open en ze veegt de tranen weg met haar handen. 'Omdat ik zo'n ongelooflijk kutwijf was.' (Hoe poëtisch.) 'Kun je me vergeven?'

'Tuurlijk kan ik je vergeven.' Nu sta ik te huilen.

'Mooi, want het is shit als je niet meer met elkaar praat.'

'Helemaal mee eens.'

We zitten net als vroeger tot ver na middernacht aan de keukentafel te praten. Het blijkt dat Gina zich bedreigd voelde door de zwangerschap. Gevoelig als ze is onder die ruwe bolster, had ze aangenomen dat ze, nu ik zwanger was, mij én Jim zou kwijtraken – twee van haar beste vrienden – haar eeuwige partners in crime. Dat we niet meer dronken in de jacuzzi zouden hangen, geen avonden in de pub zouden zitten, geen verloren uurtjes in de Turnmill, geen zondagen in het café om haar relaties te ontrafelen. Ik zit te luisteren en geef toe: ja, er zullen wel dingen veranderen, maar dat wil niet zeggen dat ik verander. Ik was ook gekwetst, zeg ik, door de manier waarop ze erop reageerde, net toen ik haar het hardst nodig had. Ze had zich kinderachtig en egoïstisch gedragen. Het is geen makkelijk gesprek, maar wel een heel bevredigend gesprek, en tegen het einde ervan denk ik dat we ons allebei heimelijk gestreeld voelen dat de ander ons meer nodig heeft dan we dachten.

Maar natuurlijk moet ik haar nog wel iets vertellen.

'Gina,' zeg ik, als ik uiteindelijk een pauze in het gesprek vind. 'Jim heeft gevraagd of ik bij hem intrek.'

Ze kijkt niet geschrokken of boos, alleen verrast.

'En?'

'Ik heb ja gezegd.' Ik zwijg even. 'Ik denk dat het goed is.'

'O mijn god!' Ze stort nu in en legt haar hoofd in haar handen. 'Maar dat wordt het einde van een tijdperk, ik vind het vreselijk!'

'Ik weet het, sorry. Ik moest er lang over nadenken, maar als de baby er is moet ik toch weg. Ik dacht niet dat het wat zou worden als ik, negen maanden zwanger, als een gestrande walvis op de bank hang, jij de hele tijd buiten moet roken, dingen voor me moet halen en mijn voeten moet masseren...'

'Ja.' Ze trekt een gezicht. 'Misschien niet ideaal. Wanneer ga je bij me weg?'

'Ik weet het nog niet, maar waarschijnlijk wel snel.'

'Shit, dit wordt een grote verandering, Tess!'

'Ik weet het. Ik weet het...'

Maar niet zo groot als wat ik haar dan vertel...

'Ik wist het!' roept ze, door de keuken dansend. 'Ik wist dat hij nog van je hield. Laurence Cane, jij sluwe schurk. En waarom heb je me niet verteld dat je hem bent tegengekomen?'

'Eh, omdat je niet met me wilde praten,' merkte ik op. 'En omdat ik belangrijkere dingen aan mijn hoofd had.'

'Juist. Maar hoe gaat het nu verder?' zegt ze, over dat detail heen pratend omdat ze hunkert naar de rest van het verhaal.

'Nou, kennelijk is het wachten alleen nog tot hij het met Chloe heeft uitgemaakt. En hij zegt dat hij dat gaat doen zodra ze haar marketingexamens achter de rug heeft.'

'Mooi, ik heb haar nooit gemogen. Hard gezicht, rare ogen.'

'En de baby?' zegt ze. 'Heb je hem over de baby verteld?'

'Nee,' zeg ik, en ik denk: o jee, nu verdwijnt haar enthousiasme.

Maar ze laat zich niet uit het veld slaan. Ze zegt alleen: 'Juist. Oké,' en denkt dan even over het concept na. Dan zegt ze: 'Het is ook heel wat om op je te nemen. Dat ontken ik niet. Maar ik heb het volste vertrouwen dat hij het aankan.'

Bij het horen van die woorden voel ik even een golf van optimisme. Misschien ben ik niet volslagen waanzinnig en verknipt bezig! Tenslotte kent Gina Laurence, de echte Laurence. En niet op een manier die wordt vertekend door lust.

16

'*Toen ik van Gayle moest bevallen heb ik zeventien uur weeën gehad, en veertien daarvan heeft Ron in de pub gestaan. Maar zodra hij dat kleine meisje in zijn armen had, hield hij voorgoed op met drinken. Ze is nu veertig en ze kan haar vader nog steeds om haar vinger winden. Als ik had geweten dat er alleen een baby voor nodig was, dan was ik eerder begonnen.*'
   Miriam, 62, Isle of Wight

Emete had er vanochtend ongeveer vijf seconden voor nodig om mijn gedachten te lezen. 'Je gaat met hem, hè?' zegt ze, met glinsterende ogen mijn kin optillend. 'Die met die wimpers?' Lag het er zo dik bovenop?

Er zijn nog wel een paar details die, laten we zeggen, gladgestreken moeten worden.

a) Ik moet Laurence nog over mijn zwangerschap vertellen.

b) Ik moet het mijn ouders nog vertellen.

De reden waarom ik a) niet heb gedaan is omdat ik b) niet heb gedaan, en de reden dat ik b) niet heb gedaan is... Waarom eigenlijk? Omdat ik weet dat mijn moeder meteen haar conclusies klaar zal hebben over Jim en mij en onmiddellijk over een tafelschikking zal beginnen? Omdat ik weet dat ze me iets doet wanneer zij de hele, schandalige waarheid weet? Uiteraard. Maar ook omdat ik het mijn vader niet wil vertellen. Niet dat hij iemand snel zal veroordelen – dat hij degene 'die me dit heeft aangedaan' zal willen neermaaien en hem tot moes wil slaan – ik denk dat het meer is dat ons mooie gezamenlijke wereldje zal instorten. En daar ben ik toch wel kapot van.

We zijn zo lang twee handen op één buik geweest, pa en ik. We hadden onze eigen kleine wereld van wederzijdse waardering. Nu ben ik zwanger geraakt in een situatie die gewoon niet toegestaan had moeten worden en ik ben bang dat ik hem zal teleurstellen. Dat hij het idee zal hebben dat hij iets is kwijtgeraakt – mij, ons. Wat wij samen hadden.

Maar zo gaat dat, denk ik. Niets blijft ooit hetzelfde. En van de zonnige kant: het uitpraten met Gina en het telefoontje van Laurence hebben me het hoognodige zelfvertrouwen gegeven. Ik bedoel maar: de man stond bijna te jubelen dat hij binnenkort vrij zou zijn. Dat is toch zeker een teken dat dit niet een of andere gril is? En ik voel me de laatste tijd meer mezelf – dat gevoel dat alles, wat er ook gebeurt, uiteindelijk wel goed komt. Dus zo is het met me gesteld als ik in Morecambe op het perron sta, met de zeewind in mijn neus, wachtend tot de blauwe Mondeo van mijn vader in zicht komt en tot de Grote Zwangerschapsaankondiging begint.

Als ik thuiskom staat mam nog in het uniform van het reisbureau aardappelen te schillen. Door het keukenraam zien de heuvels van het Lake District er aan de overkant van Morecambe Bay uit als grijze bultrugwalvissen.

'Kunnen we na de thee even praten? Ik heb iets waar ik met jullie over wil praten,' zeg ik, verbluffend rustig, al zeg ik het zelf, als ik mijn spullen op mijn oude slaapkamer heb gezet en voor de duizendste keer heb gekeken of Laurence heeft gebeld. (Niet.)

Ik had zelf een lekker rustig avondje bij mijn ouders op de bank in gedachten, de volmaakte omstandigheden om hun met beleid het nieuws te vertellen, maar mijn moeder had iets anders voor ogen...

'Geef de jus eens even door, Hagedis.'

Geweldig hoor, dat mijn broer me nog steeds bij mijn oude bijnaam noemt, die tweeëntwintig jaar geleden is bedacht, naar aanleiding van het feit dat ik een allergische reactie had op luizenshampoo en mijn hele voorhoofd vervelde.

Begrijp me goed, ik hou van mijn broer (hij is familie, ik moet wel) en ik ben dol op mijn twee nichtjes Antonia en Jade. Ik wou alleen maar dat zijn vrouw Joy – of Joyless, zoals ik haar noem – een beetje vrolijker wilde kijken en ik wou maar dat ze morgen waren gekomen. Nu ze er alle vier zitten in dezelfde witte linnen kleren – een soort namaakversie van de Calvin Klein-reclame – heb ik geen schijn van kans om mijn ouders even alleen te spreken.

'Nou, wat gezellig zo, hè?' verzucht mam, als ze eindelijk gaat zitten. 'Een echt familiediner, een welkomstmaal voor Tess. Welkom thuis, Tess!'

'Welkom thuis, Tess!' Als Joyless haar arm heft voor een toast, zie ik dat ze haar oksels niet goed heeft geschoren. Daar ben ik zeer mee ingenomen omdat mam het altijd maar heeft over hoe onberispelijk Joyless er altijd uitziet (Joy heeft een Franse manicure gehad, Joy heeft een St. Tropez-behandeling gehad, waarom kun je niet wat meer op Joy lijken? Ik word er niet goed van.)

'En ik ben heel blij dat je er bent, want je vader heeft al dagen een gezicht als een oorwurm, en jij bent er nog geen vijf minuten en moet je zien – hij is een ander mens!'

Pap beweegt zijn hand als een kletsend mondje open en dicht als om te zeggen: blablabla. Ik doe hetzelfde. Mam ziet het niet eens.

'En hoe gaat het in de grote boze stad?' Mijn broer is zo iemand die denkt dat mensen die in Londen wonen allemaal geschift zijn, en het irritante is dat hij waarschijnlijk gelijk heeft. Hij verdient ongeveer hetzelfde als ik met zijn baan in paps bedrijf, maar speelt het toch klaar om in een huis in tudorstijl te wonen met een thuisbios en een 'hoekbad'.

'Goed hoor, dank je. Vol gas vooruit, zoals altijd. Maar met Gina gaat het goed en Vicky heeft haar osteopathie gehaald en op het werk gaat het goed.'

'Heb je nog beroemde mensen gesproken?' vraagt Jade van zes, die van opwinding op haar knieën op en neer wipt. Haar moeder duwt haar onmiddellijk omlaag. 'Eet je bord leeg, Jade.'

'Eh... Linda Lusardi – vorige week hebben we een artikel over haar stijl geplaatst.'

Jade kijkt me nietszeggend aan.

'En eh, Terri Dwyer, je weet wel die in *Hollyoaks* speelde?'

'Ja, ongeveer in 1990,' zegt Ed met een grijns. 'Dat was voordat jij er was. Niet naar tante Tess luisteren. Ze weet niet waar ze het over heeft.'

'O, sorry hoor!' Na een enigszins ongemakkelijke stilte, waarin mam duidelijk probeert iets te verzinnen om te zeggen dat de oplopende spanning tussen mijn broer en mij breekt, weet ze iets. 'Tess heeft nieuws, hè liefje?' Mijn hart slaat een slag over. 'Vertel het nu maar, nu we allemaal hier zitten.'

'Nee, het is niet zo belangrijk. Echt mam, ik zeg het straks wel.' Ik steek mijn hand uit naar de rode kool.

'Heb je promotie gemaakt?' probeert pap. 'Heeft die Judith je briljante pen eindelijk ontdekt?'

'Nee, helaas niet.'

'Ga je eindelijk verhuizen?' doet mam mee, die intussen een stukje kip tussen haar kiezen uit peutert. 'Ik heb die straat van jou altijd levensgevaarlijk gevonden.'

'Nee, mam. Ik verhuis niet. Nou ja...' Ik kan dat detail niet vertellen zonder dat ik eerst het belangrijkste detail vertel.

Ik kijk naar mijn broer en hij zit me aan te staren.

'O jee.' Hij lacht nu. 'Ben je verliefd, Hagedis?' Pap geeft hem een ferme tik op zijn onderarm.

'Zie je wel? Woeee!' Zodra hij dat geluid maakt, ben ik weer dat zusje van acht met hagedissenhuid met duistere gedachten over het ombrengen van mijn broer.

'Waarom doe je dat?' vraagt mam aan Ed.

'Nee, ik snap echt niet waarom je dat doet,' zegt Joyless instemmend, die hem blikken als dolken toewerpt.

'Dat is iets om trots op te zijn, hè Tessa?' voegt mam eraan toe. 'Hoe ziet hij eruit, liefje? Lijkt hij op Laurence?'

Ik concentreer me op de groter wordende jusvlek op het witte tafelkleed.

'Ik heb het altijd heel dom gevonden dat je dat heb verknald.' Je kunt erop vertrouwen dat mam aan mijn kant staat. 'Je had nooit de wereld rond moeten trekken, dat was echt weer iets voor jou...'

Pap leg zijn bestek neer. 'Hou nou eens op allemaal. Laat haar eens met rust, oké?'

'Ze is vast zwanger,' zegt Ed.

O help.

'Nou, het is er anders wel het seizoen voor,' kwettert mam verder. 'Lisa Price is zwanger, ze krijgt een tweeling. Ik zag haar moeder in de winkel.'

Ah, daar gaan we weer.

'Volgens mij had ze zich er al bij neergelegd dat ze nooit kleinkinderen zou krijgen. Lisa was al negenentwintig.' Jezus, mijn moeder is zo doorzichtig. 'Maar nu is ze zeven maanden zwanger, net als de dochter van Faye Maughan, en zal ik je vertellen wie er nog meer zwanger is?' Ze prikt met haar vinger in mijn richting. 'Shelley Newcombe, ken je Shelley Newcombe nog? Eén klas lager, prachtig slank, die krijgt er ook een.'

'Ik ook.'

Er daalt een kilte als sneeuw neer.

'Wat ook, lieverd?'

'Zwanger,' zeg ik. 'Ik ben ook zwanger.'

'Hoe bedoel je dat je zwanger bent geraakt omdat je verdorie je rijbewijs niet hebt??!!'

Pap legt een hand op die van mam om haar te kalmeren. Ze wappert hem weg.

'Het spijt me, Tony, maar ik begrijp het gewoon niet.'

De afgelopen twintig minuten waren nou niet echt dikke pret (waarbij 'dik' het sleutelwoord is. Mam vond al dat ik een beetje vadsig rond mijn middenrif was, 'maar jij hebt altijd gejojood' voegde ze eraan toe. Dat was fijn uitgedrukt, mam), de eerste vijf minuten was iedereen verbijsterd maar opgetogen.

'Hé, een baby met kerst!' zei pap, die ineens tot leven kwam, grinnikend, waardoor zijn bolle buik mee schudde.

'En misschien eerst nog een bruiloft?' zei mam, die haar handen ineen sloeg. Antonia en Jade gilden van blijdschap toen ze hoorden dat ze er een neefje of nichtje bij kregen. Ed sloeg me alleen op mijn rug. 'Goeie actie, zus! Ik vond al dat je voor twee at!'

Toen moest ik het feest natuurlijk bederven, de hele situatie met mij en Jim uitleggen. Voor mijn moeder had ik net zo goed Mandarijn kunnen spreken. Ze begreep er niets van. (Of wilde het niet begrijpen, zo merkte mijn vader terecht op.) Ik heb al eerder geprobeerd mijn moeder uit te leggen dat Jim en ik boezemvrienden zijn, dat ik niet zijn vriendin ben, maar ben daar niet in geslaagd. Ze is in de jaren vijftig geboren. In haar wereld heb je vriendschappen met meisjes, en relaties met jongens. Zeker niet andersom.

'Ik zeg niet dat ik zwanger ben doordat ik geen rijbewijs heb,' probeer ik voor de honderdste keer uit te leggen. 'Het was alleen een van de omstandigheden, meer niet. Ik dronk toen te veel en miste de laatste metro.'

'O, geweldig. Dus mijn dochter drinkt een biertje en laat meteen haar slipje zakken!'

'Zo was het niet, mam.'

'Dat is niet eerlijk, mam.' Mijn broer doet voor de vorm een poging voor me op te komen, maar ik weet gewoon dat hij hiervan geniet.

'Ga met Joy en de kinderen alsjeblieft naar boven.'

Met tegenzin gehoorzaamt Ed mijn moeders bevel. Als ik mijn broer niet beter kende – hem door onze dunne muren niet met half Morecambe had horen vrijen – zou ik aannemen dat hij homo is, zo'n roddeltante is het.

Pap slentert ook naar zijn kas; hij heeft tevergeefs geprobeerd de situatie in goede banen te leiden. Nu laat hij mam en mij achter aan de mahoniehouten tafel waarop de half leeggegeten borden staan. Mam kijk hem woedend door de terrasdeuren na.

'Ja, doe dat maar, Tony!' roept ze hem na. 'Laat mij de crisis maar oplossen, hè? O, ik wou dat hij eens uit deze bui kwam.'

Ze verzamelt de borden en stapelt ze op.

'Doe ik wel,' bied ik aan.

'Nee, dat doe je niet, je praat met mij. O god, kijk je buik nou eens.'

Als ik opsta neemt ze mijn groeiende buik in ogenschouw. Ik betwijfel of een vreemde het zou zien, maar mijn moeder houdt zelfs als ik niet zwanger ben mijn middenrif met argusogen in de gaten. 'Mijn kleine meid!'

'O mama, gedraag je.'

Mam drukt haar ogen met haar vingers dicht. Ik wist dat ze uit haar dak zou gaan, maar dit is nog veel erger.

We zitten wat uren lijken aan tafel. Mam ondervraagt me over het hele drama. Ik vertel dat ik bij Jim intrek, zodat hij me kan steunen, maar ik vertel haar absoluut niet dat ik uitga met Laurence. Dan zou ze echt over de rooie gaan. Maar was ik hier op voorhand best positief en hoopvol over gestemd, nu weet ik het niet meer. Mijn moeder kent alleen rampzalige scenario's.

En volgens haar ga ik het volgende tegemoet:

1. Jim en ik zullen de hele tijd 'vreemde blikken en vragen' krijgen, omdat we zo heidens zijn samen te wonen zonder dat we 'iets' hebben (en daarmee bedoelt ze dat zíj de hele tijd 'vreemde blikken en vragen' zal krijgen van de meisjes van Lunn Poly als ze hun heeft verteld dat haar dochter zwanger is maar dat het niet helemaal is wat je ervan verwacht).

2. Ik zal nooit een man vinden. Welke man zal mij met kind en striae willen hebben?

3. We zullen berooid en blut zijn (en waarschijnlijk kunnen we in de winter de cv niet aanzetten en moeten we in een vochtige flat wonen. Mam denkt dat in Londen iedereen in een vochtige flat woont.)

4. Ik zal moeten leven met het stigma 'alleenstaande moeder' en zal waarschijnlijk aan de drugs raken en bij Koning Diepvries werken (dat zegt ze niet, maar insinueert ze wel. Want vanwege dit schandelijke drama zullen mijn journalistieke training en goede baan natuurlijk naar de knoppen zijn).

5. Het is heel moeilijk om voor een kind te zorgen, vooral in je eentje. (Waar zij natuurlijk alles van weet, met haar stabiele huwelijk en een liefhebbende echtgenoot. Aargh!)

Uiteindelijk verscheur ik het label van de muntsaus om te voorkomen dat ik mijn eigen polsen opensnijd.

Als ik paps kas in loop is het of ik een andere wereld binnenkom. Witte plastic kaartjes met onuitspreekbare Latijnse namen erop. Oude troffels en tangen en verschillende soorten compost voor verschillende doelen. Overal staan wankele stapels bloempotten en bolle kweekzakken waaruit tomatenplanten groeien met onrijpe tomaten als reusachtige kruisbessen.

Ik hijs mezelf op de werkbank.

'Hoi, pap. Ik dacht al dat ik je hier kon vinden.'

'Knijp je er ook even tussenuit?'

'Kun je wel zeggen.'

'Dat ken ik,' mompelt pap. Hij knipt de dieven uit zijn tomatenplanten. Hij draagt de oude tuinhandschoenen die ik hem tien jaar geleden voor zijn verjaardag heb gegeven. Ze zitten vol gaten maar hij neemt de moeite niet meer nieuwe te kopen.

Wat hier in deze kas gebeurt, zal me altijd een raadsel blijven – hoe leer je nu iets ingewikkelds als dingen laten groeien? Maar als eenvoud een geur had, dan zou het deze zijn: van lathyrus, groene vlieg, aarde en de zomer. Het ruikt er naar mijn jeugd. Hier praatte ik altijd met mijn vader. Dan kwam ik hier op zwoele zomeravonden binnen, als mam uitgeteld voor de tv hing. Ik zat dan op de werkbank – net als nu – en bleef tot het donker werd. Soms, als pap zo'n zwijgzame bui had of als hij doodmoe was van zijn werk, dan zetten we de radio aan en bladerde ik wat in een tijdschrift. Maar vaak hadden we echte gesprekken: over mijn oom Cliff, de grote broer van pap, die in 1996 aan kanker is overleden, over hoe hij en mijn vader Scafell Pike hadden bedwongen toen ze, zeg, zes jaar waren (ze worden elk jaar jonger, echt). Over mijn moeder en hoe hyper ze is. 'Als deze kas oren had, waren we er geweest,' grapte pap altijd. En soms het echte werk. Zoals nu, zoals dit.

Pap pakt een oude, gebarsten gieter – minstens zo oud als ik – en begiet de tomatenplanten, alsof hij in een andere wereld is. Mam kan weleens erg dramatisch doen, maar ze heeft gelijk. Pa is inderdaad niet zichzelf. Om te beginnen is het niets voor hem om niet te willen praten over de ingrijpende verandering in mijn leven waar ik net aan tafel over heb verteld. Maar oké, juni is de maand waarin oom Cliff is gestorven, misschien is dat het wel. Maar dan vraag ik me af of het door mij komt.

'Pap?'

'Hmm.'

Hij kijkt niet op.

'Gaat het goed met je?'

'Met mij?' Hij kijkt nog steeds niet op. 'Ja, best hoor, maak je over mij geen zorgen.'

'Gaat het goed met mam en jou?'

'Tuurlijk,' zegt hij. 'Alles gaat altijd goed met mam en mij.'

'Mooi.' Ik kijk hem aan, maar hij is nog steeds afwezig. 'Eh, pap?'

'Ja, lieverd.'

'Ben je boos op me?'

'Boos op jou?' Hij kijkt me aan, nu echt, van onder zijn grijze, warrige wenkbrauwen. 'Waarom zou ik in vredesnaam boos op je zijn?'

'Omdat ik zwanger ben geraakt, bedoel ik, dat is niet echt ideaal, toch? Het is niet hoe Ed het gedaan heeft, precies zoals het hoort en volwassen. Eigenlijk heb ik er een puinhoop van gemaakt.'

Pap doet zijn tuinhandschoenen uit en leunt tegen de oude spoorbiels tegenover de werkbank. Hij ziet er ouder uit, op een of andere manier minder sterk. Minder stevig.

'O, Tess,' zegt hij glimlachend. Hij is er nu helemaal bij. 'Je hebt er geen puinhoop van gemaakt. Besluiten een kind te laten komen is geen puinhoop.'

'Mam vindt dat kennelijk wel.'

'Welnee, wacht maar af. Ze maakt zich alleen zorgen, meer niet. Geeft haar even de tijd.'

'Maar moeilijk wordt het wel, hè? Zeg het maar eerlijk. Ik bedoel, ik weet dat jij en ik altijd alles van de zonnige zijde proberen te zien, maar ja, ik denk dat ik er zo aan was gewend dat mij niets overkwam...'

'Dat je even niet oplette?'

'Daar komt het wel op neer.'

'En ik denk dat het nu best eng voor je is.'

'Yep.' Ik slik mijn tranen weg.

'En is er echt geen hoop dat het iets wordt tussen jou en...'

'Nee, pap.' Ik kap hem af.

'Want de liefde kent veel verschijningsvormen, hoor. Als het niet meteen Cathy en Heathcliff is, wil dat niet zeggen dat het nooit iets wordt. Liefde is net zo individueel als een vingerafdruk, net zo persoonlijk als je iris. Ik bedoel, de liefde tussen mama en mij is ook gegroeid, en dat doet ie nog steeds...'

'Pap.'

'Ja, oké. Sorry.' Hij kijkt omlaag.

'Het is alleen dat... Ik voelde me er heel zeker over toen ik thuiskwam, en nu...' Ik vind het vreselijk te huilen waar mijn vader bij is, maar ik kan het niet tegenhouden.

'O, kom eens hier, gekke meid van me.' Hij komt naar voren en slaat zijn armen om me heen. 'Nu voel je het nog niet zo, maar dit wordt je grootste promotie. Wil je weten waarom?'

'Nou? Vertel maar waarom.'

'Omdat je nooit spijt krijgt van een kind. Hoeveel grijze haren het je ook bezorgt – en echt, daar heb ik er heel wat van gekregen door jullie – je hebt er nooit spijt van, want uiteindelijk draait daar alles om. Om je familie, je kinderen. Het is het doel van alles, daarom blijven we overeind.'

'Hallo en welkom bij Vodafone. Mag ik uw klantnummer, alstublieft? En om de identificatie volledig te kunnen uitvoeren, mevrouw Jarvis, wil ik ook graag uw viercijferige pincode hebben.'

Ik weet zeker dat dit hetzelfde meisje is dat ik tien minuten geleden heb gesproken, de laatste keer dat ik heb gecontroleerd of er niets aan mijn mobieltje mankeerde. (Zoals dat hij geen sms'jes kan ontvangen. Vooral niet van mensen als Laurence Cane.) Ik gooi mijn telefoon naar het voeteneinde van mijn bed – houd op met dat geschifte stalkergedrag, engerd! – maar het ding gaat hoger dan gepland en steekt bijna Ewans oog uit op de *Moulin Rouge*-poster.

Natuurlijk weet ik dat Laurence belangrijkere dingen te doen heeft dan mij bellen. Jezus, waarschijnlijk zit hij het nu uit te maken met Chloe, de vriendin die hij al een paar jaar heeft, terwijl ik hier lig en ervan overtuigd ben dat er een nationale samenzwering is om ervoor te zorgen dat zijn telefoontjes mij niet kunnen bereiken. Wat heerlijk egocentrisch van me. Maar ik wilde maar dat hij belde. Nu. Dan kan ik verder, zoals dingen uitpraten met mijn moeder.

Na het gesprek met mijn ouders was ik eens te meer vastberaden ervoor te zorgen dat het iets werd met Laurence. Als het zo moeilijk wordt als mam zegt, dan heb ik alleen al een vriend nodig om me te helpen. Maar er zijn nog meer redenen. Ik kijk naar ons huis – onze twee-onder-een-kapwoning uit de jaren zeventig met zijn achterhaalde mahoniehouten meubelen en voel hoe sterk het hart ervan is. Ik heb als kind geboft dat ik dit had, maar dat hebben pap en mam me gegeven. Natuurlijk kunnen Jim en ik een soort tweemanschap in elkaar draaien, doen alsof we het happy end beleven waar iedereen altijd over zwijmelt, maar ik wil het ware gevoel. Daar schaam ik me niet voor. Ik wil de romantiek, elkaar de kleren van het lijf scheuren, het Cathy-en-Heathcliff-(sorry, pap), het Danielle-en-Jamieverhaal. De Ware.

Ik wil ook foto's van onze paarlemoeren bruiloft op ons dressoir, onze kinderen te eten krijgen als ze zelf al getrouwd zijn. Ik wil die blik in mijn ogen hebben die mijn moeder heeft, zelfs als ze boos is op mijn vader, dat gevoel waardoor je ruim dertig jaar bij dezelfde vent blijft.

Zelfs nu zijn er overal nog sporen van Laurence te zien van onze twee jaar durende relatie: het gaatje in mijn perzikkleurige gordijnen toen we hadden geprobeerd onze postcoïtale sigaret uit het raam te roken en bijna het huis in brand hadden gestoken; een oude pas voor het Creamfields-festival die aan de knop van mijn klerenkast hangt (zondags diner bij mijn ouders terwijl ik kaakkramp krijg en mijn vriend alleen nog maar extatisch kan grijnzen, is iets wat ik niet graag wil herhalen); het kleine stukje zilverkleurige Morecambe Bay, dat ik net door mijn raam kan zien, waar we op oudejaarsavond naakt gezwommen hebben...

En mijn rugzak. Mijn smerige groen en rode rugzak die naar Afrika is geweest, emotioneel naar de hel en terug en die meer weet over mij en hoe kapot ik was van Laurence dan wie ook ter wereld. Ik bekijk hem vluchtig en rits het voorvakje open. Er zit een papieren zakje in en daarin zit een ansichtkaart. Hij is uit Victoria Falls en tot mijn verbazing is hij niet aan Laurence gericht maar aan Jim. Ik ga op mijn doorgezakte eenpersoonsbed zitten om hem te lezen.

Lieve Jim,
Lig nu in een hangmat (zie je het voor je?) naar een vurige vlammen-
zee te kijken die ondergaat in de Zambezi.

Heel poëtisch. Ik zal wel een sentimentele bui hebben gehad en zin
om te schrijven.

Het is hier ongelooflijk. De watervallen zelf zijn indrukwekkend (hoe
kan het ook anders; het is een van de wereldwonderen). Ik heb het
bungeejumpen overgeslagen – je kent me toch, die levensgevaarlijke
ondernemingen zijn niets voor mij – maar ik heb vandaag wel wild-
watergeraft en ik moest de hele tijd aan je denken.

Ooo, een beetje intiem.

Vooral in de stroomversnelling die 'duivelstoilet' heet. Als je
daarin vast komt te zitten, ben je er geweest, dat staat vast. Je
zou het hier geweldig vinden, Jim, de mensen, de maffe busrei-
zen (jij bent de enige man van wie ik weet dat hij het echt leuk
zou vinden om met een geit en vijf kippen op de bank twaalf uur
lang over een weg vol kuilen te rijden). Hoe gaat het met Gina
en Vick? En mijn slaapkamer? Heb je het bed al gedoopt? Ik weet
zeker dat de lieve meisjes voor je in de rij staan. Maar goed, ik
wilde alleen maar hallo zeggen. En dat ik je mis. Laat eens wat
van je horen. Liefs, Tess X

Ik houd de kaart in mijn hand en lees hem steeds weer. De herinneringen komen weer naar boven als atomen van een geheel. Ik had
over het 'dat ik je mis' eeuwig nagedacht, weet ik nog. Maar uiteindelijk toch opgeschreven omdat ik besloot dat het de waarheid was.
In die tijd was ik op een andere manier aan Jim gaan denken. Was
wat ik voelde meer dan vriendschap? Als ik hem miste, misschien
wel. En ik stuurde kaarten. Niet alleen deze, die om een of andere
reden niet werd gestuurd, maar heel veel – misschien wel tien – heeft
hij ze wel gekregen? En als hij ze heeft gekregen, waarom heeft hij het
er dan nooit over gehad? Misschien was ik te direct. Jim en ik waren
toch gewoon boezemvrienden, we hadden toen zelfs nog nooit gezoend, dus door te zeggen dat ik hem miste ging ik waarschijnlijk
een beetje buiten mijn boekje.

Er wordt op mijn slaapkamerdeur geklopt. Haastig stop ik de kaart weer weg.

'Liefje?' Mam doet de deur op een kier. 'Mag ik binnenkomen?'

'Ja, hoor.'

Mam gaat in haar kamerjas op mijn bed zitten. In haar korte haar met highlights zit meer grijs dan blond. Ze ruikt naar Nivea-crème.

'Het spijt me als ik negatief reageerde, als je door mij van streek bent geraakt,' zegt ze, en ze strijkt een lok haar achter mijn oor. 'Maar ik heb wel twee kinderen gekregen, weet je nog, waarschijnlijk is het voor jou moeilijk om je dat voor te stellen – dus ik weet hoe zwaar het is. Echt, dat weet ik heel goed.'

Ik kijk mam aan. In haar lichtbruine ogen zie ik een mengeling van zenuwen en liefde.

'Maar eerlijk gezegd, mam,' zeg ik, 'met alle respect, je weet niet hoe het is om het echt heel zwaar te hebben, om een echte alleenstaande moeder te zijn, want je hebt papa altijd gehad.'

'Misschien wel,' zegt ze. 'Maar ik begrijp het wel.'

'Denk je?' Ik frons mijn wenkbrauwen. 'Hmm, daar ben ik niet zo zeker van. Bovendien snap ik niet waar je je zorgen over maakt. Jim is net zo betrokken als alle andere vaders en we gaan het kindje samen opvoeden. We zijn geen stel en wonen uiteindelijk ook niet samen, maar we zijn allebei zijn ouders.'

'Dat weet ik wel,' zegt ze. 'En we zijn erg op Jim gesteld, ik weet zeker dat hij een fantastische vader is.'

Het is halfelf als mam eindelijk mijn kamer uit is. Niet overtuigd, dat zag ik wel. Ik kruip in bed, uitgeput van alles wat vandaag is gebeurd en een beetje gespannen omdat het allemaal zo loodzwaar is geworden. Net als ik aan het indommelen ben, gaat mijn telefoon. Ik spring letterlijk uit bed en sla de telefoon tegen de zijkant van mijn gezicht.

'Hallo?'

'Sorry, bel ik te laat? Ik was essays over *Middlemarch* aan het nakijken en ben zo ongeveer klaar om me op te knopen.'

O. Jim.

'Echt, om je een idee te geven: er heeft er één in zijn hele essay "hij" geschreven als hij de auteur bedoelt, en een ander heeft "kammij dat schelen?" in de kantlijn geschreven. Daar heb ik mee te maken.'

Ik glimlach en laat me op mijn kussen zakken, luisterend naar Jims vertrouwde stem met zijn subtiele, noordelijke klinkers.

'Hoe ging het bij mijn toekomstige schoonfamilie?' vraagt hij.

'Heeft je vader gezworen me eens een lesje te leren?'

'Nee,' zeg ik lachend. 'Hij reageerde eigenlijk heel fijn. Mijn moeder kreeg bijna een toeval, maar uiteindelijk denk ik dat ze er wel aan went.'

'Ik heb het gisteren ook tegen mijn moeder gezegd.'

'O, ja? En hoe ging het?'

'Geen vragen over of we nu een stel waren, ik denk dat ze daar niet eens aan denkt. Volgens mij kan dat haar niets schelen!'

'Ik wou dat mijn moeder zo relaxt was.'

'Ach joh, zo te horen ging het best goed, en je kunt het haar niet kwalijk nemen dat ze een beetje schrok. Zij is zelf altijd erg huisje-boompje-beestje geweest – je boft dat je normale ouders hebt! Hoe vindt ze het dat je bij me komt wonen?'

'Daar is ze blij mee. Ze vindt dat ik in het gewone leven al professionele hulp nodig heb, en zeker nu ik zwanger ben, dus ze is blij dat ik jou heb, in welke hoedanigheid dan ook.'

'Mooi, want ik dacht dat we het net zo goed zaterdag konden doen.'

'Wat, aanstaande zaterdag?'

'Ja,' zegt hij. 'Hoezo, heb je je bedacht?'

'Nee. Alleen... Ach, het maakt niet uit.' Ik hoor beneden de tv schetteren – het geruststellende geluid van de ingeblikte lach – het geluid van thuis, en ik bedenk hoe graag ik wil dat alles normaal is.

'Wat?'

'Nou, ik had het niet verwacht, meer niet. Ik bedoel, natúúrlijk ben ik je dankbaar, Jim. Maar het loopt allemaal niet zoals ik dacht dat mijn leven zou lopen. Ik zal eraan moeten wennen.'

'Ja, ik weet het,' zegt hij met een zucht. 'Ik weet dat je het er moeilijk mee hebt.'

Ik ga op mijn knieën op de vensterbank zitten en we praten uren door. Ik kijk naar de inktzwarte sterrenhemel boven de zee en vraag me af hoe mijn leven zo serieus heeft kunnen worden. Ik vertel Jim over mijn vader, dat ik een beetje bezorgd ben dat hij niet zichzelf is. Hij vertelt over zijn leerlingen, dat hij zich zorgen maakt dat ze allemaal dom zijn. Hij lacht om mijn imitatie van Joyless en om de zorgen van mijn moeder over dat de samenleving ons buiten zal sluiten. Dan hang ik op. Ik trek mijn gestippelde dekbed over mijn oren en doe mijn ogen dicht, eigenlijk veel opgewekter nu ik Jim heb gesproken. Twintig minuten later schrik ik wakker. Laurence heeft nog steeds niet gebeld.

17

*'Er gaat geen dag voorbij zonder dat ik aan haar denk. Is ze getrouwd?
Heeft ze zelf kinderen? Vraagt ze zich weleens af wie ik ben? Mijn kind
afstaan is het moeilijkste wat ik ooit heb gedaan. Ik heb jarenlang niet
naar die ene foto van haar met haar kleine gele mutsje kunnen kijken.
Nu heb ik geaccepteerd dat ik het nooit had gered, dat ik de juiste keuze heb gemaakt. Maar als ze me ooit komt opzoeken, zal ik er zijn en
haar met open armen ontvangen.'*
Julie, 58, Doncaster

'Jezus, Jarvis, als dit zo doorgaat, moeten we de tent uitbouwen. En
jouw kamer ook.'

Jim blaast een zweetdruppel die aan het puntje van zijn neus hangt
weg, terwijl hij een uitpuilende koffer de trap af zeult.

'Dat is alleen nog maar haar make-up; wacht maar tot je haar doos
met schoenen ziet,' zegt Gina nuchter. Ze helpt Jim de koffer in de
kofferbak van de Ford stationwagon te duwen (die Warren zo vriendelijk was uit te lenen).

Jim hangt helemaal achter in de auto om de dozen te stouwen.
Zijn T-shirt is doorweekt van het zweet en er zijn een paar centimeter blote rug en een stratenmakersbilspleet te zien.

Gina kijkt even toe terwijl hij staat te zwoegen, bijt op haar nagels,
en vist dan een sigaret uit haar bikinibovenstukje en steekt hem op.

'Marshall, je gaat toch niet je snor drukken, hè?' roept Jim vanuit
de auto. 'Er staan nog twee enorme dozen waar Tess zit en haar leunstoel moet er ook nog in.'

Gina springt met blote voeten op de zwartgeverfde traptreden
naar onze voordeur. Ze heeft een amper bil-bedekkend zomerrok-
je aan en een rood beugelbikinibovenstukje waarin haar D-cup

alle zwaartekracht lijkt te trotseren.

'Oké, James.' (Zo is Gina Jim de laatste tijd gaan noemen.) 'Maak je niet dik, ik neem alleen een rookpauze. O, shit!' Nu vliegt ze letterlijk de traptreden op. 'Die treden zijn zo heet dat ik mijn voeten verbrand!'

Misschien was de langste dag van het jaar niet de beste dag om van de ene kant van Londen naar de andere kant te verhuizen. Een strakblauwe lucht, geen zuchtje wind. Het enige geluid in de drukkende hitte is het af en toe opklinkende getingel van een ijscowagen.

Vanaf mijn plek op het trapje bij de voordeur zie ik dat die arme Jim een wasmand vol boeken van zijn schouder in de kofferbak laat zakken.

'Ik voel me zo schuldig dat ik hier op mijn krent zit terwijl jullie al het zware werk doen,' jammer ik.

'Jammer dan.' Gina reikt achter me om nog een doos te pakken. 'Jij kunt niets tillen. Jim en ik laden de auto wel in. Als je iets wilt doen, ga dan maar kijken of er binnen nog spullen van je liggen, dan roepen we je wel als we klaar zijn.'

Zoals het feit dat je haar altijd beter zit voordat je het laat knippen, zo voel ik me ook hechter verbonden met Gina net nu ik uit het huis wegga. Sinds we ruim een week geleden alles hebben uitgepraat is het één groot feest geweest: we hebben in de jacuzzi onder de sterrenhemel gezeten met het Velux-dakraam wijd open (als je de vage kreten van slachtoffers van messentrekkers bij de buren negeerde, waande je je bijna in een kuuroord op Bali), maakten daarna fajita's die we buiten opaten. Ik heb haar gisteren zelfs Islington uitgelokt om *Notes on a Scandal* te zien, waarna we koffie met taart hebben genomen bij Maison Bertaux. (Gina zei dat ze sinds haar veertiende geen alcoholvrije vrijdagavond meer had gehad. Ik voelde me echt vereerd.) Gina heeft besloten om Michelle te vragen in Vicky's oude kamer te komen wonen, dus ik voel me niet schuldig dat ik haar in de steek laat. Kon ik een paar weken geleden niet wachten tot ik hier weg was, nu vind ik het verschrikkelijk om weg te gaan. Ik sta midden in mijn slaapkamer – zonder meubelen erin ziet hij er niet uit: de vloerbedekking zit onder de make-up- en theevlekken en waar mijn bed heeft gestaan, zit een vochtige plek. Het enige wat er nog hangt is een prikbord met een foto van Gina en mij, dronken en met bloeddoorlopen ogen, en een vel roze papier waarop de afspraken met de vroedvrouw staan. Dat is mijn leven hier in een notendop, ik ben klaar met dit huis. Ik weet wel dat het ook komt doordat Gina tot een week geleden mijn zwangerschap heeft genegeerd, maar ik zie me hier toch niet met een buik van vijfendertig weken rondwaggelen, grommend op mijn zwangerschapsbal terwijl Michelle en zij zich stoned snuiven.

Ik hoor Jim en Gina buiten lachen en Jim iets zeggen als 'Lopen we gevaar?' Het zal wel bijna zover zijn, tijd om weg te gaan, maar voordat ik de voordeur achter me dichttrek moet ik nog één ding doen: afscheid nemen.

Het water in de jacuzzi staat stil, wordt niet verstoord door de gebruikelijke verzameling tuig die hier vaak over de vloer komt; overdag ziet het er fout uit, net als een nachtclub als er niemand is.

'Als je denkt dat je hier in bad kunt bevallen, dan heb je het mis,' zegt Gina, die achter me komt staan en haar kin op mijn schouder legt.

'Als je wilt, mag je bij de bevalling zijn en de placenta met een netje eruit vissen.'

'God, nee zeg.'

'Je boft dat dat Jims taak is. Hij weet het alleen nog niet. Maar ik denk nu dat ik me liever vanaf de eerste wee laat verdoven.'

'Dat is het verstandigste wat je in maanden hebt gezegd,' zegt Gina. 'Ik bedoel, waarom zou je in godsnaam al die pijn willen hebben als er prima verdoving voor handen is?'

'Gaat het goed met Jim daarbuiten?' Plotseling herinner ik me dat hij nu waarschijnlijk wel is bezweken aan de hitte.

'Ja, bijna klaar, hij heeft me naar binnen gestuurd om je te halen.'

'Dus je praat weer met hem?' zeg ik voorzichtig, en ik draai me om om haar aan te kijken.

'Tuurlijk praat ik met hem, sufferd.'

'En met mij?'

Gina kijkt schaapachtig. 'Doe niet zo raar.'

'We hebben in deze badkamer geweldige sessies beleefd, hè?'

Er trekt een zeldzame, onwillekeurige grijns over Gina's gezicht. 'God, ja,' zegt ze.

'Eigenlijk heb ik hier de mooiste momenten van mijn leven beleefd.'

'Jarvis! Ik ben diep geroerd.'

'En dat ik een kind krijg wil niet zeggen dat dat helemaal afgelopen moet zijn, oké?' Ik geef haar een kneepje in haar middel. 'Ik zal je missen, Gina.'

'O, hou toch op. Straks ga ik nog janken,' zegt ze.

'En ik hou van je, maatje.'

'En ik van jou.'

'Laat wat van je horen.' Gina steekt haar hoofd door het raampje aan de bestuurderszijde en laat haar decolleté op het portier rusten. Jim probeert niet te kijken.

'En zet niet een of andere lijperd in mijn kamer, zoals je de vorige keer deed toen ik weg was,' zeg ik met een knipoog naar Jim.

'Zorg goed voor haar, hè?' zegt Gina tegen Jim. 'En laat haar niet helemaal dik en doodsaai worden.'

'Dat had je iets eerder moeten zeggen,' zegt Jim gapend, en hij rekt zich uit. Ik geef hem een stomp in zijn zij.

'En pas op...' fluistert Gina nu in Jims oor, '... want als je haar d'r gang laat gaan, maakt ze er een zwijnenstal van.'

'Veel plezier in New York! Strik een fitte, rijke Amerikaan voor me!' roep ik uit het raam, terwijl Jim toeterend optrekt. Dan leg ik mijn voeten op het dashboard en mijn gezicht in de zon en laat ik wat aanvoelt als een oude versie van mezelf achter, geëtst in de bakstenen en specie van Linton Street, zonder enig idee te hebben hoe de nieuwe versie gaat worden.

Ongeveer een uur later, waarvan we de helft stilstaand doorbrengen in een opstopping op Walworth Road waar we levend worden gekookt, komen we eindelijk aan bij Jims huis in het groene Dulwich.

Het voelt vreemd om naar binnen te gaan, een beetje alsof ik hier nog nooit ben geweest en ik niet zijn boemzemvriendin ben, maar een gast, een Franse uitwisselingsstudent die hier een paar weken komt logeren. We gaan naar boven, Jim voorop met een enorme doos die hij grommend langs de balustrade perst. Dan gaan we niet Jims kamer in, zoals we meestal deden, maar lopen we door de gang naar de logeerkamer, een kamer waar ik sinds ik Jim ken maar zo'n vier keer in heb geslapen.

'Welkom, huisgenoot en moeder van mijn kind.' Jim laat de doos voor de deur neerploffen en doet de deur open.

De kapotte bedbank is weg, evenals Jims oude drumstel en de vuilniszakken vol rommel. Voor me ligt nu een waar, eh, boudoir, compleet met een selectie uit Jims oude voetbaltrofeeën, een discobal, een poster van Eminem en een schaal met potpourri waarin stukjes gedroogde sinaasappelschil zitten.

'Wauw. Die finishing touches van jou bevallen me wel,' zeg ik en ik probeer niet te lachen.

'Echt? Mooi zo.' Jim staat te hijgen als een paard. Er klinkt een zorgwekkend gebrek aan zelfspot in zijn stem. 'Die discobal heb ik op zolder gevonden, de poster heb ik op een rommelmarkt op school gekocht en de potpourri – houd je van potpourri? – is een leuke vrouwelijke noot, vond ik. Mijn moeder heeft altijd potpourri.'

Reden te meer waarom ik het zeker niet wil hebben.

'Oké. Het is geweldig, Jim, heel eclectisch. Hoewel ik niet wist dat je van Eminem hield...'

'Doe ik ook niet, ik dacht alleen dat hij goed gezelschap zou zijn. Iemand om tegenaan te praten als je mij zat bent,' zegt hij doodserieus.

'Juist, want een rapper die zingt over het vermoorden van zijn kind is precies de goede vertrouwenspersoon voor me!' zeg ik, een giechel onderdrukkend.

'Nou, ik kon kiezen tussen hem of Britney Spears!' zegt hij, enigszins verontwaardigd door mijn gebrek aan dankbaarheid.

'Dan denk ik dat ik liever Eminem heb. Die zoekt zijn kinderen tenminste nog op.'

'Zo is 't maar net,' zegt Jim. 'Dan zitten we toch op dezelfde golflengte. Slim Shady en jij hebben vast een hoop te bespreken.'

Eindelijk trapt Jim de laatste dozen uit de gang mijn kamer in en laat zich dramatisch op mijn bed vallen.

'Bedankt voor je hulp met verhuizen, je bent een kanjer,' zeg ik, en ik ga naast hem liggen. Ik kijk naar de discobal die het avondlicht als een reusachtige, glinsterende diamant weerkaatst.

'Gina heeft ook geholpen, hoor. Ik kan niet met alle eer gaan strijken,' zeg hij, en hij trekt zijn T-shirt omhoog om er zijn gezicht mee af te wissen.

'Jullie konden het vandaag wel met elkaar vinden, hè?'

'Ja, volgens mij weet ze dat ze me boos gemaakt heeft.' Jim gaapt. 'Maar ik kan haar wel aan, ik denk dat het zo wel weer goed is tussen ons.'

Daar ben ik blij om. Ik vind het vreselijk als twee van mijn vrienden ruzie hebben. Jim kan goed met Vicky opschieten en heeft ook hetzelfde temperament als zij, net als ik. Maar Jim en Gina hebben een haat-liefderelatie en als het mis is, is het goed mis.

'Denk je dat ze het wel redt in haar eentje?' vraag ik, omdat ik ineens aan Gina moet denken, daar in dat tochtige, oude huis, niet goed wetend wat ze daar in haar uppie moet, tot Michelle bij haar intrekt.

'Natuurlijk wel,' zegt Jim. 'Het is vast heel goed voor haar om zonder jou te kunnen, let maar op.'

Ik glimlach om zijn mensenkennis – het is een van zijn beste eigenschappen, die me soms verrast.

Een poosje zeggen we niets; buiten zijn de vogels uitgebarsten in hun avondconcert.

'Jim,' zeg ik uiteindelijk.

'Jaaaah?' Hij heeft nu zijn ogen dicht.

'Ik denk dat de potpourri misschien weg moet.'

Er gaat één oog open.

'Jij durft. Ik heb uren gedaan over de keuze.'

'En de discobal ook.'

'Wat?' Hij komt op zijn ellebogen overeind. 'Dan neem ik die wel!'

'Eh... en de voetbalbekers ook.'

'Krijg nou wat! Die zijn mijn trots!'

'Maar ik vind de Eminem-poster gaaf!' Met enthousiast glinsterende ogen kom ik overeind.

'Nou, gelukkig heb je nog een beetje goede smaak.'

'Waarschijnlijk ben ik nu de coolste fokking aanstaande moeder in het hele klote-universum, waor?'

'Hmm,' zegt Jim peinzend. Hij knijpt zijn ogen half dicht, zijn lippen trekken en er ontsnapt hem wat gegrinnik. 'Dat was de slechtste, twijfelachtigste kruising tussen geteisem en brave borst die ik ooit heb gehoord.' Hij klautert van het bed. 'Maar ik vind het wel wat!' Ik jaag hem giechelend weg en geef hem wat opstoppers. 'En ik sterf van verlangen naar een douche, dus ik gun jou en je dozen even wat privacy!' Hij rent de badkamer in. 'Treffen wij elkander over een halfuur beneden?'

'Ja, als je nog leeft dan!'

Ik laat me op het bed vallen en het valt me tegen dat ik tegenwoordig van zo weinig opwinding al buiten adem raak. Ik luister naar wat klinkt als de Noordzee die van een torenflat wordt gestort.

Ik sta op en loop naar het raam, neem mijn nieuwe uitzicht in me op. Rijen en nog eens rijen met Quality Street-schoorstenen, hijskranen als giraffen, de lichten van Canary Wharf die in de verte knipperen. Ergens dichtbij loeit een politiesirene. Het heeft ook een bepaalde stedelijke schoonheid, met die strook roze zonlicht aan de horizon, alsof het deksel van de wereld op een kiertje gaat. En dit is wel een heel gewichtige dag – de dag dat ik bij een man intrek! Dus hoe komt het dan dat ik hier zit, te midden van Jims voetbalbekers op de planken en een poster van Eminem aan de muur? Wat is er gebeurd met kibbelen over wie aan welke kant van het bed mag slapen? En met het bed inwijden? Het kopen van onze eerste bank? Het is zo raar dat het bijna grappig is.

Mijn gedachten dwalen af naar Laurence. Is hij daar ergens? Is hij ook aan het inpakken? Het is alweer tien dagen geleden dat hij belde toen ik bij Vicky was en vijf dagen geleden dat hij sms'te (niet dat ik het bijhoud). Afgelopen donderdag, mijn eerste dag op het werk nadat ik bij mijn ouders was geweest, lag er een kaart in mijn postvakje (gelukkig in een envelop). Er stond een meisje op, dat op de pier in Brighton stond, met een blauwe rok die opwoei, net als bij Marilyn Monroe, waardoor er een glimp van haar kanten onderbroekje te zien was.

Er was op geschreven: *Ik moet iets bekennen... Ik heb wel naar je slipje gekeken toen we bij de London Eye waren!! Sorry dat ik het hele weekend niet heb gebeld. Chloe's oma vierde haar tachtigste verjaardag in Brighton. Oersaai maar ik kon er niet onderuit. Heb alleen maar aan jou lopen denken (hoe sexy je er in alleen maar dat slipje uitziet)... Wou dat je hier was. L xxx*

De schurk! Ik lees het steeds weer. Dus de liefde was niet bekoeld, hij had zich alleen maar van zijn laatste verplichtingen gekweten. Zijn laatste verplichte nummers die hij als gebonden man heeft.

Ik kijk naar mijn tas en overweeg hem te bellen, maar doe het niet omdat ik de laatste keer dat ik het probeerde alleen maar zijn voicemail kreeg.

'Hoi, dit is de voicemail van Laurence (hij zegt "Laurence" met een zwak Frans accent waar ik helemaal gek van word), spreek een bericht in, dan bel ik je snel terug.'

Ik deed mijn mond open om iets te zeggen, maar kon het niet, het voelde helemaal verkeerd. Hij was degene die me belde om te zeggen dat Chloe en hij het gingen uitmaken. Hij zou degene moeten zijn die mij belt als zijn klus is geklaard. Dat is niet mijn taak.

Misschien zit het met Chloe ingewikkelder in elkaar dan hij dacht. Hij is op emotioneel vlak duidelijk iets aan haar verschuldigd. Misschien is hij zelfs van gedachten veranderd. Soms vraag ik me sowieso af of ik mezelf geen rad voor ogen draai. Welke man – vooral een man als Laurence die waarschijnlijk iedereen die hij wil hebben kan krijgen – zou bereid zijn andermans kind op te nemen en dat niet alleen, ook nog een zwangere vrouw! Want laten we eerlijk wezen, ik word alleen nog maar dikker, zwaarder, vermoeider, met minder zin in seks. En dan komt de baby. En daarna, zo vertelt iedereen me graag, is het dag met je handje naar je seksleven. Wij hebben niet eens de kans gehad om 'hallo' te zeggen tegen het onze.

Ik begin met uitpakken, maar raak bij de eerste doos al afgeleid omdat al mijn oude fotoalbums erin zitten. Een paar minuten later ben ik al verdiept in een fotoversie van *This is Your Life*: wij met z'n vieren in februari in Parijs, capuchons strakgetrokken tegen de gietregen; Gina op Jims knie tijdens Vicky's verjaardagsfeestje toen ze zesentwintig werd (het thema van dat jaar was Londense Metrostations en zij waren gekomen als Charing Cross, en ze hebben de hele avond een kruis 'gedeeld'. Een luie vermomming, als je het mij vraagt); een flippende Vicky in het huis waar we tijdens ons tweede jaar woonden; Gina die midden op straat schrijlings op een paaltje zit. Er is een foto van ons – met Jim en Laurence – waarop we op een snikhete dag picknicken op Hampstead Heath. En deze. O, die was ik helemaal vergeten! Mijn allerdierbaarste foto. Van Jim en mij in de jacuzzi op Linton Street. Hij heeft een Bart Simpson-pruik op en ik een Marge-pruik. We lachen allebei zo hard dat het lijkt alsof we huilen.

'Aha, zijn we op de sentimentele toer?'

Jim loopt mijn kamer in, helemaal fris gedoucht, en hij springt op mijn bed.

'Weet je nog wat er ongeveer een halfuur nadat die foto is genomen gebeurde?' vraagt hij, en hij neemt hem van me over om beter te kijken.

'Heb ik Bart in de jacuzzi verdronken?'

'Bijna. Ik kwam met mijn vinger tussen de blender toen we mojito's maakten en we moesten met z'n allen naar de Eerste Hulp, stomdronken.'

Ik schud lachend mijn hoofd.

'Wat ben je toch een idioot, Ashcroft.'

'Dit kind heeft met ons als ouders geen schijn van kans, hè, arm kleintje? Geen greintje kans op een schijntje gezond verstand.'

We zitten foto's te kijken, ik op de grond, Jim op het bed, tot de kamer wordt ondergedompeld in het licht van een feloranje zonsondergang.

'Hé, moet je deze zien.' Ik geef Jim nog een foto: Jim, Vicky en ik voor Jims oude Polo tijdens een dagje naar Macclesfield. Vicky's haar zit door de regen tegen haar hoofd geplakt en het mijne is een pluizenbol die uitwaait in de wind. Toen we maar twee colleges in de week hadden en niets beters te doen, gingen we vaak zomaar ergens heen. Wat was alles toen eenvoudig, vergeleken bij nu, hier in deze kamer! Hoe zullen de toekomstige albums van Jim en mij eruitzien? Soms heb ik het gevoel alsof er een complete aardverschuiving onder mijn voeten plaatsvindt.

'Jim?'

'Ja?' Hij zit te grinniken om de foto's die hij in zijn hand houdt. Best lief.

'Je weet dat we vrienden zijn.'

'Ja, ik weet dat we vrienden zijn.'

'En je weet dat we samen een kind krijgen.'

'Dat had ik begrepen, ja, wat zit je dwars?'

'Nou. Denk je dat we altijd vrienden zullen blijven?'

Jim kijkt me aan en fronst zijn wenkbrauwen.

'Waar heb je het over? Waarom zouden we geen vrienden blijven?'

'Nou, gewoon, weet je wat iedereen zegt over dat relaties onder druk komen te staan als je een kind krijgt?'

'Wat? Dat je nooit gesprekken kunt afmaken en je elkaar naar de keel vliegt door slaapgebrek?'

'O, dat had je ook al gehoord. Nou, ik denk...' Ik peuter aan de vloerbedekking. 'Ik maak me zorgen dat we, omdat we helemaal niet getrouwd zijn of een echte relatie hebben...'

'Dat onze relatie er ook aan gaat?'

'Ja, als ik eerlijk ben.'

'Doe niet zo raar,' zegt Jim, die zich weer over de foto's buigt. 'We moeten er alleen voor zorgen dat we er energie in stoppen, meer niet.'

'Wat, alsof we echt getrouwd zijn?'

'Ja, ik denk van wel,' zegt Jim. 'Dit is tenslotte wel een relatie. Best een merkwaardige, dat wel natuurlijk. Maar het is de enige die we hebben, dus we moeten gewoon ons best doen om er het beste van te maken.'

Tien minuten later zitten we in de zitkamer op de grond, met Morrissey op de stereo en een groot vel papier voor ons.

'Er gaat niets boven een beetje Morrissey om je op een zaterdagavond zelfmoordneigingen te bezorgen, vind ik altijd,' zegt Jim, die zijn mouwen oprolt. 'Nou, weet je zeker dat je dit wilt?'

'Ja, het is in elk geval een stap in de goede richting.'

'Nou, als we het maar ergens hangen waar niemand het kan zien. Rotkop neemt me ongenadig in de zeik als hij dit ziet. Ik wil niet dat de mensen gaan denken dat ik een soort christelijk-fundamentalistisch bewind in mijn huis voer.'

Jim ligt op zijn buik op het zwart-witte kleed. Ik zit op de bank toezicht te houden.

Hij schrijft met felrode markeerstift: DE HUISREGELS. Dan trekt hij een verticale streep, en aan de ene kant schrijft hij DOEN en aan de andere kant NIET DOEN.

'Jij eerst,' zeg ik. 'Het was jouw idee.'

'Oké, wat voor dingen denk je dat daar moeten staan?' vraagt hij, nu al zonder idee.

Ik zeg: 'Regels waarmee het makkelijker wordt, denk ik. Die ons helpen elkaar niet te willen afmaken nog voordat de baby is geboren. O, en grenzen.'

'Grenzen?' Jim trekt rimpels in zijn neus.

'Ja, je weet wel, dat is de basis van goed gedrag en goede relaties. Ons kind zal er heel veel moeten leren, dus we kunnen net zo goed met onszelf beginnen. En dit is een nieuwe situatie, anders dan wat we hiervoor hadden. We zijn geen stelletje idioten die de hele tijd halfdronken bij elkaar in bed duiken. We zijn verstandige aanstaande ouders en daarna vrienden. We moeten een heel nieuw gebied verkennen, Jim.'

'Zo! Kijk eens aan, we zijn helemaal volwassen en filosofisch geworden,' zegt Jim plagend.

'Nou, het is gewoon zo!' zeg ik, zelf best verbaasd over mijn kleine uitbarsting. Meestal is Jim degene die de Grote Volwassene is. 'O, kom op, geef op die pen,' blaf ik. Ik sta op en gris hem uit zijn hand. Dan ga ik naast hem op de grond zitten en doe de sprong in het diepe: ik schrijf de eerste regel op.

Als we eenmaal een begin hebben gemaakt is het eigenlijk heel makkelijk, op een paar momenten na dat de concentratie een beetje afzwakt en we gekke dingen opschrijven als: gij zult Keats declameren en me (mij dus) elke dag om vijf uur 's middags muffins op een zilveren dienblad brengen, en gij zult mij (Jim) elke dag om vijf uur een koud biertje, een hoer en een krant brengen.

De uiteindelijke, serieuze lijst ziet er zo uit:

1) We zullen niet de fout maken 'slechts huisgenoten te worden'. We zullen er met vrienden opuit trekken en soms ook samen.

2) We zullen om beurten koken en het fatsoen hebben om het elkaar van tevoren te vertellen als we uitgaan.

3) We zullen één avond per week over zinvolle onderwerpen praten, zoals het feit dat we bijna ouders worden en wie de volgende president van Amerika wordt, en niet alleen maar tv-kijken.

4) We zullen mij met Scrabble een voorsprong van tien punten geven omdat Jim leraar Engels is, dus dat is niet eerlijk.

5) We zullen elkaar voor het gemak in het bijzijn van andere mensen 'partner' noemen. 'Vader van mijn kind' is veel te omslachtig.

6) We zullen niet meer Jim alleen naar de videotheek laten gaan, gezien de ramp van afgelopen maand (*The Black Dahlia* – veel mannen met strohoeden die heel zacht praten, en dat vijf uur lang, gevolgd door *Pirates of the Caribbean* – een goed middel tegen slapeloosheid).

7) We zullen allebei boeken over baby's en ouderschap lezen. We willen niet de enige ouders zijn die denken dat je een kindje van drie weken toast met kaas mag geven.

8) We zullen niet op de zwangerschapsgym vertellen dat we geen stel zijn. (Jim stribbelt nu tegen omdat het hem geen reet kan schelen hoe de mensen over hem of ons denken, maar ik heb al te veel opgetrokken wenkbrauwen en ongemakkelijke stiltes meegemaakt om dat nog eens over te doen in een kamer met twintig vreemden.)

9) We zullen een appartement voor mij zoeken als het kind is geboren, zodat ik niet te zeer gewend raak aan deze knusse opzet.

10) We zullen niet met andere mensen naar bed gaan, vozen of uitgaan zolang ik nog zwanger ben. Dat is gewoon niet zo netjes.

Ik krijg bijna letterlijk kramp bij het noemen van die laatste regel. 'Waar denk je trouwens dat ik een vent vandaan haal?' vraag ik, ontsteld over het gemak waarmee ik dit zeg. 'De prenatale speeddating-avond?'

18

'Tussen mijn twintigste en dertigste deed ik erg mijn best niet zwanger te worden. Ik had nooit gedacht dat ik na mijn dertigste fanatieke pogingen zou doen wél zwanger te worden. Het was op een militaire operatie gaan lijken. Elke vruchtbare periode sleepten we ons naar boven. Er is niets wat de romantiek zo snel de das omdoet dan wanneer je man je na de daad tien minuten op je kop ziet staan met je benen in de lucht, maar het is nu vijftien maanden later en we hebben onze baby.'
Lucy, 37, Oxford

's Morgens kom ik voor het eerst in ons samenwonende leven naar beneden en zie Jim op een kruk aan de eetbar zitten. De ceintuur van zijn badjas sleept over de grond en zijn haar staat als donkere korenschoven overeind.

Hij bladert door mijn *OK! Magazine.*

'Ongelooflijk dat jij dit soort dingen echt koopt,' zegt hij. 'Denk je dat ze, als ons kind er is, ook foto's van ons komen nemen?' Hij neemt een krakende hap cornflakes en kijkt mijmerend voor zich uit. '"*Believe It!*-journaliste Tess Jarvis en knappe leraar James Ashcroft tonen hun zoon, Caspian Ignatius Napoleon, op hun chaise longue in hun sfeervolle landhuis"!'

Daar moet ik om gniffelen.

'Eh, néé. Maar het baart me wel zorgen dat jij die namen zo makkelijk ophoest.'

Ik loop naar Jim toe en trek het tijdschrift naar me toe zodat ik het kan lezen.

Er staan foto's in van een zwangere Gwen Stefani met een artikel erbij over haar verlangen naar een tweede kind zodra ze de eerste eruit had geperst.

Mijn gedachten gaan weer met me op de loop: weer iets om me mee bezig te houden.

'Hmm. We krijgen waarschijnlijk geen gezin zoals de meeste mensen, hè? Volgens mij weten we nu al dat dit kindje alleen halfbroers en -zusjes zal krijgen, als hij die al krijgt.'

Jim kijkt me ongelovig aan. 'En dat bedenk je om, hoe laat, negen uur 's morgens? God, meisjes slaan echt alles. Maar goed, niemand weet hoe zijn toekomst eruitziet. Gwen Stefani is een popzangeres; die is over een week weer gescheiden. Of ze zit in een afkickcentrum.'

Ik loop naar Jims Smeg-koelkast – tweedehands van e-bay maar toch, een Smeg-koelkast. Er zitten geen magneten of plaatjes op, alleen een tabel van Fantasy Football en een briefje waarop staat *Dawn, maatschappelijk werkster, 14.00*. Voor zover ik weet lijkt niemand zich het lot van Jims zus Dawn aan te trekken, behalve Jim. Zijn moeder kan zich er niet druk om maken, en daar kan ik inkomen omdat ze geld van haar steelt om haar drugsverslaving te financieren. Maar Dawn woont nog bij hun moeder in Stoke-on-Trent, en Jims moeder wordt er gek van. Jim heeft me een keer meegenomen naar zijn moeder, een berg van een vrouw met wallen onder haar ogen als dode muizen en een eeuwige sigaret met een decimeterlange askegel. Ze heeft pleinvrees, wat is begonnen toen Jims vader was vertrokken. Niet dat Jim ooit details geeft, hij beschermt de privacy van zijn familie te vuur en te zwaard. Maar iedereen kan zien dat Rita Ashcroft is verlamd door de rotzooi die het leven haar in de schoot heeft geworpen, zodat ze nu een roerloze rots is in een niet-aflatende stroom ellende. En de grootste ellende is aan Dawn te danken.

'Wat ben jij vandaag van plan?' vraag ik, terwijl ik in de koelkast rommel. Er ligt een enorme worst, een bakje zwartebonenpasta, vier blikjes Heineken en een zakje Parmezaanse kaas.

'Rotkop heeft wat vrienden van school gevraagd om voetbal te komen kijken, met misschien een biertje erbij – als mijn wederhelft het goedvindt, tenminste.'

'Jim.' Ik leg de worst met een klets op het aanrecht en hak er een decimeter van af. 'In mijn ogen is grapjes maken over getrouwd zijn bijna zoiets als echt getrouwd zijn.' Ik neem een grote hap salami.

Als je het afgrijzen op Jims gezicht ziet, zou je denken dat ik een hap uit mijn eigen arm neem. 'Wat doe je nou?' vraagt hij.

'Worst eten.'

'Voor ontbijt?'

'Ja, voor ontbijt, als het mag.'

'En wat ben jij vandaag van plan, Fraulein Schmitt, mag ik vragen? Afgezien van het eten van Duitse worst?'

'Winkelen!' kondig ik triomfantelijk aan. 'Ik geef me officieel over! Ik voel me net een olifant. Ik heb zwangerschapskleren nodig.'

'Wat, van die maffe spijkerbroeken met een band waarmee je net een moederkangoeroe lijkt?'

'Misschien dat ik er ook zo een ga kopen, ja, of misschien zo'n heel grote tuinbroek.'

Jim trekt een gezicht, en er blijft een lepel cornflakes voor zijn mond in de lucht hangen. 'Of misschien niet.'

'Wat kan jou het schelen? Het is misschien de enige keer in mijn leven dat ik een grote tuinbroek aan mag.'

'Laten we het hopen. Hoewel, als je zo met die worst bezig blijft, heb je kans dat je er de rest van je leven in loopt.'

'Vlieg op!'

'Geintje.' Hij laat zich van de kruk glijden. 'Ik ga eieren bakken. Heb je trek?'

'Ja, lekker.'

'Hoe wil je ze?' vraagt hij, en we moeten meteen allebei lachen omdat we weten wat ik nu ga zeggen.

'Zolang ze niet zijn bevrucht, James Ashcroft, kan het me niet schelen.'

Het is me altijd een raadsel geweest hoe het komt dat er zoveel mensen op aarde zijn. Nu besef ik dat zwangere vrouwen op vrijdagavond meestal niet op de dansvloer staan in Turnmills en dan de rest van het weekend in het donker in bed blijven liggen. Nu besef ik dat ze de hele tijd hier hebben gezeten. Hier in het pamperparadijs.

Overal waar ik kijk zie ik ze: in de rij voor het Blue Mountain Café, buik aan buik, op de stoep bij de peperdure boutiques aan North Cross Road, rompertjes kopend met de opdruk ALS JE VINDT DAT IK STINK, MOET JE M'N PA RUIKEN – voor maar tweeëntwintig pond. Als ze niet zwanger zijn, duwen ze zo'n enorme hightech kinderwagen voor zich uit die eruitziet alsof hij elk moment kan opstijgen. En ze zijn ook in uniform: voor de meiden een soort oma-look – bloemetjesrok tot op de knie, kleding in laagjes en orthopedisch schoeisel.

Voor de jongens is het een bril met zwaar montuur, Birkenstocks en een blik waarmee ze willen zeggen: hier heb ik niet om gevraagd toen ik ladderzat voor de Red Star met haar de auto in dook.

Als ik al in de ontkenningsfase had gezeten, dan is daar hier geen kans meer op. Ik voel me net een drugsverslaafde tijdens de eerste dag in het afkickcentrum, die cold turkey gaat.

Ik steek Lordship Lane over naar de bushalte, en daar staat een alfastelletje met hun alfababy in een Bugaboo in de zon. De man heeft een arm om de schouders van de vrouw liggen. Ze heeft een beeldige gele zomerjurk aan waar haar elegante sleutelbeenderen goed in uitkomen en sandaaltjes met glinstersteentjes. Haar gezicht gaat schuil achter een enorme retro zonnebril, maar ik zie zo ook wel dat ze bloedmooi is. Dat zie je aan de jukbeenderen. En met zijn felblauwe ogen en gespierde body doet hij niet voor haar onder. Maar onwillekeurig vind ik toch dat hij een beetje achterloopt met zijn werkmansschoenen en zijn jarentachtigspijkerjack.

Hij glimlacht naar me op een manier waaruit spreekt dat hij nooit problemen met de vrouwtjes heeft gehad. Ik ben gevleid; alle aandacht is tegenwoordig welkom.

We groeten elkaar en ik gebaar dat hun baby een schatje is, en dat is ze ook. Ze heeft papa's blauwe ogen en mama's donkere haar: een baby om te zoenen. Ik zie dat er op het labeltje van haar dekentje Petit Bateau staat. Daar kijk ik niet van op; we zitten hier natuurlijk in het centrum van het baby-universum.

De man zegt: 'Ze ziet er nu lief uit, maar vanochtend om vier uur had ik haar wel kunnen wurgen!' De vrouw lacht en ik lach mee. Gaaf, denk ik. Baby's zijn voor ouders net nieuwe minnaars. Geef ze een excuus om erover te praten – zoals een beleefd gebaar van een vreemde – en ze praten je de oren van het hoofd.

'Hoe oud is ze?' vraag ik.

'Drie maanden,' zegt de vrouw.

'Hoe heet ze?'

'Matilda. Tilly.'

Terwijl de vrouw praat heeft de man zijn hand op haar billen liggen. Ze zien er echt verliefd uit. Misschien is het dan toch niet waar wat iedereen zegt.

'Ze vindt je leuk,' zegt de vrouw, omdat Tilly mijn glimlach beantwoordt met een grijns.

'Dat komt heel mooi uit,' zeg ik, 'in december krijg ik als alles goed gaat zelf een kindje. Ik ben zwanger, snap je.'

'Echt waar?!' De vrouw lacht stralend naar me. 'Gefeliciteerd, het is je niet aan te zien, die vier maanden. Jij bent er vast zo een die mooi zwanger is.'

'Rachel was echt een vrachtschip, hè schat?' zegt de man. 'Ik vond die prachtige bergen en dalen wel mooi, die buik en die billen. Maar nu is ze weer helemaal dun.' Rachel zegt niets.

Ik zeg: 'Nou, ik ga wat zwangerschapskleren kopen.'

'En wij gaan op jacht naar postnatale kleren, hè lieverd?' zegt de man. 'Ik trakteer.'

'O, wat lief,' zeg ik, en denk: Jim heeft niet aangeboden om zwangerschapskleren voor me te kopen, of wel soms? Door hem loop ik er zo bij.

'Ik heet trouwens Rachel,' zegt Rachel, 'en dit is Alan.'

'Haar man,' zegt Alan. Alan? Ik had haar niet met een Alan verwacht.

'Hallo, ik ben Tess. Wonen jullie hier ergens in de buurt?'

Rachel kijkt Alan aan. Hij is duidelijk de prater van het stel. 'Bassano Street, zo'n pakhuisappartement, met een dakterras,' zegt hij.

Wauw, een architect, denk ik. Hij zal wel architect zijn en zij binnenhuisarchitect.

'En jij?' vraagt Rachel.

'Lacon Road, een eindje verder, een zijstraat van North Cross Road.'

'Zijn je man en jij er dan net komen wonen?' vraagt ze. 'Ik heb jou hier nog nooit gezien.'

Dat is alles wat ik nodig heb, en ik begin te vertellen. Misschien had ik er meer behoefte aan er met iemand over te praten dan ik dacht. En dit vriendelijke stel leek me een prima praatpaal: neutraal, ruimdenkend en tegen het einde van de reis besluit ik dat ze ook nog ontzettend aardig zijn.

Het blijkt dat ik het werk verkeerd had geraden. Rachel is visagiste – als ze niet met zwangerschapsverlof is – en Alan is brandweerman; vandaar de gespierde borst.

'Leuk met je te praten,' zegt Rachel als ik op Regent Street uitstap.

'Vond ik ook,' zeg ik. 'Als we elkaar tijdens je verlof nog eens tegenkomen, zullen we dan een keer een kop koffie drinken?'

'Leuk idee!' zegt ze. Als ik uitstap en achterom kijk, zit Alan naar me te kijken. Ik zwaai. Hij zwaait niet terug.

'Hij ziet er een beetje... zakkerig uit,' zeg ik, en ik kijk mismoedig in de spiegel naar de gigantische, witte hangmat die ik voor mijn gevoel om mijn borsten heb hangen.

De verkoopster van de Mothercare komt met haar omvangrijke lijf naast me staan en hijst de brede banden omhoog, waarbij ze van inspanning kreunt.

'Zwanger zijn is geen modestatement, vrees ik,' zegt ze, en ze perst haar koraalrode lippen op elkaar. 'Je hebt al een C en krijgt er tijdens je zwangerschap waarschijnlijk nog twee cupmaten bij, dus je kunt er maar beter vast aan wennen.'

Een C-cup?! Daar heb ik helemaal niets van gemerkt! Ik heb nog nooit meer dan een B gehad, en nu krijg ik waarschijnlijk een E?! Hallo! En niemand mag ze zien? De enige keer in mijn leven dat ik enorme tieten heb, ben ik waarschijnlijk single. En moet ik een hangmatbeha aan.

'Hebt u niet iets aantrekkelijkers? Iets met een beugelcupje misschien?' vraag ik voorzichtig.

'Een beugel?!' roept ze uit, alsof ik om heroïne heb gevraagd. 'Zwangere vrouwen dragen geen beugelbeha's, lieverd. Ik ben bang dat je van nu af aan op modegebied offers moet brengen.'

'O,' zeg ik. 'Wat is er mis met een beugelbeha?'

'Die beschadigen je melkkanalen, waardoor je kans hebt dat de borstvoeding niet goed gaat en dat wil je toch zeker niet?'

O ja, dat zou ik echt top vinden. Misschien hebt u zelfs een rol duct tape, dan kan ik mijn borsten voor de rest van mijn zwangerschap intapen, snapt u, om ervoor te zorgen dat elke kans op borstvoeding wordt uitgeschakeld. Nee, natuurlijk wil ik dat niet, dom wijf! Dit is de eerste keer dat ik een kind krijg, en voor het geval dat u het niet had gemerkt: ik heb geen idee waar ik mee bezig ben!

Dat denk ik, maar natuurlijk betaal ik de hangmatbeha die ik aan heb, koop ik er nog twee en schuifel de winkel uit met het gevoel dat ik totaal niet deug als zwangere.

Offers brengen. Die woorden blijven hangen. Misschien moet ik iets leren. Ik was niet echt op offers brengen gericht toen ik over Laurence Cane fantaseerde, hè? Toen ik me voorstelde hoe ik naakt met hem lig te stoeien, zijn vriendin ben, dat hij me in de muziektent van Battersea Park een aanzoek doet (niet dat ik over details heb nagedacht); terwijl ik eigenlijk had moeten lezen dat mijn beugelbeha's het werk van de duivel zijn. Sinds ik Laurence weer heb gezien, heeft mijn libido ongekende hoogten bereikt. Ik droom almaar over mijn kantoor, waar Laurence en ik als gekken op mijn bureau tekeergaan terwijl Blanche Jewell om de hoek een seminar geeft. We hebben net het moment bereikt dat Laurence kreunt dat hij komt, en dan begint de foetus te praten, net als in die film *Look Who's Talking* en zegt: 'Hé! Daar heb je papa! Kijk uit, je duwt tegen mijn hoofd!' Waarschijnlijk speelt mijn geweten op.

Misschien is het beter als Laurence niet meer belt. Dan hoef ik tenminste niet de vernedering te ondergaan van het onthullen van de hangmatbeha. Of van mijn zwangerschap.

Dat vooruitzicht boezemt me toch wel angst in. Ik krijg zin om mijn vader te bellen. Ik sta voor River Island en bel hem op zijn mobiel.

'Ha lieverd, hoe is het? Zit je op de snelweg? Het is zo'n herrie.'

'Nee, pap. Ik sta op Oxford Street.'

'O. En gaat het goed met je? Moet je wat geld lenen?'

'Nee, pap. Ik verdien tegenwoordig zelf, hoe weinig het ook is. Ik wilde gewoon met je praten.'

Dat doen we dus. We kletsen en hij stelt geen vervelende vragen over samenwonen met Jim (behalve dat mijn moeder wil weten of hij een rookalarm heeft en of er batterijen in zitten) of over wat ik ga doen, of de TOEKOMST, wat een vies woord is geworden omdat ik me niet in staat voel verder dan een week vooruit te plannen.

Hij vertelt hoe moe hij is, en dat mijn broer zich niet maximaal inzet op de zaak. Hij vertelt over zijn planten en dat hij van mama maar een halfuur per avond in zijn kas mag omdat ze denkt dat hij meer tegen zijn tomaten praat dan tegen haar, en hij troost me, maakt me rustig en is gewoon mijn vader van wie ik hou. En dan zegt hij dat ik moet gaan winkelen en mezelf moet trakteren op wat 'sjiek de friemel', waar ik om moet lachen omdat alleen mijn vader 'sjiek de friemel' zou zeggen. Dan zeg ik: 'Bedankt voor de peptalk, pap. Fijn om even met je te praten.' Ik hang op en pas dan besef ik dat er iets niet klopte met zijn stem. Zo klonk mijn vaders stem helemaal niet.

Hoe dan ook, ik besloot zijn raad op te volgen en naar Mamas and Papas op Regent Street te gaan. Daar heb ik opeens een vreemd soort drang toe, misschien wil ik me zwanger voelen, door dingen te doen die zwangere vrouwen doen, zodat ik me uiteindelijk misschien ook als een zwangere vrouw ga voelen. Een soort method acting. Maar ik shop erop los alsof ik mijn antiwinkelpilletje ben vergeten in te nemen. Voor het vaderland. Ik koop schoentjes, rompers, een doorgestikte, met diertjes bedrukte slaapzak. Ik koop een omslagjurk die mijn buik benadrukt, ook al heb ik nog geen buik om erin te stoppen, sta uren in het kleedhokje en fantaseer dat ik model ben in Jojo Madam-hoe-heet-ze-ook-weer-magazine. Ik koop een kangoeroespijkerbroek en sms Jim: 'Als je van deze niet geil wordt, wordt je het nooit meer'. Ik zwerf over de babyafdeling en voel echt iets als ik naar de vergrotingen van slapende baby's kijk. En ik koop een schapenvachtje, een sterilisator en een grote, poezelige slak die Sebastiaan Slak heet en die met een druk op een knop met de stem van prins Charles zegt: 'Goedemorgen! Ik ben de slak Sebastiaan. En wie ben jij?' En dan, als ik eindelijk denk mezelf diep genoeg te hebben begraven in de babysfeer, ga ik naar de kassa, waar de caissière vraagt wanneer ik ben uitgerekend, en waar ik bezwijk voor nog een rompertje waarop staat BORN TO BE WILD. O jee.

Dan zegt ze: 'Dat is dan honderdzevenenzestig vijftig alstublieft,' en ik schrik even, maar eigenlijk kan het me niet schelen. Want een halfuur lang ben ik iemand anders geweest. Ik ben net als die vrouwen in Dulwich. Ik ben net als die vrouwen in Mothercare. Ik ben wat de verkoopster zei dat ik moest zijn. Ik ben Tess Jarvis. Ik ben een moeder die offers brengt. Ik word een moeder. Iemands mama! Stel je voor!

Ik loop de koele, airconditioned winkel uit, de benauwde, vervuilde lucht in van Regent Street, en ineens borrelt er een golf van geluk in me op. Het is zaterdagmiddag halfvijf, het einde van een zwoel weekend in Londen, en toch voel ik deze keer geen steek van jaloezie als ik mensen met hun nieuwe aankopen langs zie lopen, op weg naar een biertje op een terras aan Kingley Street of een barbecue met veel drank. En dan zie ik hem. Aan de overkant voor de French Connection. Ik vraag me af of het een luchtspiegeling is, of mijn verbeelding me parten speelt. Twee dubbeldekkers racen langs en ik knipper hard met mijn ogen maar hij is er nog. Hij heeft een lichtgrijs T-shirt aan en een donkergrijs colbertje, een spijkerbroek, Converse-schoenen en een zonnebril boven op zijn hoofd. Ik glimlach en zwaai en voel iets als opwinding en verlangen door mijn buik kruipen, als een zonnestraal die 's morgens over je lakens kruipt. Dan voel ik de hengsels van vier loodzware tassen van Mamas and Papas in mijn handen snijden, en het gewicht van mijn gezwollen borsten in de hangmatbeha, en de opwinding verandert in een aanval van paniek.

Maar ik krijg geen tijd om na te denken, want voor ik het weet staat hij voor me en die geur van hem – o, pas gewassen lakens, met die rokerige, muskusachtige aftershave – geeft me dat gevoel: een soort duizeligheid, maar dan tussen je benen.

'Wat doe jij nou hier? Hoi,' zegt hij. Dan laat hij zijn voorhoofd tegen het mijne rusten en kussen we elkaar. Een trage, genietende kus midden op Oxford Street. Ik voel Laurence' stijve tegen mijn buik en hoor mensen die langs ons heen proberen te komen geërgerd tutten. En ik vind het heerlijk, ik kan er niets aan doen; ik geef me eraan over. Op een of andere manier vervliegen het schuldgevoel en de paniek die ik voelde en worden ze vervangen door een soort karamel die door mijn aderen vloeit.

Uiteindelijk gaan we een hapje eten en zitten we buiten bij Carluccio's op St Christopher's Place.

'Hoe zit dat met die tien dagen radiostilte, meneer Cane?' zeg ik, en ik ga makkelijk zitten om zijn gezicht eens goed te kunnen bekijken. Het wordt beschenen door de zon en begint een diepbruine kleur te krijgen. Ik wil het wanhopig graag kussen.

'Niet dat ik je niet wílde bellen! Ik liep de hele tijd aan je te denken. Maar zodra ik erover begon, ging zij door het lint, jankte ze haar ogen uit haar hoofd en zei ze dat ze iets doms zou doen.'

'Shit, dat is balen. Dat is emotionele chantage,' zeg ik met een diepe rimpel in mijn voorhoofd, een en al ernst, maar wel gretig hengelend naar het vervolg. 'Maar heb je het wel gedaan? Gezegd dat het uit was?'

'Nou, nee, niet precies.'

'O.' Ik kan de teleurstelling niet uit mijn stem houden.

'Ik heb het geprobeerd, echt. Je moet me geloven als ik zeg dat ik het zal doen. Ik heb alleen de woorden niet uitgesproken.'

'Wat heb je dan gezegd?'

'Dat het niet goed ging, dat ze te veeleisend was.'

'Maar ze heeft de uitslag van haar marketingtentamen, toch?'

'Ja, maar die was niet zo goed als ze had gehoopt. Toen kwam die verjaardag van haar oma waar ik beloofd had naartoe te gaan. Ik bedoel, stel je even voor, ik de hele dag in zo'n verrekt bejaardentehuis, om met oude taarten te praten die maar bleven doorzeuren over de oorlog en vergaten wat ik twee seconden daarvoor had gezegd.'

Hij begint te lachen, en ook al denk ik aan mijn eigen lieve oma en vind ik hem een beetje gemeen, ik ga erin mee.

Laurence heeft een verslavende, hypnotiserende uitwerking op me. Het zit hem in zijn luie glimlach, de rechte lijn van zijn wenkbrauwen, de kuiltjes in zijn wangen die hem jonger doen lijken dan hij is. Het zit hem in zijn haar dat strak om zijn oren is geknipt, zijn gebruinde nek als hij naar voren leunt om te eten, het zit in die gespierde onderarmen en de manier waarop hij 'Branleur!' roept en dat Franse gebaar met zijn hand maakt als hij zich opwindt over het verkeer. En het zit hem in de blik waarmee hij me nu aankijkt, zijn kin ondersteunt met zijn handen, waarmee hij me het gevoel geeft de meest sexy vrouw in Londen te zijn. Maar vooral zit het hem in de manier waarop hij alle moedergevoelens, alle nesteldrang die ik eventueel heb, doet vervliegen, en doet veranderen in een dierlijk verlangen dat zo subiet en overweldigend is dat ik bijna op mijn handen moet gaan zitten om er niet naar te handelen. Hoezeer ik ook voorwend dat het niet zo is, ik verlang naar hem. Ik wil bij hem zijn. En soms, al kost het me zoveel moeite dit toe te geven dat ik het bijna niet over mijn lippen krijg, wil ik dat hij de vader van dit kind is. Want dan zou alles zoveel eenvoudiger zijn, zoveel minder stress opleveren, zoveel normaler zijn. Maar zo is mijn leven niet. Zo zijn de dingen niet gelopen.

'Maar goed,' zegt hij, van onderwerp veranderend. 'Vertel nog eens voor wie al die cadeautjes zijn.'

'Voor Julia. Mijn vriendin Julia van mijn werk. Ze loopt op alledag.' (Dat laatste is geen leugen, en dat maakt het niet helemaal verkeerd, toch?)

'Je hebt wel erg diep in de buidel getast, vind je niet?'

'Ze krijgt een tweeling.' (Wat? Zei ik dat net?! Wat net nog maar een halve leugen was, is nu een hele. Minstens.)

'Bofkont,' zegt Laurence. 'Maar niet heus. Ik wil maar zeggen: één baby is toch zeker genoeg – ik zou zelf best een kind kunnen hebben – maar twéé...'

Verander van onderwerp. Nu meteen!

'In elk geval,' zeg ik, omdat ik Laurence graag bij de les, zijnde Chloe, wil houden, 'denk je dat je het Chloe snel kunt vertellen? Om je eerlijk te zeggen, voel ik me er niet zo lekker bij om zo met jou af te spreken terwijl je nog gebonden bent.'

'Luister, Tess. Het spijt me,' gaat Laurence verder. 'Maar geef me een week of twee en echt,' hij slaat met vlakke hand op de tafel, resoluut, 'ik zweer het je, dan is het voorbij. In mijn gedachten was het weken geleden al voorbij! Nooit van haar gehouden,' zegt hij. 'Niet zoals ik van jou hield. God, wat hield ik van jou! Nog steeds hou ik...'

'Laurence.' Ik leg een vinger op mijn lippen. 'Niet doen. Niet zeggen. Pas als je het meent.'

Ik snak naar die woorden, maar ik herinner me ook hoe diep hij me heeft gekwetst.

'Maar goed, ik moet je iets vertellen,' zeg ik.

Laurence leunt op zijn elleboog en neemt elke vierkante millimeter van mijn gezicht in zich op.

'Wat?'

'Ik ben bij Jim ingetrokken.'

Ik weet niet wat ik had verwacht. Met een beetje geluk woede, groen van jaloezie zijn. Of ten minste een dappere poging om nonchalant te doen terwijl hij zich duidelijk absoluut niet zo voelt. Maar hij laat alleen een soort verraste lach horen.

'Jim?' Laurence trekt rimpels in zijn lange, gallische neus. 'Wat? Tengere Jim van je studie?'

Ineens voel ik de behoefte voor Jim op te komen. Dat is wel de vader van mijn kind, waar je het over hebt, denk ik. En wat is er mis met tenger?

'Ja, Jim Ashcroft van mijn studie.'

'O. Interessant.' Hij glimlacht nu. 'Hoe dat zo?'

'Hij had een kamer over.' Ik besef dat ik stotter. Ineens voel ik me een beetje dwaas. 'Voor Gina en mij zit de tijd erop.'

'De tijd zit erop, da's een goeie. Nou, dan zal ik eens langskomen. Maar ik kan niet bepaald zeggen dat Jim en ik ooit dikke vrienden zijn geweest.'

En dat is het dan. Dat is zijn belangwekkende reactie en ik sta er eigenlijk van te kijken dat het niet meer indruk heeft gemaakt. Maar Laurence is ook volwassener geworden. Waarom zou hij helemaal nijdig en jaloers zijn omdat ik met een man samenwoon? Dat, besluit ik, zou erg onaantrekkelijk zijn.

We betalen en lopen Oxford Street op. We willen net afscheid nemen en elk onze eigen weg gaan, als hij zich omdraait, mijn hand grijpt en ik weet wat hij gaat zeggen; ik hunker ernaar en ben er tegelijk bang voor. 'Ga mee naar mijn flat,' zegt hij.

Ik moet gek zijn (en zeker slecht) en dronken van de zon als een dikke bij, maar voor ik het weet zit ik achter in een zwarte taxi die over Oxford Street scheurt, opgaand in de tweede vrijpartij die dag, en we lachen om de taxichauffeur die van achter het stuur roept: 'Zoek een hotel!' terwijl ik de hele tijd probeer haar uit mijn gezicht te plukken dat aan mijn lipgloss blijft plakken. Ik denk: wat een geweldige dag, fantastisch idee. En ja, ik voel me stout. Maar ik zeg tegen mezelf dat het allemaal voor het goede eindresultaat is. Een vrouw moet toch een beetje lol kunnen maken voor het te laat is, en ik ga het hem echt vertellen, alleen misschien niet nu.

De flat van Laurence' vriend zit op de bovenste verdieping van een rij huizen, waar het kanaal door Islington stroomt.

'Nou, die vriend van je is homo of hij heeft een heel stijlgevoelige vriendin,' zeg ik, en ik bekijk de limegroene kussens en zilverkleurige accessoires, de muur, die als 'accent' met gevlekt behang is beplakt, en de kroonluchter.

'Het laatste,' zegt Laurence, 'maar ze heeft hem gedumpt en is vertrokken, dus nu zit hij met deze meidentent. Maar eh...' Zodra hij me weer begint te kussen ben ik ademloos. 'Voor vandaag hebben we genoeg gepraat, jij vreselijk sexy vrouw.' Hij haalt zijn hand door mijn haar en trekt bij de wortels. 'Want ik heb zin in jou.' Hij stuurt me bij mijn hoofd voor zich uit en ik geef me over. Ik laat mijn tassen neerploffen en zak giechelend met hem op de bank.

'Ik wil je verslinden. Nu meteen, hier op de bank.'

'O ja?'

'Reken maar.'

'Ik zal er even over nadenken.'

Hij gaat me te lijf, we tongen en onze ademhaling gaat snel en oppervlakkig. Hij steekt zijn hand onder mijn rok en mijn dijen trekken onwillekeurig als hij een vinger van mijn slipje langs mijn bovenbeen omlaag laat gaan. Ik laat een hand in zijn broek glijden. We kreunen en liggen tegelijkertijd min of meer te lachen en ik denk: jezus, wat lekker. God, wat heb ik dit gemist. Dan begint zijn hand onder mijn tuniekblouse (lang leve de mode) naar mijn navel toe te kruipen. Shit! Zit er een heuveltje? Er zit nu echt een welving maar als ik lig kun je die vast niet zien, toch? Ik hoop dat hij het niet merkt, ik bid dat hij het niet merkt... Dan zwerven zijn handen omhoog en komt hij gevaarlijk dicht bij de hangmatbeha. Stik, stik, de hangmatbeha! Dit lijkt verdomme wel een hindernisparcours! Ik moet snel handelen, dus ik wip de haakjes aan de achterkant los en gooi hem zo ver mogelijk van me af. Maar hij komt precies op ooghoogte voor Laurence in een hoopje op de grond terecht. 'Halleluja,' zegt hij, en zijn ogen puilen uit, 'daar kan ik zo met mijn hoofd in.'

Ik bloos beschaamd, maar hij lijkt er niet mee te zitten. Hij kust me in mijn nek, langs mijn hals omhoog, bijt me zachtjes in mijn kin, kust mijn oogleden, en dan beweegt zijn hele lichaam en ligt hij op me. Hij ruikt naar zon op zijn huid en naar frisse lucht, en ik voel zijn heupen tegen me aan drukken, zijn stijve in zijn broek bewegen. Zijn handen liggen nu om mijn borsten en hij haalt gejaagd adem. Onze kussen worden koortsachtiger. 'Jezus.' Laurence houdt op met kussen en kijkt in mijn blouse. 'Ze zijn gigantisch!' zegt hij lachend. 'Ze zijn waanzinnig!' Ik lach ook, maar hij legt me met een kus het zwijgen op en hij ritst zijn gulp open en ik voel me alsof ik kan ontploffen van verlangen. Ik voel nu al die veelzeggende hitte door mijn borst trekken en dat plagende, verlangende kloppen tussen mijn benen. Ik til mijn rok op. Ik heb me helemaal overgegeven en we duwen onze bekkens langzaam en hard tegen elkaar aan. Ik ben verloren en de zwangerschap is met ferme hand naar een verre uithoek van mijn brein geduwd. De bank kraakt onder ons, mijn ademhaling gaat snel en ik vind dit heerlijk, dit is helemaal te gek!! Hier heb ik zo lang naar verlangd en...

Op dat moment rollen we met verstrengelde ledematen van de bank op de berg plastic tassen. En op het hoofd van Sebastiaan Slak.

'Goedemorgen! Ik heet Sebastiaan Slak, en jij?'

'Wat is dat nou weer?' hijgt Laurence met zijn gezicht boven het mijne.

Ik beland met een akelig harde schok weer met beide benen op de grond. Plotseling is Sebastiaan Slak een baken van helderheid in een duizelingwekkende, zonovergoten dag vol waanzin. 'Dat is Sebastiaan Slak,' zeg ik bedeesd, 'en ik denk dat we maar moeten...'

Maar Laurence is niet uit het veld geslagen. 'Sebastiaan Slak, hè?' zegt hij. Hij komt overeind en duwt de bewuste tas opzij. 'Nou, Sebastiaan Slak kan mijn rug op want ik ben even bezig.' Ik lig op hem en hij duwt me zachtjes van zich af om daarna boven op mij te kruipen en me te kussen. Maar het gaat niet meer.

'Sorry! Ga alsjeblieft van me af.' Haastig duw ik Laurence weg en ik sta op. 'Ik kan het niet! Sorry, maar ik kan het niet!'

'Wat is er?' Laurence' broek hangt op zijn enkels en hij ziet er een beetje dwaas uit. 'Ben je ongesteld? Want een beetje bloed vind ik...'

'Nee!' snauw ik. 'Waarom ben je er zo gefixeerd op of ik ongesteld ben? Als je het per se wilt weten duurt het nog een hele poos voordat ik weer ongesteld word.'

Laurence wordt lijkbleek.

'Want ik ben zwanger.'

'Wát? Zwanger?! Hóé zwanger...?' Laurence springt met een blik vol afkeer in zijn ogen op, alsof ik net heb gezegd dat ik schaamluis heb.

'Vijftien weken, bijna vier maanden.'

'Van wie is het? Van Jim, hè?'

'Ja, maar we zijn geen stel!' zeg ik zodra ik zijn gezicht zie betrekken door wat hij denkt. 'Hij is mijn vriend niet, daar zou ik nooit tegen je over liegen! Ik wil dit nog steeds graag met jou, Laurence, ik wil nog steeds...' Hij kijkt uitdrukkingsloos en mijn stem sterft weg. 'Maar ik weet dat het veel is om in één keer te bevatten.'

'Veel om te bevatten? Een beetje maar, hoor Tess!'

'En, wil je me nu niet meer? Heb je het nu voor niets met Chloe uitgemaakt?'

Ik heb me nu wel heel erg verlaagd, maar wat maakt het uit. Ik voel me nu toch al superkwetsbaar.

'Nee, dat is het niet,' zegt Laurence. Hij ziet er bezweet uit van de schrik. 'Het is alleen...' Hij schraapt zijn keel. 'Ik heb wat tijd nodig om eraan te wennen, meer niet. Ik moet er even over kunnen nadenken. Het komt wel goed, echt.' Hij trekt zijn shirt aan en ik volg zijn voorbeeld en trek mijn rok aan. 'Ik kom er wel uit, Tess, echt waar. Ik bel je echt snel, dat beloof ik.'

19

'Ik zal de woorden "Volgens mij hoor ik drie hartjes" nooit vergeten.
Tijdens mijn zwangerschap ben ik achtendertig kilo aangekomen en
moest ik vanaf week dertig in bed blijven liggen. Toen ze er eenmaal
waren, sliepen we zes maanden lang hooguit drie uur per nacht en
konden we het huis niet uit, want als we ze eenmaal hadden aange-
kleed, was het alweer tijd om te eten. Niets had me kunnen voorbereiden op hoe zwaar het was om er drie tegelijk te krijgen. Maar als ik nu
naar ze kijk, voel ik me echt heel rijk.'
Michelle, 33, Amersham

'Goedemorgen! Ik ben Sebastiaan Slak. Wie ben jij?'
'Goedemorgen! Ik ben Sebastiaan Slak. Wie ben jij?'
'Goedemorgen!'
Aah! Hou je kop! Rot op, klotebeest!
Ik trek de zijkanten van mijn kussen omhoog zodat hij allebei
mijn oren bedekt en probeer weer te slapen.
Helaas.
'Goedemorgen! Ik ben Sebastiaan...'
Oké, leuk geprobeerd. Ik gooi het dekbed van me af en spring uit
bed. Ik geef me over! Ik kan er niet meer tegen.
Sinds het fijne debacle met Laurence gisteren, spelen zich twee
filmpjes beurtelings in mijn hoofd af. Ze zijn allebei even vreselijk.
1) De invasie van de weekdieren: een horrorfilm met een gemeen
geworden Sebastiaan Slak die een heel leger van zijn slijmerige
vriendjes aanvoert.
2) Het hele rampzalige onthullingsscenario van mijn zwangerschap, van begin tot eind, in martelende slowmotion met een keuze
van scènes die ongeveer zo gaat:

a) De hangmatbeha met hoofdafmetingen komt in volle glorie vlak voor Laurence' ogen op de grond terecht.

b) Het stukje waarin we onze bekkens tegen elkaar drukken en duwen en wrijven en ik dacht dat ik misschien wel een OZP (Orgasme Zonder Penetratie) zou krijgen. Waanzinnig. Maar daar kan ik niet echt van genieten, omdat daarna het volgende stuk komt...

c) Het moment dat we van de bank rollen, boven op de stembanden van Sebastiaan Slak; en het gezicht van Laurence (alsof ik net in een koeienvlaai ben gevallen).

d) Ik spring overeind en zeg dat ik zwanger ben; en het gezicht van Laurence (alsof ik net koeienvlaai heb gegeten).

Ja, hij probeerde eroverheen te praten, maar dat kon niet verhullen dat de arme kerel doodsbenauwd was.

Ik grijp een handdoek en loop naar de badkamer. Onderweg kijk ik nog één laatste keer of ik geen telefoontjes heb gemist (nee, dus).

Ik draai de douchekraan helemaal open. Het water voelt lekker aan op mijn huid, maar kan mijn gedachten niet wegspoelen. Ik kan er niet bij dat ik het bijna met Laurence heb gedaan. Met 176,50 pond aan spullen, spullen voor míjn kind dat in míjn lichaam groeit, aan onze voeten! Ineens voel ik een huizenhoge golf van schuldgevoel over me heen komen, omdat ik bijna alle onderdelen van huisregel 10, die zegt dat we niet met andere mensen naar bed gaan, knuffelen of uitgaan zolang ik zwanger ben, heb overtreden. Hij had duidelijk meer bovenaan moeten staan, maar laten we eerlijk zijn, ik had het mijn hormonen al een keer toegestaan het over te nemen. Het was slechts een kwestie van tijd. Maar nu voel ik me zelfs schuldig dat ik me niet eerder schuldig heb gevoeld.

Ik pomp wat douchegel uit Jims fles Radox Active en bedek me met schuim. Mijn handen voelen de welving van mijn buik. Er zit nu echt iets, iets wat ik een week of twee geleden niet had. Maar als je me niet elke dag naakt ziet – en dat doet Laurence niet – dan zou je het niet weten. Nee, die man had echt geen flauw idee. Het was een donderslag bij heldere hemel. Maar hij zei dat hij het kon hebben. In Bedales zei hij dat van het huis en de kinderen die hij wilde... Misschien vindt hij de gedachte van een kind hebben wel leuk, maar kan hij de uiteindelijke verantwoordelijkheid niet aan? Ja, dat zou Laurence Cane ten voeten uit zijn. Hij zei dat hij zou bellen. Hij zál bellen.

Er wordt op de badkamerdeur gebonkt.

'Wat is er?'

Ik steek mijn hoofd uit de douchecabine.

'Heb je nog lang nodig?' vraagt Jim. 'Want ik heb iets wat je misschien wel leuk vindt. Kom eens naar beneden.'

'Oké, doe deze maar om,' zegt Jim.

Hij trekt een theedoek uit zijn kontzak en geeft die aan mij.

'Om?'

'Als blinddoek. Toe dan.' Hij wenkt me op een bazige manier, draait me om, doet me de blinddoek om en bindt hem strak vast.

'Wat gaan we doen?' vraag ik.

'Naar buiten.'

'En dan?'

'Alles op zijn tijd, mevrouw Jarvis, alles op zijn tijd.'

Hij duwt me verder de gang door. Ik hoor de voordeur opengaan en voel de zoele buitenlucht om me heen. Ik hoor voetstappen naderen, twee vrouwen praten. Jim loopt voor me en pakt mijn hand.

'Pas op het afstapje, er zit hier een afstapje.'

'Wat ben je van plan, mafkees?' vraag ik giechelend. Dat komt voornamelijk door de zenuwen.

'Oké, stop maar.' Hij drukt op mijn schouders. 'Nou, ik kan nu niets meer doen aan het feit dat ik een sukkel zonder condoom ben, maar ik kan wel iets doen om te voorkomen dat je ooit weer zwanger wordt of andere vreselijke ongelukken krijgt om de twijfelachtige reden dat je niet kunt rijden.'

'Jim, ik ben echt niet van plan nog eens ongepland zwanger te worden. Ik vind dit genoeg aanpassing vergen voor een heel leven.'

'Ja, dat zeg je nu, maar ik neem geen risico's. Dus.'

Hij haalt de blinddoek langzaam weg. 'Tada!'

Het duurt even voor ik hem zie staan en dan... Een auto! Een auto met een lesplaat erop!

'Jim! Kei van een vent! Echt een kei! Gewéldig,' zeg ik naar adem happend. Ik ben echt totaal verbluft.

'Het is al goed, je hoeft geen gat in de lucht te springen. Hij is niet nieuw, het is mijn oude karretje. Ken je mijn oude Polo nog? Die heeft eeuwen bij Rotkop in de garage gestaan, maar nu ben ik er eindelijk aan toe gekomen om het oude kreng naar buiten te rijden en er een "L" op te schroeven.'

'Kan me niet schelen. Het is super, ik vind het fantastisch. Dank je!' Ik sla mijn armen om Jim heen.

'Daar ben ik blij om, want we gaan er vandaag mee rijden. Je eerste rijles begint nu.'

Jim rijdt naar Barry Road, een brede boulevard, die op zondag grotendeels leeg is, met aan weerszijden huizen als paleizen en bomen met bladeren ter grootte van dienbladen. Met vloeiende handelingen en intimiderend gemak parkeert hij de auto en stapt uit.

Zijn kruis hangt op ooghoogte en ik kijk beleefd de andere kant op als hij snel zijn ballen herschikt. Als ik niet in beweging kom, steekt hij zijn hoofd in de auto. 'Nou, kom er maar uit. We ruilen van plaats.'

Ik kijk hem geschrokken aan.

'Wat? Nu? Moet ik nu achter het stuur gaan zitten?'

'Nou, als ik blijf rijden, leer je nooit iets, toch, suffie. Dus bijt door de zure appel heen. Ik wil dat jij, Tess Jarvis, achter het stuur plaatsneemt.'

Dit heb ik mijn hele leven gewild. Dat iemand me genoeg vertrouwt om me te laten rijden. Mam heeft me nog nooit zelfs maar achter het stuur van haar Nissan Micra laten zitten. Pap heeft me tien jaar geleden eens een les of twee gegeven. Hij maakte één keer een ritje langs de kust. Dat was gaaf. Maar toen mijn moeder erachter kwam, kreeg ze een enorme toeval, omdat ik nog niet eens een voorlopig rijbewijs had en dat we allebei wel in het drijfzand hadden kunnen blijven steken en dat dát nog eens een goede les zou zijn geweest voor ons allebei (geen woord over of ze verdrietig zou zijn als we zouden doodgaan of zo). Dus dat hebben we nooit meer gedaan.

Vandaag geeft iemand me eindelijk, éíndelijk de gelegenheid te leren rijden, en toch, nu het zover is ben ik doodsbang. Ik doe het in mijn broek.

Toch stap ik uit, loop ik om de auto. Onderweg grijnst Jim om mijn angstige gezicht. Jim gaat naast me zitten, slaat het portier dicht. Hij strekt zijn armen voor zich en laat zijn knokkels kraken.

'Zenuwachtig?' vraagt hij.

'Beetje wel.'

'Hoeft niet. Het is net fietsen.'

We beginnen met het doornemen van het sks – Spiegels, Koppeling, Schakelen – ook al zeg ik dat ik dat nog wel weet. We hebben de motor nog niet aangezet.

'Het belangrijkste waar je onder het rijden aan moet denken,' zegt Jim, die nu zijn ernstige docentenstem opzet, 'is rustig aan doen. Geen plotselinge bewegingen, niet rukken, niet opscheppen hoe goed het gaat.'

'Niet afrukken?'

'Jarvis, gedraag je.'

'Sorry. Ik word er melig van.'

'Het gaat erom,' gaat hij verder, 'dat je voorzichtig rijdt.'

'Jim, ik weet amper waar het gaspedaal zit, dus ik denk niet dat ik me voorlopig aan waanzinnige slipacties waag,' zeg ik. Ik word een beetje onrustig omdat we nu al veertig minuten van huis zijn en de motor nog niet eens draait.

'Mooi. Goed om te weten.' Hij doet er nog een schepje bovenop met zijn doceertoon om me te irriteren. 'Juist, zet de motor maar aan en rij heeeel rustig,' hij maakt een soort duwgebaar van zich af, zodat ik op mijn lip moet bijten om niet te lachen, 'weg bij de stoeprand, je trapt zachtjes op het gaspedaal en laat de koppeling los. Ga je gang.'

Ik zet de motor aan, zet de auto in de eerste versnelling, trap op het gaspedaal en...

'Shit! Tess!!! Jeeeezus nog an toe.' Jim rolt zich als een egel op, met zijn handen in zijn haar en met witte knokkels. Het scheelde maar een paar millimeter of ik had tegen een Volkswagen-busje aan gezeten.

'Oeps!'

'Oeps?! Tess, je hebt ons bijna doodgereden!'

'Sorry,' zeg ik schaapachtig. Mijn hart gaat tekeer.

'Oké. Het is oké.' Jim haalt een paar keer diep en dramatisch adem. Een nieuwsgierige oude man, die is komen aanhobbelen en deze dwaze vertoning zich heeft zien voltrekken, staat stil. Hij leunt op zijn wandelstok en tuurt de auto in. Aan zijn verweerde gezicht kun je zien dat hij zich ermee gaat bemoeien.

'Ja, wat valt er te zien, ouwe sok?' mompelt Jim met een erg gemaakte glimlach tussen opeengeklemde kaken door.

We proberen het nog eens, en deze keer lukt het me – een beetje schokkerig, maar tenminste met enige mate van beheersing.

'Mooi, heel mooi! Precies goed. Dit is pas soepel rijden.'

Ik zou niet zover willen gaan om te zeggen dat we soepel rijden; meer schuifelen. Op wielen. Maar ineens ben ik aan het rijden, ik ben echt aan het autorijden!

'Waar zat jij trouwens gisteravond? Goed, je kunt nu een beetje gas geven. Hooo! Ik zei een beetje, Tess!' roept Jim als ik het gaspedaal verkeerd inschat.

'Nou, hou dan op met praten, ik probeerde me te concentreren.'

Dat is een handige smoes om geen antwoord te geven op een vraag die ik hoopte niet te krijgen. Toen ik van Laurence' huis thuiskwam, zat Jim aan de eetbar, zo'n beetje zoals toen ik was vertrokken, maar nu met een bril op en bezig in boeken te strepen. Hij vroeg niet waarom ik zo laat terug was en ik legde het ook niet uit. Ik zei gewoon dat ik moe was en naar bed ging.

We rijden zwijgend verder. Af en toe kijk ik naar Jim. Zijn gezicht staat volkomen neutraal, hij kijkt recht voor zich uit.

'Jim?'

'Ik dacht dat we niet mochten praten,' zegt hij.

'Ik mag wel praten, ik rij. Tenminste, dat probeer ik!'

'Oké. Tof.'

'Hoe denk je dat het loopt, je weet wel, als we andere partners vinden?'

Jim slaakt een zucht en kijkt me in de spiegel aan.

'Is dat zo'n vraag omdat je het allemaal een zootje vindt en bang bent?'

'Als je het zo uitdrukt, ja.'

'Nou...' Jim kijkt naar buiten. 'Het antwoord is... dat ik het niet weet.'

'O.' Dat had ik niet verwacht.

'Ik denk dat we gewoon moeten proberen leuke mensen te zoeken, mensen die kunnen accepteren dat wij vrienden zijn en die liefst ook van kinderen houden.'

Is dat een beschrijving waar Laurence in past, vraag ik me af. Oké, Jim en hij zijn nooit boezemvrienden geweest, maar ze hebben ook geen hekel aan elkaar...

'Bij de tweede weg naar rechts,' zegt Jim.

'Oké,' zeg ik, en ik let niet echt op. Gelukkig is er geen kip op de weg te zien. Niets wat beweegt, althans. 'En hoe gaat dat straks als we in verschillende huizen wonen? Dat wordt een logistieke nachtmerrie, toch?'

'Nu! Rechtsaf! Knipperlicht!'

'Ahhh!'

Ik rij met een scherpe bocht Goodrich Street in. Veel te scherp, bij nader inzien. Jim moet het stuur grijpen om een botsing met een container te vermijden.

'Oooh,' kreunt hij. 'Dat scheelde weinig.'

'Vertel mij wat. Ik ben er niet zo goed in, hè?'

Maar nu bewegen we ons weer ongehinderd voort.

'Het gaat prima,' zegt Jim. 'Alleen...' Hij klapt naast mijn oren in zijn handen, 'je moet wel opletten! Waar had je het ook weer over? O ja, nou, je moet gewoon een flat zoeken die heel dicht bij de mijne ligt. Misschien wordt het soms een logistieke nachtmerrie, ja, het zal zeker niet ideaal worden. Maar we redden het wel, we kunnen het wel aan. Mensen redden zich altijd wel.'

Ik kijk opzij, naar Jim. Hij leunt met zijn hoofd tegen de hoofdsteun, zijn ogen half dicht, mij het besturen van de auto toevertrouwend. Hoe komt het dat Jim zo vol vertrouwen is over mij in deze auto? Over dat we het wel redden. En hoe komt het dat ik dat niet ben? Ik besef dat ik me mijn hele leven waarschijnlijk nog nooit heb hoeven 'redden', zo komt het. Hij wel, in opzichten waar ik geen idee van heb.

We rijden nu in slakkengang door Landell Street, met alleen het vogelgezang als achtergrondgeluid. Ik kan niet bepalen of het komt doordat ik nu eindelijk leer autorijden, of nog tien uur zon tegemoet ga, of gewoon doordat ik hier met Jim ben. Maar plotseling ben ik gelukkig en geloof ik dat het allemaal goed kan komen.

'Ik vind het fijn bij jou thuis,' zeg ik. Dat komt nergens vandaan. 'Ik vind het nu al leuk, bedankt dat ik bij je mag wonen.'

'Ik zou het maar niet te knus gaan vinden, juffie,' zegt Jim met een cowboystem, 'want zodra de kleine erwt er is, sta je op straat, let op mijn woorden!'

'Jim.' Ik frons mijn wenkbrauwen.

'Sorry, ik maak ook altijd overal grapjes over, hè?' zegt hij. 'Nou, ik vind het ook fijn dat je bij me woont, Tess,' zegt hij, en hij kijkt me nu ernstig aan. 'En je mag zo lang blijven als je wilt.'

We ruilen weer van plaats. We hebben onze portie bijna-doodervaringen voor vandaag wel weer gehad. We besluiten naar Ikea te gaan om wat spulletjes voor de baby te kopen. Spulletjes die geen rib uit je lijf kosten. Terwijl we over Lordship Lane rijden kijkt Jim me aan.

'Waar zat jij gisteravond? Dat heb je me nog niet verteld,' zegt hij, en ik denk: ach, wat kan het voor kwaad hem de waarheid te zeggen (het grootste deel daarvan, althans), hij weet dat ik pas met hem ben wezen lunchen.

'Ik liep Laurence tegen het lijf,' zeg ik. 'Hij was ook aan het winkelen in de stad en we hadden allebei honger, dus we zijn naar Carluccio's gegaan. Gewoon als vrienden natuurlijk.'

'Oké,' zegt Jim, misschien een tikje verrast, maar niet onvrolijk. En daarna zeggen we een poosje niets meer. We zitten genoeglijk zwijgend tevreden naast elkaar, twee vrienden en een baby. Een door en door moderne relatie, mensen die er bewonderenswaardig mee omgaan.

Het over de A23 racen, de blauw-gele torens van IKEA, die uit het niets opdoemen: ik krijg er een warm en geruststellend gevoel van. Die torens stralen 'gezinnetje, zaterdag, gewoon zijn' uit. Ze zijn als het ware het equivalent van de herkenningsmelodie van het bekende sportprogramma *Grandstand*. Maar in werkelijkheid is het natuurlijk heel anders: dringende massa's, het constante, hoge gejammer van peuters, het gekreun van hoogzwangere vrouwen en het zwijgen van hun jaknikkende echtgenoten. Overal mensen die worden verlamd door besluiteloosheid, die straks naar huis gaan met nog een dossierkast en wasknijperzak.

Jim en ik weten tenminste waar we voor komen. We lopen regelrecht naar de kinderafdeling om een ledikantje te zoeken.

'Deze is leuk. Ik vind deze erg mooi.'

Jim laat zijn hand over een eenvoudig, wit, houten ledikantje gaan en buigt zich eroverheen als om te proberen of het stevig genoeg is.

'Klassiek, zit goed in elkaar. Wat denk je?'

'Ja, leuk.' Ik zeg dit zonder er met mijn hoofd bij te zijn. Ik houd mijn piepende telefoon in mijn hand, en weet niet wat ik moet doen.

'Ga je nog opnemen?' vraagt Jim uiteindelijk. Er klinkt wat ergernis door in zijn stem. Ik kijk hem aan, kijk naar de telefoon en zie de naam 'Laurence' zilverkleurig oplichten tegen de blauwe achtergrond. 'Ja, doe ik toch?' zeg ik en het komt er erg verdedigend uit. 'Ik wilde net opnemen. Ga eens kijken hoeveel dit ledikantje kost.'

Ik loop zo nonchalant mogelijk weg van waar Jim staat, terwijl mijn hart tekeergaat. Ik denk te voelen dat hij naar me kijkt, maar als ik weer kijk gaat hij helemaal op in een gesprek met een verkoper.

'Hallo?'

'Tess, met mij.' Ik hoor Laurence een lange haal van zijn sigaret nemen. 'Nou, ik heb nagedacht.'

'Klinkt gevaarlijk.' Ik doe luchtig, maar mijn maag zit in de knoop van de spanning. 'En?'

'En ik vind dat we het moeten proberen.'

'Wat, echt?!' Het komt er harder uit dan bedoeld. Ik kijk om naar Jim. Hij glimlacht een dun, strak lachje. Ik glimlach terug.

'Weet je het zeker? Ik bedoel, het is wel veel om aan te wennen...'

'Ja, weet ik.' Hij klinkt vreemd rustig. Hij neemt nog een haal van zijn sigaret. 'Maar ik ben veranderd, Tess. Ik ben volwassen geworden. En ik ben er klaar voor. Ik bedoel, ik maak me geen illusies dat het makkelijk zal zijn. Ik weet geen moer over baby's en kinderen, dat zal ik je nu vast zeggen.'

'Dat is niet bepaald bemoedigend, Laurence, maar je bent tenminste eerlijk.'

Ik kijk naar rechts, waar Jim nu staat, met wat eruitziet als beddengoed voor het ledikantje in zijn hand. Hij gebaart dat hij gaat afrekenen.

'Dat ben ik ook, en daar gaat het om. Ik voel me eerlijker dan ik ooit tegen mezelf ben geweest. Uiteindelijk wil ik jou, Tess. En als je een kind meebrengt, nou, dan is dat maar zo.'

'Maar hoe zit het met Chloe?' Tegenover me zie ik een kind met een bloedneus, maar ik ben te verbijsterd en te zeer aan de grond genageld om te gaan helpen.

'Wat?'

'Chloe, je weet wel, je vriendin.'

'Dat is voorbij.'

'Voorbij?'

'Ik heb het uitgemaakt.'

'Je meent het! Hoe reageerde ze?'

'Hysterisch. Ze was er kapot van, ging over de rooie, je weet hoe meisjes dat doen, maar eerlijk gezegd wist ze dat het eraan zat te komen. Al maanden.'

'Juist, dus?'

'Dus ik wil met je uit eten.'

Uit mijn ooghoeken zie ik Jim staan. Ik lach naar hem, maar hij wendt zijn blik af.

'Oké. Nou, daar zeg ik geen nee tegen. Wanneer?'

'Ik bel je nog. Ik moet even iets regelen – ik heb plannen met jou, jongedame – maar wel snel, goed? Laat het maar aan mij over.'

Mijn hoofd tolt terwijl ik ophang. Ik loop naar Jim om bij hem in de rij te gaan staan.

'Wie was dat?' vraagt hij.

'Gewoon Laurence die hallo zegt. We hebben een gesprek afgerond dat we gisteren zijn begonnen,' zeg ik zo luchtig mogelijk.

'Jee, hij is wel happig, zeg. Gisteren geluncht, vandaag gebeld... Weet je zeker dat hij er niet opuit is om het weer aan te maken met je? Hij heeft je mee uitgevraagd voordat hij wist dat je zwanger was.'

Zeg het nu, denk ik. Zeg gewoon waar het allemaal op neerkomt. We zijn toch gewoon vrienden? Maar Jim staat daar met een patchwork babydekentje in zijn armen en het lijkt zo verkeerd, dus ik zeg: 'Doe niet zo raar. Hij weet dat ik zwanger ben van jou. Bovendien, met iemand gaan als je zwanger bent, dat kán gewoon niet.'

20

*'Ik heb altijd meer verlangd naar een kind dan naar een perfecte brui-
loft. Ik had in geen miljoen jaar kunnen denken dat ik zo zwanger zou
worden: bij een arts in de stijgbeugels met het sperma van een volslagen
vreemde.'*
Trish, 42, Birmingham

Een paar dagen later sloeg het weer om en daarmee mijn goede humeur. De wolken hingen als dikke uiers omlaag en het regende zo
hard dat het meer in Dulwich Park eruitzag als sneeuw op je kapotte
televisie. Laurence had nog steeds niet gebeld, maar ik maakte me
geen al te grote zorgen. Hij had toch gezegd dat ik het aan hem moest
overlaten en we hadden geen vaste plannen gemaakt. Nee, wat nu
ineens tot me doordrong was dat, ook al zou het goed gaan met
Laurence, dit niet het einde zou zijn van dit rommelige punt in mijn
leven.

Het feit dat ik doorga met deze zwangerschap wil zeggen dat mijn
hele leven een rommeltje zal zijn, punt.

Julia's babyfeestje maakte me dat duidelijk. Anne-Marie zei dat ik
spelletjes kon verwachten als 'Raad eens wat er in de luier zit?' waarbij de gastheer verschillende soorten babyvoedsel in luiers zou smeren en we geblinddoekt moesten raden wat het was. Niet op dit feest.
O, nee. Ik betwijfel zelfs of de baby's zelf vieze luiers hadden: er waren antieke theekopjes, gevuld met roze bloesem (Julia weet dat ze
een meisje krijgt) en barokke taartschalen met onberispelijk gegla-
zuurde cakejes. Iedereen bracht cadeautjes mee als zwangerschaps-
massages en geurkaarsen. Ik had een koe gekocht die loeide als je op
haar buik drukte.

Als Julia niet zo'n schat was, zou je echt een hekel aan haar kunnen hebben. Ze is ruim één meter zeventig en heeft benen waar geen einde aan komt en waar ze altijd mee loopt te showen in mini-jurkjes uit de jaren zestig (zelfs nu ze negen maanden zwanger is), heeft rode lippen en kastanjebruin haar dat ze nonchalant warrig opgestoken draagt. Haar man, fotograaf Fraser, is ook mooi, maar dan op een klassieke manier met een broeierige blik in zijn bruine ogen en een duur kapsel dat er zorgvuldig slordig uitziet – even warrig als dat van Jim, wiens verwaaide look zeker niet zo bedoeld is. Waarschijnlijk krijgen ze beeldschone kinderen die model staan in tijdschriften voor kinderkleding en die Felix en Manon of iets dergelijks heten. En ze zijn zo verliefd dat je er haast misselijk van wordt. Zelfs na achttien jaar praten ze nog met elkaar alsof ze net getrouwd zijn. Fraser was er natuurlijk bij op het babyfeestje. Hij heeft de hele middag zwangere vrouwen zitten charmeren en dartelde rond in zijn nerdy-chique vest.

Sinds ik Julia over de baby heb verteld is ze een kei geweest, zo ontspannen over de hele situatie. Net als de meeste getrouwde stellen zei ze: 'Dat vind ik een perfect plan! Ik zou graag een plek hebben om me terug te trekken als ik Fraser zat ben!' Ik heb gisteren koffie gedronken met Rachel en Tilly, en Rachel zei hetzelfde, maar ik weet dat ze het geen van beiden menen. Ze proberen me alleen maar gerust te stellen. En toch heb ik na het feestje de hele weg naar huis zitten huilen. Al die vrouwen die hun toekomst uitgestippeld hebben, die weten waar ze mee bezig zijn. Ze rommelen niet maar wat aan net als Jim en ik. Wij gaan tegen de gevestigde orde in en we doen alsof het er niet toe doet.

Maar het doet er wel toe. Ik wou dat het anders was, maar zo is het nou eenmaal. Het doet er wel toe dat ik mijn eerste kind niet krijg met iemand die van me houdt. Het doet er wel toe dat mijn leven voorgoed ingewikkeld zal zijn en dat ik nooit een uitslaapdriedaagse met Laurence zal kunnen houden omdat ik permanent een baby aan mijn tepel heb hangen. En misschien nog wel het belangrijkste: het doet er wel toe dat dit kind, dat er niet om heeft gevraagd geboren te worden, een moeder krijgt die bijna dertig is en niet zelf naar huis kan rijden, geen condooms gebruikt en een nogal verwrongen idee heeft van 'vrienden'.

In deze negatieve stemming kom ik de donderdag na het babyfeestje bij dokter Cork voor mijn zestienwekenecho. Als ik binnenkom zit ze naar klassieke muziek te luisteren. Ze zit aan haar mahoniehouten bureau en is bezig een recept uit te schrijven. 'Fantastisch, hè?' mijmert ze met haar ogen dicht terwijl ze met een pezige arm de maat slaat. 'Dit is *The Lark Ascending* van Vaughan Williams. Ik word er helemaal blij van!'

Ik kijk haar somber aan.

'Goed.' Ze kijkt me aan en tuurt daarna bijziend naar mijn buik. 'Zijn we al zestien weken heen?'

'Yep,' zeg ik zo opgewekt als ik maar kan. Dokter Cork lijkt me niet het type dat graag klagende patiënten heeft.

'Deze zwangerschap gaat als een trein, hè?' zegt ze enthousiast. Ze beent naar de stereotoren – die ook in zwaar meubilair is gehuisvest – en zet de installatie uit waarop (dokter Cork is een groot voorstander van de omgekeerde vraag) *Onward Christian Soldiers!* klinkt (en van religieuze geloofsuitingen zo nu en dan).

'Ga eens lekker liggen en doe je shirtje omhoog. We gaan eens kijken hoe goed het treintje rijdt.'

Ik klim op het bed. Buiten miezert het. Ik zie de regen in vegen tegen het raam gesmeten worden om daarna mistroostig over het raam omlaag te druipen als roomgebakjes. Ik trek mijn shirt op en rol mijn slip omlaag tot op mijn heupen. Dokter Cork drukt het echoapparaat op mijn buik en glimlacht naar me. Ik heb altijd een vals soort plezier in het feit dat zij een bruine rokersglimlach heeft en toch arts is; niemand is perfect, hè? Ze schuift het echoapparaat wat rond en glimlacht weer naar me. Dan wachten we. Vijf seconden. Zeven seconden. Het is nu meer dan tien seconden. Ze verschuift hem nog eens en schraapt haar keel. Ze ziet er bezorgd uit; moet ik me ook zorgen maken? Hadden we nu al iets moeten horen? Stel dat we nooit iets horen, zou dat het einde van de wereld zijn? Misschien is het niet de bedoeling dat ik moeder word, althans niet nu. Misschien sta ik straks weer buiten, krijg ik dit kind niet, begin ik opnieuw iets met Laurence en krijg ik een nieuw kind, zonder al deze complicaties. Het komt in me op dat ik misschien niet zo bezorgd ben als ik zou moeten zijn. Of misschien gaat mijn verbeelding met me op de loop en spiegelt ze me allerlei griezelscenario's voor om me lekker te laten schrikken. Die duistere gedachte dreunt door mijn hoofd. Bonk, bonk, bonk. Dan dringt het tot me door dat het niet het dreunen van mijn duistere gedachten is, maar dat van het hartje van mijn kind, duidelijk en regelmatig als een treintje. Ik voel opluchting, onverhoedse, heerlijke opluchting waardoor ik bijna lachend uitroep: 'Daar heb je het! Ik hoorde het!' En daar hoor ik het weer, ik voel een wilde vreugde, samen met een flauwe, maar nadrukkelijke zweem van ongerustheid. Deze baby komt eraan, of ik het nu leuk vind of niet.

Ik zit nu tegenover dokter Cork en ze krabbelt aantekeningen op, waarbij ze me af en toe van onder haar pluizige pony aankijkt.

'Zo,' zegt ze. 'Het kind is sterk als een paard, maar hoe gaat het met mama, hmm? Hoe is het met mama?'

'Goed, hoor,' zeg ik dan, mijn schouders ophalend. Het duurt altijd even voordat ik doorheb dat ik die 'mama' ben.

'En papa? Hoe vindt papa het dat hij vader wordt? Verheugt hij zich erop?'

'O, die zit te popelen om vader te worden.'

'Is hij de kinderkamer al aan het schilderen?'

'Nou, nee. Nou, eigenlijk...' Ik haal diep adem. 'Ik slaap in wat eigenlijk de kinderkamer moet worden, dus, eh... Ik weet nog niet hoe we dat gaan doen.' Ik lach nerveus.

Dokter Cork slaat haar benen over elkaar en denkt daar even over na. Het kraken van de houten vloer klinkt ineens oorverdovend. 'Dus jij slaapt in wat de kinderkamer wordt...' Haar stem sterft weg. 'Bedoel je dat jullie samen slapen in wat de kinderkamer gaat worden? Dus jullie hebben maar één slaapkamer?'

'Nee, we hebben er twee.'

'O.' Ze ziet er verbijsterd uit. Dokter Cork is het type dat alles goed wil begrijpen. 'Dus jullie slapen op dit moment niet in dezelfde slaapkamer maar...'

'We zijn geen stel,' zeg ik maar eerlijk. Ik kan er niet meer tegen om dit te laten voortduren. 'We hebben niets met elkaar. Eigenlijk waren we gewoon vrienden – vrienden die het af en toe met elkaar deden, oké, maar toch gewoon goede vrienden.' Dokter Cork gaat rechtop in haar stoel zitten en kijkt ineens geïntrigeerd. 'En op een avond bij Jim thuis – Jim is de vader – waren we allebei behoorlijk dronken en ik heb mijn rijbewijs nooit gehaald omdat mijn moeder geen rijlessen voor me wilde betalen want ik zou tijdens de eerste les de motor toch maar opblazen of tegen een lantaarnpaal op rijden.' Ze glimlacht. 'En ik wilde niet met de nachtbus naar huis omdat er altijd hele hordes rare figuren in meerijden, bovendien was ik stomdronken, tien biertjes op z'n minst. En van het een kwam het ander en zo vreeën we zonder condoom, toevallig op de vruchtbaarste dag in mijn cyclus.' Ik trek sarcastisch een wenkbrauw op. 'Ik had geen condoom, en dat is dom, ik weet het. Maar Jim ook niet, hoewel ik niemand de schuld wil geven. (Dat slaat nergens op, ik wijs altijd naar anderen.) En ik had zo'n dom kanten slipje aan met strikjes opzij omdat dat toevallig het eerste was wat ik beet had toen ik mijn hand in mijn ondergoedla stak, maar daar gelooft Jim niets van. Hij vindt mij een stout meisje.' Dokter Cork lacht een reutelende lach.

Niet te geloven dat ik dit aan mijn arts vertel! Als ze geen pakje peuken en een fles whisky in haar bovenste bureaula had liggen (jaja, er ontgaat me niets) dan had ik dat echt niet gedaan. 'En zo ben ik zwanger geworden en nu krijg ik een kind met mijn beste vriend – die niet mijn vriend is, nooit is geweest en nooit mijn vriend zal worden. En het ergste is dat het allemaal zo makkelijk voorkómen had kunnen worden.' Tot mijn afgrijzen schiet ik vol. Dokter Cork geeft me een tissue met een gezicht waaruit spreekt dat ik echt niet de enige hormoonslaaf ben die in haar spreekkamer instort.

'Het is dus niet zo dat je, nu je zwanger bent, andere gevoelens jegens hem...'

'Nee. Dat zegt iedereen al en voor u het vraagt: het was een gezamenlijke beslissing. Om niet ineens een stel te worden, bedoel ik.'

'Oké, maar jullie wonen wel samen, toch?'

'Ja.' Ik veeg mijn gezicht af met de tissue, en er blijft een dikke klont mascara aan hangen. 'Hij was zo vriendelijk om me gratis bij hem te laten inwonen, met mijn eigen slaapkamer, tot de baby er is en ik genoeg heb gespaard om een aanbetaling te doen op een flat.'

'En wat ga je dan doen?' vraagt ze op die nuchtere toon van haar.

'Weg bij Jim, denk ik, en in mijn eigen flat wonen, zo dichtbij mogelijk zodat we het kind samen kunnen opvoeden, co-ouderschap is de moderne term geloof ik,' zeg ik, me er maar al te zeer van bewust dat co-ouderschap in werkelijkheid helemaal niet zo hip is.

'O, dus hij wil er wel bij betrokken worden?'

Het feit dat ze dat vraagt, de mogelijkheid dat hij níét volledig betrokken zou willen zijn, komt me bizar voor. Ik besef dat ik daar niet eens over heb nagedacht. Misschien omdat Jim er nog nooit aanleiding toe heeft gegeven.

'O ja, Jim wil graag meedoen. Als ik hem niet tegenhield, zou hij nu al op zwangerschapscursus zitten, en een kinderwagen kopen om te oefenen. Hij verheugt zich meer op deze baby dan ik.'

'Dus je vertrouwt hem en vindt hem leuk, hij is een goede vriend, niet een of ander...' Ze buigt voorover en fluistert: '... neukmaatje?'

Ik schud beschaamd mijn hoofd. Nu ze dit zegt krijg ik pas een idee van hoe de meeste mensen onze situatie zouden kunnen zien: meisje heeft losse seks met jongen, meisje wordt zwanger, jongen neemt bij de eerste blik op de bolle buik de benen, maar zo is Jim niet. Zo cliché zijn we niet.

'Nee. Néé.' Ik leun voorover en zeg met nadruk: 'We zijn heel goede vrienden. Jim is echt een geweldige vent, u zou hem wel mogen. Hij is grappig en helemaal zichzelf. Hij moet huilen om akelige dingen in het nieuws en hij gaat zo goed met zijn familie om... en dat zegt wel wat want het is net de *Addams family*, en hij is superlief tegen zijn moeder. Maar het is ook een taaie, snap je wat ik bedoel?'

'Hmm-mm,' zegt ze knikkend en glimlacht.

'Hij maakt zich niet druk om mijn hormonale gezeur en hij is trouw. Je kunt op hem bouwen, op Jim. Hij zal je nooit laten zitten.'

Dokter Cork blijft even met haar hand voor haar mond zitten en laat deze informatie bezinken. Dan buigt ze zich naar voren, legt haar handen op tafel en ze zegt: 'Dus, sorry, maar je moet het zeggen als ik mijn boekje te buiten ga, hoor. Zoals ik het begrijp is die man, die Jim...' ze telt op haar bleke, magere vingers af 'trouw, hij wil graag vader worden, je mag bij hem wonen zodat jij voor een aanbetaling kunt sparen. Hij heeft humor, hij is eerlijk en als klap op de vuurpijl was het niet alleen die ene keer dat jullie het deden, toch? Ik bedoel, jullie deden het toch al af en toe met elkaar?'

'Ja,' zeg ik tam.

'Dan moet je me maar op de vingers tikken als ik een irritante Ierse bemoeial ben,' zegt ze. Ze glimlacht. Ik glimlach terug en schiet tegelijkertijd weer vol. 'Maar waarom zijn jullie dan geen stel? Want ik kan je wel vertellen: dat soort mannen is met een lichtje te zoeken. De meeste mannen zouden het op een lopen zetten, en ik kan het weten.' Ze houdt haar hand half voor haar mond, alsof ze me een geheim vertelt, en zegt: 'Zo'n afgetobde kop krijg je alleen als je nogal eens fiks liefdesverdriet hebt gehad. Bovendien,' voegt ze er met glinsterende, toegeknepen ogen aan toe, 'denk ik dat je van die man houdt, is het niet?'

Ik lach kort en verlegen. Als je het zo stelt, valt er weinig tegen in te brengen, is het moeilijk te begrijpen waarom we niet bij elkaar blijven. Maar het is het laatste argument dat roet in het eten gooit. De kapotte stop in ons circuit.

'Ik hou wel van hem, we houden van elkaar. Maar we zijn niet, ik ben niet verliefd,' weet ik uiteindelijk uit te brengen.

'Aha,' zegt ze met een trage glimlach. 'Het bekende liedje.'

Ik loop door Camden Passage naar de metro en vergaap me aan dingen die ik me niet kan veroorloven. Dat was een beetje zwaar voor een controle. Toen ik naar binnen ging had ik daar zeker niet op gerekend. Maar ik mag dokter Cork wel. Haar stoere houding in het leven ten opzichte van de liefde staat me wel aan. Ze zet me aan het denken.

Maar ik weet ook dat ik gelijk heb. Ik houd wel van Jim, maar het is niet het soort liefde waar je een leven lang mee doet. Liefde is wat er gebeurde toen ik Laurence vorige week op Regent Street aan de overkant zag staan en voelde hoe de opwinding als een vlaag van verstandsverbijstering bezit van me nam. Liefde is wat er gebeurde toen hij me belde en vroeg of ik met hem uit eten wilde en ik zijn stem niet eens kon horen, zo hard klonk het geruis in mijn oren. Liefde moet duizelingwekkend, gekmakend zijn, met de ik-zou-voor-je-sterven-hartstocht – vooral in het begin – anders liepen we toch allemaal met het kind van onze beste vriend in onze buik en zouden we allemaal met onze platonische vriend voor het altaar staan?

Als ik om elf uur eindelijk het kantoor in kom, heeft Jocelyn 'zo'n blik' in haar ogen.

'Waarom heb jij zo'n blik in je ogen?' vraag ik terwijl ik mijn jas ophang.

'Wat voor blik?'

'Die blik die zegt: "Ik heb iets te vertellen maar je zult me moeten vastbinden en het met een tang uit me moeten trekken".'

'Nou zeg, wat bot,' zegt ze met haar mollige handen op haar gevulde heupen. 'Ik was gewoon blij dat je er was, meer niet.'

Vandaag heeft Jocelyn een blouse aan met een soort Pucci-print erop die onderaan vastgeknoopt is, zodat haar pafferige, bleke middenrif te zien is, en een witte driekwartbroek, afgewerkt met broderie.

'Hoe is het met de kleine aap?' vraagt ze onverstoorbaar.

'Wat? O, de echo. Ja, goed hoor, dank je, Jocelyn,' zeg ik. 'Zijn hartje klopt goed en mijn bloeddruk is ook goed.'

'Perfect. Is papa ook gekomen?' Ze vraagt het alsof dit de tweede vraag is van een lijst van honderd en ze die heel snel moet stellen om ze er allemaal uit te krijgen.

'Nee, hij moest lesgeven.'

'Lesgeven? Ik dacht dat hij in een bar werkte.'

'Doet hij ook.' Mijn geweten legt een knoop in mijn maag. 'Hij geeft les in een bar. Nieuwe barkeeper, snap je. Hij laat zien hoe het allemaal gaat.'

Voor ze me nog iets kan vragen, pak ik de *Mirror* van Jocelyns bureau en loop naar mijn eigen bureau. Ik vervloek mezelf vanwege die astronomische leugen. Het blijft me verbazen hoe makkelijk enorme, flagrante leugens mijn mond uit floepen. Het lijkt wel alsof ik eerst een enorm schandaal heb veroorzaakt door zwanger te worden en nu denk: ach, dit kan er ook nog wel bij! Een paar minischandaaltjes erbij, daar ligt niemand wakker van. Maar ik lig er wel wakker van, alleen weet ik niet meer hoe ik ermee moet ophouden.

Terwijl ik naar mijn plaats loop, staat Anne-Marie op een kruk nieuwe onderwerpen op het whiteboard te schrijven. Achter mijn naam heeft ze geschreven:

Swinger vermoord

Mijn hond is een datinggoeroe

Ik houd nog steeds van mijn olifantman

Ik ben zo diep verzonken in wat er staat dat ik niet zie wat er op een geeltje staat dat aan mijn monitor hangt. Hij is in Anne-Maries handschrift en heeft als aanhef: *Hij wiiiil je!!! Girlfriend...* Waar ik erg om moet lachen omdat ze nooit dat soort woorden gebruikt. Onze nieuwe zwarte stagiaire uit Atlanta wel. Het briefje gaat door... *Laurence heeft gebeld, 10.10 uur, om 20.00 uur afspreken op halte Angel. Trek iets lekkers aan, hij zal je verwennen!*

Ik lees het briefje en vergeet even al mijn zorgen en alle complicaties, waarna de stress weer toeslaat door mijn realiteitszin en angst.

'Heb je, eh...' Anne-Marie is nog op het whiteboard aan het schrijven en ik praat tegen haar rug, niet in staat te slikken. 'Heb je Laurence echt gesproken, Anne-Marie? Met hem gepraat over de baby, over vader worden... of zo... toevallig?'

Want als dat zo is doe ik je wat. En mezelf. Dan sta ik lekker te kijk als enorme fantast!

Anne-Marie blijft schrijven en ik weet niet of ze me heeft gehoord. Dan mompelt ze, zo vaag en zacht dat ik mijn nek moet uitrekken om het te horen.

'De echo... ja, eh...' Ik weet niet of ze dit expres doet om het spannend voor me te maken – zo verknipt doet ze wel meer – of dat ze zich gewoon probeert te concentreren. Er volgt een kwellende stilte waarin ik het ergste verwacht en dan zegt ze: 'Nee, nee, nu ik erbij stilsta. Ik heb hem niet zelf gesproken.'

Ik mime 'dank je' en spring inwendig een gat in de lucht.

'Hij heeft duidelijk geprobeerd je te bellen.' Ze komt van de kruk en draait zich naar me om. 'Maar kennelijk werd hij doorverbonden naar Jocelyns toestel want hij heeft een bericht achtergelaten. Ik heb het alleen voor je opgeschreven.'

'O.' Nu kijk ik haar stralend aan. 'Bedankt, Anne-Marie. Dat is super.'

Jocelyn komt de hoek om waggelen, met dijen die langs elkaar schuren en haar felgekleurde haar dat alle kanten op zwaait. 'En, heeft ze het gezien?'

'Reken maar van yes!' Anne-Marie klikt de dop op de stift en glimlacht dwaas naar me als een trotse tante. 'Die griet heeft toch maar weer geluk. Het meest romantische wat Greg ooit voor me heeft gedaan is me uitnodigen voor een Vega-mars en zelfs toen was hij verkleed als varken, dus het was niet bepaald...' ze trekt een uitermate on-erotisch gezicht, 'erotisch.'

De rest van de dag kan ik me niet concentreren omdat in mijn binnenste de opwinding borrelt en sist, en ik heb het gevoel dat als het eruit komt, ik dan hysterisch ga lachen en niet meer ophoud.

Een e-mail van Vicky haalt de glans er een beetje af...

Van: victoria.peddlar@hotmail.com
Verveel me dood, klant afgebeld, niets anders te doen dan nadenken over jouw intieme leven (ja toch?). En hoe gaat het? Hebben jullie al twee dezelfde badjassen naast elkaar hangen? Voelt het anders nu je samenwoont? Vast wel!! Jullie zijn net Ross en Rachel! Ik word gek van Rich. Ik heb hem al twee weken niet gezien. Zit de hele tijd in zijn kamer aan zijn script te werken (hij is gek). Als hij dan eindelijk naar beneden komt, krijg ik geen woord uit hem los.

Ik mail terug, zonder mijn mond voorbij te praten:

Aan: victoria.peddlar@hotmail.com
Van: tess_jarvis@giant.co.uk

Nee, sorry. Nog geen liefdesverklaringen en de kans dat ik een badjas koop die bij die van Jim past (heb je die van Jim gezien?) is nul komma niks.
P.S. Rich is duidelijk een gefrustreerde kunstenaar. Probeer een beetje mee te leven.

Na wat de langste middag in de geschiedenis lijkt, zit ik eindelijk in de bus naar huis, die Walworth Road op kruipt, met zijn 1 pond-winkels en Afrikaanse restaurants. Ik word in beslag genomen door de essentiële vraag: wat trek ik in godsnaam aan? Ga ik voor de tuniekblouse en loop ik het risico er een beetje truttig uit te zien, maar vestig ik tenminste geen aandacht op mijn buik, waar je natuurlijk erg op kunt afknappen; voornamelijk omdat ik in het stadium ben waarin ik eruitzie alsof ik de hele kaart heb besteld en daarna nog wat meer. Of kies ik iets strakkers, waardoor ik me potentieel sexier voel, maar er ook dik uitzie met kolossale borsten? Lastige keuze.

Ik hang mijn tas aan de trapleuning en roep richting keuken: 'Hoe was je dag, schat?'

'Amper tijd gehad om adem te halen,' roept Jim met gevoel voor drama. 'Absoluut knettergek.'

Ik doe mijn haar in een staart en slenter de keuken in. Ik verheug me op ons gebruikelijke praatje aan het eind van een werkdag, maar sta op de drempel stil. 'Wauw, jij hebt niet stilgezeten.'

De keuken ziet eruit als het laboratorium van Heston Blumenthal. Op alle pitten pannen, elke vierkante centimeter van het aanrecht bedekt met groenteschillen, zakjes kruiden, resten bloem en klodders saus. In de gootsteen staat een berg koekenpannen, grilplaten en allerlei kookgerei die ik niet eens kan thuisbrengen. Temidden van dit alles staat Jim met een schort voor waarop vlekken van iets tomaatachtigs zitten. Hij heeft de uitschuiftafel uitgeschoven en die versierd met flakkerende theelichtjes. Op de achtergrond klinkt zacht *The Divine Comedy*.

'Goeie genade, degene die langskomt staat een feestmaal te wachten.'

'Er komt niemand langs,' zegt Jim opgewekt, en hij haalt een zware aardenwerken schaal uit de oven. Mijn glimlach verstart. 'Ik bedacht dat je hier nu al twee weken woont en dat ik voor de gelegenheid een van mijn specialiteiten kon maken; eens echt voor ons koken om er een leuke avond van te maken, snap je.'

'Jim.' Ik denk dat ik het het beste nu kan zeggen. 'Ik kan niet blijven, het spijt me ontzettend. Ik moet weg.'

'O, moet je weg?' Jim kijkt me aan. Hij ziet er een beetje teleurgesteld uit, maar niet nijdig, hoop ik. 'O nou, geeft niet. Het was niet zoveel werk, hoewel,' hij zegt het met gevoel voor humor, maar ik krijg toch de indruk dat hij een beetje geïrriteerd is, 'ik wel zo vrij wil zijn je op de huisregel te wijzen, mevrouw Jarvis.'

'O nee, ik wéét het, het spijt me, het spijt me. Ik voel me heel schuldig! Ik had moeten bellen.'

'Visafval en wilde kabeljauw met puree van tuinbonen en ratatouille... Ach, dan heb ik zelf meer.'

'Wat jammer,' zeg ik, en ik denk: jezus, dat had weinig gescheeld. Net aan het slachtafval ontsnapt. 'Klinkt geweldig, Jim. Echt.'

Jim treuzelt wat en ik moet me douchen en omkleden maar vind het niet leuk meteen door naar boven te rennen nu hij zoveel moeite heeft gedaan. Dan zegt hij: 'En waar ga je heen? Een avond van je werk? Je zou toch tegen ze zeggen dat je het wat dat betreft rustiger aan ging doen?' Hij schuift een schaal courgette in de oven. Ik kijk op de klok en besef dat ik ongeveer vijfentwintig minuten heb voor ik weer weg moet.

'Het is niet voor mijn werk,' zeg ik. Door zijn bezorgdheid voel ik me nog slechter. 'Ik ga met Laurence en nog een stel mensen eten (leugens! Wat een leugens!). Gewoon een pizza happen. Sorry, ik had het eerder moeten zeggen.'

'Nee, het geeft niet,' zegt hij schouderophalend, en dan steekt hij zijn hoofd in een kastje op zoek naar een of ander kruid. 'Nou, misschien vraag ik Gina wel, die is terug uit New York.'

'Goed idee,' zeg ik, maar een pietsie jaloers omdat ze Jim heeft gebeld om te zeggen dat ze terug was en niet mij. 'Nou, die zal wel met haar foto's willen opscheppen en zin hebben in een gratis maaltje. Bel haar nu maar, voor ze gaat eten.'

Ik glip de keuken uit, sta twee minuten onder de douche en snij me twee keer bij het scheren van mijn benen. Ik gooi mijn kast open om mijn opties af te wegen. Ik pas wat zwangerschapskleren die nog kunnen doorgaan voor gewone kleren, maar word niet warm of koud van het resultaat. Dan krijg ik een inval – de luchtige jurktrui – is niet te gretig, verbergt eventuele ongepaste sporen van buikigheid (ik wil hem er niet met zijn neus bovenop drukken. Die tijd komt echt nog wel, als ik enorm ben en we niet meer kunnen doen alsof het niet waar is...) maar hij laat ook zoveel been zien dat hij sexy is. Ik combineer hem met kniehoge, suède imponeerlaarzen met hakken van tien centimeter. Terwijl ik mijn tas pak en de trap af ren, hoor ik Jim aan de telefoon met Gina praten over wijn, dus ik neem aan dat ze komt. Dat is goed, zeg ik tegen mezelf, goed dat hij al dat heerlijke eten niet voor niets heeft gemaakt. Maar ik voel nog iets anders, onder de oppervlakte. Iets wat de glans van de avond afhaalt, net als wanneer je op je vakantieadres aankomt en ziet dat het regent.

'Oké, ik ben weg,' zeg ik, en ik pak mijn sleutels van de bar. 'Veel plezier.'

'Jij ook,' zegt Jim terwijl hij iets uit de oven haalt. Dan draait hij zich om, kijkt naar me, en dan nog eens.

'Tjonge,' zegt Jim, terwijl hij de groenten naar één kant schuift. 'Je maakt er wel werk van, voor een avondje pizza eten.'

21

'Frank is op een pooltafel in een Griekse taverna verwekt. Ik had niet verwacht die vent nog eens te zien, laat staan dat ik zijn kind zou krijgen. Maar toen Frank vijf maanden was kwam Stef langs. Dat is nu tien jaar geleden en we zijn al vijf jaar getrouwd.'
Claire, 30, Worcester

Natte voetstappen weerklinken in het metrostation van Angel en elke keer dat er een donker hoofd de roltrap op komt, weer dat versnelde bonken van mijn hart. Ik sta onder de klok, naast een muzikant die *Have I Told You Lately That I Love You* op zijn panfluit speelt. Schutterig sla ik mijn armen voor mijn jurk over elkaar. En probeer – tevergeefs – in te ademen.

Ik zie nog een donker hoofd de roltrap op komen. O god, is dat hem? Het is de juiste matbruine huid, de lange, elegante neus. Ik loop naar de ingang en zwaai een beetje. Van de zenuwen fladderen mijn vingers als blaadjes aan een boom. Ik stel mijn gezichtsspieren in om er rustig en beheerst uit te zien als de man opkijkt, en dan besef ik, o, het is hem helemaal niet.

Ik kijk op de klok; het is nu tien over acht. Tien minuten te laat en geen telefoontje, geen sms'je, geen aankondiging 'misschien ben ik wat laat,' wat een beetje raar is omdat hij de hele avond heeft georganiseerd, maar ik maak me niet te veel zorgen. Om kwart over acht wél. Om drieëntwintig over acht ben ik pisnijdig. Maar net als ik de mogelijkheid sta te overdenken dat de schurk me een blauwtje laat lopen en of ik misschien een halfserieuze scheldkanonnade op zijn voicemail moet achterlaten, is hij er. Eerst de wenkbrauwen, dan de donkere ondeugende ogen die van links naar rechts schieten. De verlegen manier waarop hij kijkt, alsof hij niet wil dat ik hem naar mij zie zoeken, is eigenlijk onweerstaanbaar. Hij heeft een ribbroek aan die precies genoeg gedragen is en een soepel geweven, duur uitziend poloshirt. Natuurlijk is alles meteen vergeven. Maar ook als hij een nylon trainingspak had gedragen was alles vergeven geweest.

'O, dus je hebt besloten eindelijk eens te komen opdagen, hoe laat denk je dat het is?' zeg ik koket. Ik ga op mijn tenen staan om hem een kus te geven, Maar hij kust me niet terug; hij kijkt omlaag, zodat ik zijn lippen mis en mijn mond midden op zijn neus terechtkomt.

'Sorry.' Hij pakt tenminste mijn hand, zwaait die heen en weer. 'Ik...' Hij kijkt om zich heen, veegt denkbeeldig zweet van zijn voorhoofd. 'Ik moest iets in de stad doen en dat duurde langer dan ik had verwacht.'

'O, oké.' Het akelig holle gevoel van teleurstelling. 'Nou, als er iets is gebeurd, of van je een ontzettende rotdag hebt gehad...'

Nee! Nee, zeg dan niet dat we dit maar een andere keer moeten doen!

'Welnee, het gaat prima.' Uiteindelijk geeft hij me een kusje op mijn mond. 'Kom op, we lopen een eindje, dan kunnen we praten. Hoe is het, goeie dag gehad?' vraagt Laurence. We lopen naar buiten, een onverwachte zonnestraal in. De lucht ruikt naar nat asfalt en de rozen van een bloemenstal.

Ik ben naar de dokter geweest om naar het hartje van mijn kind te luisteren, het hartje dat nu in mij klopt, tegelijk met het mijne... Ik besluit dat dat misschien te veel informatie is.

'Ach, de gewone onzin op mijn werk. Ik moet volgende week een interview doen met een vrouw die denkt dat haar cockerspaniël haar keuze in mannen bepaalt.'

'Nee, ik bedoelde, hoe gaat het met jou? Je weet wel...' Hij kijkt naar mijn buik. Daarbij heeft hij die blik die Gina ook had in haar ogen, alsof ik stonk als ze te dichtbij kwam. 'Ben je misselijk? Ik bedoel, zijn er dingen die je niet mag eten? Is er iets wat je graag eet, zoals, ik weet het niet, zilveruitjes of zo? Dat eten zwangere vrouwen toch altijd?'

Laurence steekt een sigaret op en neemt een diepe haal. Hij zuigt hard voordat hij de rook naar opzij wegblaast. Ik kijk hem aan en lach.

'Nee, de misselijkheid is over, dank je. In het begin heb ik wat nare ongelukjes gehad, maar ik beloof dat ik niet over je heen zal braken in het restaurant. Gewoon eten is prima. Het enige wat ik echt niet mag hebben zijn schaaldieren, paté en rauwmelkse kaas.'

Geen woord over Bedales.

We lopen over Upper Street, tussen de kolkende mensenmassa van jonge, vrije (en babyloze) figuren door, van wie het weekend op donderdagavond begint, gewoon omdat ze niet tot vrijdag kunnen wachten. De laatste tijd is het weer wisselvallig geweest – hoosbuien, gevolgd door korte explosies van zonneschijn met de bijbehorende regenbogen, waarvan er zich nu eentje door de lucht buigt en de plassen die we ontwijken veelkleurig doet glinsteren.

We wijken uit voor een man met een hond en Laurence' hand raakt de mijne aan. Ik heb de neiging om hem te grijpen maar er lijkt een brede kloof tussen ons te bestaan. Laurence komt afstandelijk over, dat merk ik aan zijn lichaamstaal, de manier waarop hij rookt met in zijn ene hand de sigaret en zijn andere hand in zijn zak.

Ik vraag ook hoe het met hem is maar krijg weinig uit hem los, behalve dat hij kwaad is op zijn baas, die een 'arrogante zak' is (Laurence heeft soms iets van een verongelijkte tiener, dat komt doordat hij voortdurend de les gelezen wordt door zijn vader die leraar is) en kwaad is op de kok die een 'nutteloze zak' is. Dat is het gewoon, besluit ik. Hij is gewoon kwaad. Het heeft niets te maken met mij, de baby of iets wat ik heb gedaan. Als hij eenmaal zit en iets te drinken krijgt, komt het wel goed.

We lopen door langs The York, waar studenten buiten op de keien zitten met een glas cider in hun hand. Ik denk terug aan al die keren dat we, toen we een stel waren, hier op warme zomeravonden hebben gelopen van de metro naar mijn huis. Laurence hield altijd mijn hand vast, stevig en warm, alsof hij trots op me was. Hij was in veel opzichten wel niet altijd het betrouwbaarste vriendje, maar hij was degene die zijn gevoelens voor mij in het openbaar uitte: hij liet me in de pub bij hem op schoot zitten en streelde dan mijn bovenbeen, hij sloop van achteren naar me toe en stak dan zijn hand in mijn bloesje als ik aan de bar stond. Maar dat vond ik niet erg want hij was niet een of andere wellustige kerel, hij was mijn vriendje. Mijn bloedmooie, verbijsterende vriendje. Natuurlijk sputterde ik meisjesachtig tegen, rolde dan instemmend met mijn ogen als Gina naar ons keek en lachte: 'Jezus man, als je haar nog langer kneedt, worden het nog broodjes,' maar eigenlijk vond ik het heerlijk. Natuurlijk vond ik het heerlijk!

'En waar gaan we heen?' vraag ik opgewekt. Ik kijk op naar Laurence en ga over op een drafje om hem bij te houden. Stilletjes hoop ik dat het Frederick's is, bij Camden Passage, of misschien heeft hij gekozen voor knus en intiem bij The Elk in the Woods, of wil hij Frans en kaarslicht bij Le Mercury. Het kan me eigenlijk niet schelen zolang we maar snel te eten krijgen, anders bestaat de kans dat ik mijn eigen arm opeet. Laurence geeft geen antwoord en ik vraag me af of mijn vraag misschien tegen de etiquette indruist. Dan staat hij stil op de stoep, drukt zijn sigaret uit en zegt: 'Wacht hier even.'

Hij loopt een chic uitziend restaurant met donkere houten tafels en sneeuwwit tafellinnen binnen.

Dit moet het zijn, hij zal de manager wel kennen. Laurence is zo'n netwerker, waarschijnlijk kent hij iedereen in de horeca. Waarschijnlijk heeft hij een hoekje voor ons gereserveerd.

Hij praat even met de barkeeper terwijl ik me buiten een beetje dom sta te voelen. Maar in plaats van me naar binnen te wenken, zoals ik verwacht, beent hij naar de deur, zwaait hem open, mompelt een of andere verwensing en marcheert voor me uit. Mij laat hij gewoon staan. 'Kom, laten we gewoon gaan,' zegt hij, en hij steekt nog een sigaret op. Ik probeer hem bij te houden als een of ander dom, verward schoothondje.

'Wat is er gebeurd?' roep ik boven het verkeer uit.

'Niets,' zegt hij humeurig.

'Deden ze alsof ze niets van je reservering wisten?'

'Ja, zoiets. Het was toch een sukkel, we gaan ergens anders heen.'

We lopen maar door. Het zonlicht is overgegaan in een koele, lila gloed en ik voel alle levenskracht uit me wegglippen en mijn avondklok, het punt waarop ik alle communicatievaardigheden verlies, snel naderen. We steken over naar Le Mercury. Het metalen klakken van mijn stiletto's geeft me het gevoel dat ik voor schut sta, overdressed ben. Dit wordt duidelijk niet de avond die ik voor ogen had.

Maar mijn hoop herleeft als Laurence naar binnen stormt en met iemand probeert te praten die eruitziet als de manager. Waarschijnlijk familie, denk ik, Laurence is iets van plan, ik weet het gewoon. Maar ik zie de man rondkijken alsof hij reservetafeltjes zoekt en dan verontschuldigend zijn hoofd schudden. Laurence ziet er verhit uit en loopt naar de deur. Mijn stemming keldert.

Hij heeft nergens gereserveerd, hè? Zoals zoveel van Laurence' grote plannen en mooie gebaren komt er gewoon niets van terecht. Ik krijg het afschuwelijke, allesverterende pessimistische gevoel dat deze hele avond een soort moetje voor Laurence is, dat ik een onwelkome afleiding ben van wat hij hiervoor ook aan het doen was. Dat hij zich heeft bedacht.

Met dezelfde nukkige uitdrukking op zijn gezicht komt hij op me af. 'Kom mee,' zegt hij weer, 'we gaan.' Maar ik heb er genoeg van. Ik sta stil en sla mijn armen over elkaar. 'Je hebt nergens gereserveerd, hè?'

Laurence draait zich om – met zijn donkere, reebruine ogen (god, ik wou dat hij niet zo mooi was) – en maakt een cynisch geluid.

'Ik vind het niet erg, hoor (dat is gelogen) maar zeg het nou maar, want ik ben zwanger, snap je, en ik moet gewoon eten. Anders begin ik straks mijn eigen maag te verteren.'

Laurence wrijft over zijn voorhoofd en slaakt een zucht alsof hij in de war is door hoe dit zo heeft kunnen lopen. 'Oké. Luister, het spijt me,' zegt hij. 'Ik wilde je naar een te gek Frans restaurant meenemen en je helemaal verwennen en er echt een bijzondere avond van maken. Maar toen kwam er iets tussen en je weet hoe dat gaat. Ik had opeens geen tijd meer.'

'Komt het door de baby, Laurence? Want als dat zo is, moet je het maar zeggen. Als je van gedachten bent veranderd.'

'Nee, het komt niet door de baby.'

Uiteindelijk wordt het de Pizza Express, en dat had ik prima gevonden als hij had laten weten dat het zo'n avond zou worden. Maar nu ik hier zit, volslagen misplaatst in mijn mooie mini-jurk, mijn smokey-eyes-make-up en hoge hakken, voel ik me grondig vernederd. We moeten zelfs nog eerst in de buurt iets gaan drinken omdat er pas om tien uur een tafeltje vrij is. Tegen de tijd dat we echt kunnen eten heb ik zo'n honger dat de pizza bij wijze van spreken al op is als ik ernaar kijk. En dat is het dan wel, dat is dan onze 'romantische' avond. We praten over koetjes en kalfjes en doen een halfslachtige poging om elkaar romantisch aan te kijken, alsof de gevoelens wel komen als je de handelingen maar verricht. Maar ik weet dat hij er met zijn gevoel niet bij is en ik vraag me af of ik dat nog wel ben. Door hem voel ik me een suffe bakvis, en zoals we hier zitten, op deegballen kauwend en met het felle licht boven ons hoofd, weet ik nu al niet meer hoe het verder moet.

Hij heeft het niet over Chloe en ik vraag er niet naar. Hij zegt verder niets over de baby en ik vertel hem ook niets. Na het eten glijd ik toch weg in een soort verteercoma en weet nog maar nauwelijks mijn ogen open te houden, laat staan dat ik belangrijke discussies over de toekomst aankan.

We staan nu buiten voor het restaurant en het is ineens ijskoud.

'Zullen we wat gaan drinken?' vraagt hij plotseling.

De gedachte aan alcohol stoot me voor het eerst af.

'Neu, dank je. Ik heb er niet zo'n zin in. Ik mag niet drinken, Laurence, ik ben zwanger, weet je nog?'

'Kom dan mee naar mijn huis,' zegt hij, terwijl hij een sigaret opsteekt.

'Nee, echt, ik ben kapot.' Ik sla mijn armen om me heen in een poging warm te blijven.

'Dan bel ik over een uur een taxi.'

'Laurence, néé.'

'Oké.' Glimlachend maar verslagen wendt hij zijn blik af en zet dan zijn kraag op. Dat staat hem goed, het trekt de aandacht naar zijn geprononceerde jukbeenderen.

'Oké, dan... Dan bel ik je komend weekend wel,' zegt hij, en hij doet met zijn handen in zijn zakken een stap naar voren.

'Oké.' Ineens wil ik wanhopig graag naar huis. 'Bedankt voor de pizza.'

Laurence lacht beschaamd door zijn neus. 'Jaja,' zegt hij. 'De volgende keer zal ik het beter doen.'

Er komt een taxi aan rijden. Ik houd hem aan, geef Laurence een kus op zijn wang en stap in. We rijden over Blackfriars Bridge, waar Londen een en al licht en kleur is en de boten onder ons door glijden, het leven doorgaat. En ik weet dat er geen volgende keer zal zijn.

Zodra ik mijn sleutel in het slot steek hoor ik gelach. Gina's gelach.

Het huis ruikt naar afgestreken lucifers, gestoofd fruit en Gina's parfum. Van Morrison staat op. Mijn cd.

'Hallo, jongens,' roep ik als ik binnenloop.

'Hé, hallo,' roepen ze allebei lachend en tegelijk terug.

Gina ligt uitgestrekt op de bank, met haar pas gebruinde voeten op Jims knieën. Er staan twee lege flessen wijn en ze hebben de volgende aangebroken.

'Hallo, vreemdeling.' Gina veegt een echte lachtraan van haar wang.

Ik kan me niet herinneren dat ik haar ooit zo heb zien lachen.

'Hoe was het met Le Cane?' Ze knipoogt nadrukkelijk naar me.

'Ja, goed, dank je.' Ik klink absoluut niet overtuigd. 'Hoe was New York, laten we het daar eens over hebben? Om te gillen, kennelijk.' Mijn scherpe toon komt voort uit een gevoel dat ik niet herken. Gelukkig zijn ze allebei veel te dronken om het te merken.

'Gewéééldig,' zegt ze dwepend.

'Je moet haar foto's zien,' zegt Jim.

'Michelle en ik willen er gaan wonen, ik zeg het je. Meest fantastische stad ter wereld.'

'En, heb je nog leuke mannen gezien?' vraag ik, en ik baal van New York, van dit hier, van alles. 'Je kent me toch?' zegt Gina met dikke tong.

'Dat vat ik op als een ja. En het eten? Heb je pannenkoeken, spiegeleieren en zo gegeten? Je ziet er nog steeds mager uit.'

'Geweldig, heb me helemaal lens gegeten.' Ze stoot Jim aan. 'Maar het haalde het niet bij wat ik vanavond heb gegeten.'

'O, ja. Hoe was het eten, Jim?'

'O, echt, om je vingers bij óp te eten,' zegt Gina gretig en voor haar beurt.

'Heerlijk, eigenlijk perfect,' bevestigt Jim met dronken, half geloken ogen. 'Maar we zijn een beetje dronken, sorry.' Om een of andere reden krijg ik van zijn verontschuldigende grijns de neiging hem een klap in zijn gezicht te verkopen.

'Je hoeft je niet te verontschuldigen,' zeg ik. 'Maar ik ben kapot. Veel plezier nog, vanavond, ik ga naar bed.'

Ik poets fanatiek mijn tanden en spuug in de wastafel. Waar kwam dat in godsnaam vandaan? Dat gevoel net? Het was als melk die zuur wordt, een verzuren van gevoelens. En ik herkende het niet. Het stond me absoluut niet aan. Beneden hoor ik nog steeds de geruststellende klanken van *Coney Island*. Gina zal wel naar Coney Island zijn geweest toen ze in New York was. Ze zal er Jim wel over vertellen. Ik loop de overloop op, ik hoor de kamerdeur opengaan, zacht gelach in de gang, het kraken van de voordeur. Gina gaat naar huis. Ik loop mijn kamer in en kijk door het raam. Buiten is de nacht zwart, zonder sterren en ik zie de rook van Gina's sigaret achter haar aan zweven terwijl ze wegloopt. Mijn kamer is koud. Ik trek de gordijnen dicht, stap in bed en doe het licht uit.

Net als ik in slaap sukkel dringt het plotseling tot me door: dat gevoel is jaloezie. Ben ik jalóérs? Dat zal wel door de hormonen komen, denk ik. Daardoor denk je niet helder. Twee uur later lig ik nog klaarwakker.

22

'Om tien over zes braken mijn vliezen, tien minuten na de laatste boot naar het vasteland. Angus werd gehaald door de huisbazin, in onze huiskamer op de grond, om tien voor twee 's nachts. Hij was de achtste baby die ze haalde en de zevende Angus in onze familie. De volgende dag was fantastisch. Het halve eiland kwam een kraamborrel drinken.'

Gillian, 61, het eiland Jura

Nu ik in bed lig en de strakke blik van Eminem beantwoord, besef ik dat ik aan een ernstig geval van zwangerschapsdementie geleden moet hebben om zelfs maar te dénken dat het iets had kunnen worden met Laurence. Na achtenveertig uur piekeren begrijp ik dat ik bespottelijke verwachtingen koesterde. Ik bedoel maar, wat dacht ik nou eigenlijk dat hij zou zeggen toen ik vertelde dat ik zwanger was?

'Geweldig! Ik krijg stoute fantasieën van lekkende tepels, en vrouwen die gaan huilen als ze niet met de blikopener overweg kunnen, vooral als het kind niet van mij is. En slapeloze nachten? Ben ik gek op. Wie wil acht uur per nacht slapen als je er drie kunt krijgen?!'

Gisteren belde Vicky me op mijn werk, 'gewoon om te horen hoe het gaat' en of ik Laurence al had gesproken, en zo ja, of ik mijn belofte was nagekomen en hem had verteld dat ik in verwachting was. (Ik heb haar niet over Sebastiaan de Slak verteld. Er zijn dingen in het leven die andere mensen gewoon niet hoeven te weten. Zelfs je beste vriendinnen niet.) Ik had de Pizza Express-avond in detail uit de doeken kunnen doen, maar eerlijk gezegd had ik daar geen zin in. In feite had de avond een negatief sociaal saldo gehad, zo negatief dat ik tegen haar heb gezegd dat hij niet heeft plaatsgevonden.

'Betekent dat dat je hem niet meer ziet?' vroeg ze ademloos. 'En dat jij en Jim...'

'Nee,' snibde ik. 'Het houdt helemaal niets in. Níéts betekent iets meer. Nooit meer.'

'Oké, dan hou ik mijn mond maar,' zei Vicky scherp. En dat was het dan. Ze heeft er niets meer over gevraagd.

Buiten begint de pneumatische boor. Ze zijn nu al weken aan het boren op Lordship Lane. Ik doe mijn ogen dicht en er trekt een beeld van Laurence voor mijn oogleden langs. Heel even sta ik het mezelf toe om me voor te stellen hoe het geweest zou zijn als alles anders was geweest: als ik het langer stil had gehouden, als ik hem over de baby had verteld als onze relatie in een verder gevorderd stadium was geweest. Als we getrouwd waren en naar Frankrijk waren verhuisd. Misschien had ik dan een baan bij *Paris Match* gehad, hadden we aan een door bomen geflankeerde boulevard gewoond, in een appartement met luiken, dan had ik in het weekend door de stad gereden op een fiets met mand voorop en baguettes in de mand gemikt, dit alles terwijl ik een flinterdun rokje droeg en een permanente uitdrukking van uitgelaten blijdschap op mijn gezicht... Maar dan besluit ik dat dat er allemaal niet toe doet, omdat, om met de koningin te spreken, uiteindelijk niets ertoe doet, omdat het leven gewoon doet waar het zin in heeft en hoe meer dat afwijkt van wat je verwacht, hoe moeilijker het is om je voor te stellen hoe het precies zou zijn.

Ik gooi het dekbed van me af en sta op. Ik trek de gordijnen zo hard open dat de runners bijna van de rail vallen.

Ik kijk naar de straat. Er staat er nu al een, en het is nog maar acht uur. Een droompapa en droommama met een droomkindje in een droombuggy. Als ik mijn ogen een beetje dichtknijp lijkt de man wel wat op Laurence: lang, met olijfkleurige huid, hetzelfde volmaakt gevormde hoofd. Ik zie ze in het zonlicht de straat uit slenteren, de man stilstaan om het kindje te drinken te geven, over zijn bol te strijken en teder iets uit het oog van de vrouw te halen en dan... Ach houd toch op, belachelijk mens, waarschijnlijk heeft hij al hun spaargeld vergokt.

Ik duik weer in bed. Als ik zo'n veertig minuten later weer wakker word is de zaterdag buiten al aan het opwarmen, net als de verhitte ruzie die in de keuken aan de gang is. Ik herken Jims stem onmiddellijk, geagiteerd maar beheerst. Maar er klinkt nog een stem, een die ik helemaal niet ken. Het is een meisjesstem die grenst aan het hysterische.

'Alsjeblíeft Jim, waarom niet? Je bent toch mijn broer?'

Tien jaar ken ik Jim nu, en ik heb zijn aan coke verslaafde zus nooit gezien. Ik ben onbehoorlijk gefascineerd en een beetje bang tegelijk.

Ik ga boven aan de trap zitten, zodat ik het beter kan horen, en sla mijn nachtpon om mijn knieën heen. Dat deed ik ook als papa en mama vroeger met vrienden zaten te kaasfonduen. (Er moet iets in die emmentaler hebben gezeten. Het liep er altijd op uit dat ze *Born in the USA* zaten mee te lallen.) Jims stem klinkt vermoeid maar resoluut.

'Luister, als je iets anders nodig had, zou ik je helpen. Dat heb ik vorige week nog gedaan en dat heb je helemaal verknald.'

Dawn was een uur te laat komen opdagen voor haar bijeenkomst met haar manager Verslavingszorg en ze was superhigh geweest. Jim had de hele dag vrijgenomen om erbij te kunnen zijn. Hij had het niet kunnen waarderen.

'Maar je kunt niet blijven logeren, het spijt me, maar het is gewoon niet eerlijk. Tess is zwanger en om heel eerlijk te zijn voel ik me er niet lekker bij als jij in deze toestand hier in huis bent. Hoe weet ik of ik je kan vertrouwen? Bij mama was je niet bepaald het toonbeeld van betrouwbaarheid.'

'Nou, je wordt weer bedankt!' Als Dawn opkijkt, zie ik dat ze, hoewel ze ooit waarschijnlijk mooi is geweest, er nu afgeleefd uitziet: eerder veertig dan drieëndertig. 'Denk je echt dat ik zo diep zou zinken dat ik van mijn eigen broertje ga stelen?'

'Ja. Je hebt al eens van je eigen moeder gestolen, waarom zou het bij mij anders gaan?'

'Omdat jij anders bent! Omdat jij mijn broer bent, omdat we altijd in hetzelfde schuitje hebben gezeten, jij hebt altijd voor me gezorgd.'

'Dat is afgelopen. Sorry, Dawn. Over een paar maanden krijg ik zelf een kind, ik kan niet meer op jou passen.'

Nu kan ik mijn nieuwsgierigheid niet meer bedwingen. Ik kruip zo stil mogelijk omlaag en tuur tussen de balustrade door, zodat ik haar beter kan bekijken.

Ze is lang en mager, net als Jim, en heeft highlights in haar haar dat ze in een rommelig knotje heeft opgestoken. Ze heeft dezelfde prominente neus. Maar ze ziet er ook opgetut uit, op een opzichtige manier. Ze heeft een afgeknipte spijkerbroek aan, een kort leren bomberjack en torenhoge houten sandalen met gouden spijkers erop. Elke keer dat ze haar armen beweegt, en dat doet ze de hele tijd, rammelen de ongeveer twintig rinkelarmbanden om haar linkerarm luidruchtig.

Ze leunt tegen het aanrecht en bijt op haar nagels. De huid van haar buik is gevlekt, als een salami.

'Jij vindt mij maar een loser, een zielenpoot, hè Jim?'

'Nee, jíj vindt jezelf een loser. Ik vind alleen dat je hulp nodig hebt.'

'Ja, Jim!' Haar stem galmt door de keuken. 'En daar vraag ik ook om, daarom ben ik hier. God, jij vindt jezelf zo geweldig. Je bent zelf ook niet zo perfect, hoor. Ik ben tenminste bij mama gebleven toen papa weg was. Ik ben hem tenminste niet gesmeerd naar vrienden toen ze me het hardst nodig had en de smerissen zes maanden lang midden in de nacht voor de deur stonden.'

Smerissen? Politie? Heeft de vader van mijn kind een duister crimineel verleden waar hij me nooit over heeft verteld?

'Hou toch op, Dawn. Dat is maar drie keer gebeurd. Jij was niet de enige die er last van had dat pa de benen nam, bovendien heb jij me sindsdien ruimschoots ingehaald. Ik ben tenminste niet gaan snuiven toen het leven een beetje lastig werd. Ik heb mijn leven tenminste op de rails.'

'Ik probeer het mijne op de rails te krijgen, daarom wil ik hier komen, om weg te zijn bij de dealers, mama en dat hele verdomde Stoke, want daar word ik gek van.'

'O, en jij denkt zeker dat je hier niet aan drugs kunt komen. Hier in Londen. Jezus, Dawn, wat ben jij naïef. Bovendien ben je nu al high, ik zie het aan je ogen.'

Er valt een lange stilte. Vanuit mijn ooghoeken zie ik dat Jim zijn hoofd laat hangen en naar zijn zus gaat om haar een knuffel te geven.

'Luister, het spijt me, Dawn,' zegt hij. 'Als het een andere keer was geweest en Tess niet zwanger was geweest, had ik misschien...' Maar ze schudt hem af.

'Dawn,' roept Jim haar na. Hij loopt achter haar aan naar de voordeur. 'O, stik toch, doe nou niet zo, luister...'

Maar het is te laat, ze is weg. Haar houten paalhakken klakken over het pad in de voortuin.

Jim slaat de voordeur dicht. 'Krijg dan de tering, stomme cokesnuiver,' hoor ik hem binnensmonds foeteren terwijl hij in zijn badjas wegsjokt. Onwillekeurig grinnik ik. Zo heb ik Jim nog nooit horen praten. Maar hij hoort me.

'Tess.' Van zijn gezicht zijn verrassing en schaamte af te lezen. 'Heb je daar al die tijd gezeten?'

Ik voel me schuldig en maak me klein. Hij maakt een geamuseerd tuttend geluid. 'Nou, da's mooi,' zegt hij terwijl hij weer de keuken in schuifelt. 'Dus nu weet je de waarheid over mijn gestoorde familie.'

'Maar gaat het wel met haar? Waarom mag ze niet blijven slapen?' vraag ik. Ik sta op en loop achter hem aan de keuken in.

'Nee,' zegt Jim en hij steekt een vinger naar me uit. Hij pakt twee broodjes uit het broodmandje. 'Gewoon nee, oké? Je hebt geen idee hoe ze is. Bovendien had je niet mogen luisteren.'

'Sorry,' mompel ik. 'Maar ik moet toegeven dat ik alles heb gehoord. Dus wat was dat over dat jij problemen met de politie had, hè?'

'O, niets. Gewoon een beetje joyriden.'

'Jóyriden!!? Gewoon een beetje joyriden?!'

'Ja, nou en?' De broodjes springen uit de broodrooster en Jim haalt ze eruit en legt ze op zijn bord. 'Mijn vader was net vertrokken en ik sloeg een beetje door, kom op zeg.'

'Heb je een strafblad gekregen?' Ik ben gechoqueerd. Jim lijkt altijd zo beheerst dat ik me niet kan voorstellen dat hij ooit heeft toegegeven aan puberale aanvallen. Ik loop achter hem aan de huiskamer in.

'Nee, wel een waarschuwing.'

'Heb je schade aangericht?'

'Wat, tijdens ons veertiendaagse terreurregime in Stoke-on-Trent?' schampert hij, en even zie ik die opgeschoten, brutale tiener. 'Een boom en het sleutelbeen van mijn vriend. En de auto van die vent, natuurlijk. Helaas voor ons was hij politieagent.'

Ik schiet in de lach. 'Jim, jij idioot, dat is echt weer iets voor jou. Moet je me nog iets vertellen? Over een geheim verleden als schandknaap? Dawn zei dat de politie een paar keer bij je moeder is langs geweest.'

'Dronkenschap en het verstoren van de openbare orde.' Jim hapt in zijn broodje. Ik krijg het idee dat hij nu begint op te scheppen. 'Ik ben gearresteerd wegens dronkenschap en een week later voor relschoppen.'

'Je meent het! Echt? Heb je een nacht in de cel gezeten?'

'In het ziekenhuis. Mijn vrienden en ik waren uit het politiebureau ontsnapt en ik bleef steken boven op een hek.'

'Om te gillen!' Ik lig dubbel van het lachen.

'Dat is niet grappig, Tess,' zegt hij. 'Ik ben bijna één bal kwijtgeraakt. Twee millimeter verder naar rechts en er was geen baby Ashcroft geweest.'

Jim slurpt van zijn thee en ik krijg het idee dat dit het einde van het gesprek is. Hij heeft een baard van twee dagen en heeft vandaag niet de moeite genomen zijn contactlenzen in te doen, gisteren trouwens ook niet. Niet dat ik hem gisteren veel heb gezien, hij was de hele avond bij Rotkop en toen hij thuiskwam is hij regelrecht naar bed gegaan. Hoewel dat ook kon komen doordat ik de bank in beslag nam met een haarband in mijn haar en tandpasta op mijn puistjes.

'Je bent zo goed voor ze, Jim,' zeg ik, en ik kijk hem aan. Hij wrijft uitgeput over zijn wang. 'Voor je zus en je moeder.'

'Ja, nou.' Hij glimlacht nuchter. 'Veel keus heb ik niet, toch? Ze zijn mijn familie.'

'Wil je erover praten?'

'Nee, maak je geen zorgen. Ik wil niet dat mijn disfunctionele familie je zaterdagochtend verpest. Of de mijne, trouwens. O, maar nu weet ik wat ik je nog moest vertellen. Er heeft vanochtend een kerel gebeld. Fraser of zo?'

'O, is ze bevallen?'

'Ja, een meisje, zeven pond en nog wat. Iedereen maakt het goed, alle vingertjes en teentjes zitten eraan, moeder en kind gezond...' Hij zwijgt even om na te denken. 'Wat moet je nog meer vragen als iemand een kind heeft gekregen?'

'De naam, Jim. Hoe heet ze?'

'O.' Jim veegt een kloddertje boter dat langs zijn kin druipt weg. 'Iets hips en buitenlands. Eerlijk gezegd heb ik het alleen uit beleefdheid gevraagd.'

'Jim! De naam is het belangrijkste. Was het Esmee?'

'Nee, dat was het zeker niet.'

'Giselle?'

'Wiewelle? Wat? Nee. Zo'n belachelijke naam was ik niet vergeten.'

'Manon?'

'Manón. Nou, dat is misschien iets. Ja,' zegt hij plotseling beslist. 'Dat was het, zeker weten.'

'Ik wist het wel,' zeg ik zelfingenomen, en ik neem een slok thee. 'Ik wist dat ze haar zo zouden noemen.'

Jim mompelt: 'Alleen vrouwen zouden zich opwinden over het raden van een naam.'

Een uur later ben ik op de bank geïnstalleerd. Jim zit opgekruld in de bobbelige leunstoel, met zijn benen opgetrokken. Hij heeft het reiskatern van de *Guardian* opgevouwen zodat hij het met één hand kan vasthouden en met de andere lokken haar om zijn vinger kan draaien tot ze stijf als slagroompieken overeind staan, waarna hij met de volgende begint; dat heeft tot gevolg dat hij een hoofd vol donkere stekeltjes heeft.

Ik kijk vanuit mijn ooghoeken naar hem. Het zonlicht valt door het raam en maakt de huid op zijn benen nog doorschijnender en zijn haar nog glanzender. Donker chocoladebruin.

Hij heeft een mooi profiel, Jim – het heeft iets te maken met die volle expressieve lippen, die hem een enigszins onnozel aanzien geven, en de uitdrukking alsof hij altijd op het punt staat iets te zeggen.

'Wat?' Jim betrapt me erop dat ik naar hem kijk.

'Wat?'

'Waar kijk je naar?'

'Nergens naar,' zeg ik. 'Ik kijk nergens naar.'

'Mooi,' zegt Jim, en hij kijkt weer in zijn krant. 'Ik dacht al dat er iets uit mijn neus hing.'

'Wat ben je aan het lezen?' vraag ik.

'De vijftig leukste gezinsuitjes.'

'Zitten er leuke tussen?'

'Ja, wel vijftig.'

'Mag ik ze na jou lezen?'

Hij knikt en gaapt.

We besluiten nog een rijles te doen.

Jim rijdt door Lordship Lane met zijn ene hand aan het stuur en zijn andere uit het raam.

'Gaat het wel, Jim?' vraag ik.

'Ja hoor, hoezo?'

'Je bent zo ver weg.'

'Het gaat best, ik ben gewoon een beetje moe.'

Stilte. We rijden verder, om de drukte van verkeersplein Goose Green heen en de Dog Kennel Hill op.

'Zit dat van je zus je nog dwars?'

'Nee, er is niets,' zegt hij kortaf. 'Hou erover op.'

Hij geeft richting aan en slaat dan rechts af, Sainsbury's op. Ik kijk hem verward aan.

'Waar ga je heen?'

'Waar denk je?'

'Je zei niet dat je inkopen moest doen.'

'Moet ik ook niet,' zegt hij. 'We zijn toch bezig met een rijles?'

Ik ben van slag door Jims humeurigheid, die helemaal nieuw voor me is. Ik weet niet hoe ik erop moet reageren. Maar stilletjes neem ik aan dat hij nog met Dawn in zijn maag zit, dus ik dring niet aan, maar houd mijn mond.

We rijden om de parkeerplaats heen, die op zaterdagochtend helemaal vol staat en waar gezinnen hun winkelwagentjes naar hun terreinwagens duwen. We rijden door naar rechts achterin. Daar stopt Jim in een lege hoek en zet de motor uit.

'Goed,' zegt hij, nu iets opgewekter. 'We gaan het straatje keren oefenen.'

We ruilen van plaats, waarbij ik probeer niet te laten zien dat ik zenuwachtig ben om iets te doen wat angstig duidelijk voor gevorderden is.

'Oké,' zegt Jim. 'Bij het straatje keren gaat het erom de auto van moeilijke plekken weg te krijgen, om hem in zo min mogelijk bewegingen met zijn neus de andere kant op te krijgen.'

'Je bedoelt drie?' zeg ik.

'Ja,' zegt hij, 'maar je hoeft niet blasé te doen.'

Ik onderdruk de neiging om hierop te reageren. Als er iemand blasé doet, is het Jim! Jim legt de procedure uit en we doen een eerste poging, maar mijn hoofd loopt om en ik verknal het. Zodra ik optrek, slaat de motor af.

Jim zucht vermoeid.

'Geeft niet, je gaat wat te snel. Doe rustig aan,' zegt hij.

Ik haal diep adem en begin opnieuw. Ik zet de auto in de eerste versnelling om naar rechts te draaien. 'En nu?' vraag ik.

'Achteruit,' zegt hij. 'Zet hem in z'n achteruit.'

Ik probeer hem in z'n achteruit te zetten, maar de koppeling slipt en de motor protesteert luid ratelend.

'Wat doe je nou?' zegt Jim.

'Mijn best!' zeg ik. 'Beetje geduld, graag. Jim?'

Ik kijk hem aan, maar hij zit al naar me te kijken.

'Ja?'

'Denk jij dat we met z'n allen op vakantie gaan? Ik bedoel, wat denk je dat ons kind zal doen met vakantie, doordat wij niet bij elkaar wonen?'

Jim trekt een wenkbrauw op als om te zeggen: ik blijf me over jou verbazen. Dan laat hij zijn hoofd tegen de hoofdsteun rusten, met zijn armen achter zijn hoofd.

'Heeft dit te maken met dat artikel dat ik aan het lezen was?' vraagt hij. 'Jemig, wat ben je toch overgevoelig. Jij loopt altijd ergens over te piekeren.'

Daar zit wat in. Nu mijn fantasie – hoe idioot die ook was – over dat het iets wordt tussen Laurence en mij, en misschien zelfs samen een gezin stichten nu echt permanent van de agenda is, richten mijn gedachten zich op Jim, de baby en mij, en op hoe we het gaan organiseren te midden van deze steeds ingewikkelder wordende omstandigheden.

'Ja, op dit moment wel, ja,' zeg ik, nu geïrriteerd. 'Het is nogal wat, een kind krijgen, vooral op deze manier. Denk jij niet na over zulke dingen?'

'Niet als ik probeer rijles te geven, nee. Doe je linkerarm omlaag, en probeer een mooi, klein bochtje te maken.'

Ik voel me beledigd door zijn neerbuigende houding, maar probeer te doen wat hij zegt. Ik geef te veel gas en mijn bocht is veel te wijd.

'Tess! Probeer je eens te concentreren. Alsjeblíéft zeg.' Hij kijkt naar buiten en mompelt een krachtterm.

Ik haal mijn handen van het stuur en kijk hem woedend aan.

'Nou, jij zou ook geen beste rij-instructeur zijn!' zeg ik. 'Je gaat door het lint terwijl ik mijn best doe.'

Jim lacht gefrustreerd. Ik verrek mijn nek bijna in een poging hem aan te kijken, maar hij kijkt naar buiten. 'Je bent van streek over je moeder, hè?' zeg ik. 'We kunnen dit best een andere keer doen, als je in een beter humeur bent.'

'Ik heb geen slecht humeur!'

Ik schrik me dood en trek me terug.

'Schiet nou maar op, oké? Gewoon keren.'

'Uw wens is ons bevel,' mompel ik. 'Je zegt het maar.'

Ik rij een stukje vooruit en zet hem weer in zijn achteruit. Jim kijkt me aan en schraapt zijn keel.

'Als je een antwoord op die vraag wilt: nee. Ik denk niet dat we met z'n allen op vakantie gaan, niet als jij een vriend hebt. Ik ben Bruce Willis niet, snap je. Linkerarm omlaag, en nog eens proberen.'

Deze keer doe ik het goed en maak ik een net bochtje, precies zoals hij heeft gezegd, dus we kijken nu naar de zee van geparkeerde auto's.

'Wat bedoel je daarmee?' vraag ik, terwijl ik heel goed snap wat hij bedoelt. We hebben uren naar die foto's in *Vanity Fair* zitten kijken. Bruce Willis die in zijn blote bast met zekere hand de speedboot bestuurt waarin zijn ex-vrouw Demi Moore zit te zonnen, met haar haar in de wind en haar arm om Ashton Kutcher; het toonbeeld van een samengesteld gezin op vakantie. Ik weet nog dat ik dacht: wat geweldig, wat ontzettend modern. Maar ook ontzettend onwaarschijnlijk dat dat in het echte leven zou lukken.

'Je weet best wat ik bedoel,' zegt Jim.

'Ja, oké, ik weet wat je bedoelt. Maar het komt niet allemaal aan op wat ik doe, toch?' merk ik op. 'Jíj zou ook een vriendin kunnen krijgen.'

'Dat is zo, je hebt gelijk. En ik weet zeker dat ik een sexy meisje van twintig aan de haak sla. Maar dan verwacht ik niet dat jij met ons meegaat op vakantie.'

'Dat bedoel ik ook niet!'

'Mooi! Denk maar niet dat ik je zou vragen!'

'Dus we kunnen gevoeglijk aannemen dat ons kind nooit met zijn biologische ouders op vakantie zal gaan?'

'Dat denk ik, ja. Dat kunnen we gevoeglijk aannemen. Schiet nou maar op.'

'Waarmee?'

'Dat keren, Tess! Je hebt nu de helft gedaan. Erg slecht, overigens.'

Ik kijk Jim aan. Zijn groene ogen glinsteren van ergernis, zijn haar staat nog in dwaze pieken overeind en zijn gezicht is vaal door slaapgebrek. Hij heeft een enorme sweater met capuchon aan met de naam van een hiphoprapper erop van wie hij nog nooit heeft gehoord, maar hij heeft hem op een rommelmarkt van de zesdeklassers gekocht en neemt daarom aan dat hij cool is, en een slobberige, vale glanstrainingsbroek van Adidas met daaronder zijn Reebok Classics. Maar het geheel is merkwaardig aantrekkelijk, onrustbarend aantrekkelijk, en om een of andere domme reden laat ik de koppeling opkomen en geef meer gas dan strikt noodzakelijk is.

'Remmen! Tess! Trap de rem in!'

Dat doe ik. Net op tijd. Een paar centimeter van een mooie, zwarte Saab. Jim kijkt me sprakeloos aan en doet dan het portier open. Dan stapt hij uit, duwt het dicht en loopt heel beheerst weg.

Ik zit in de auto met mijn knieën te wiebelen. Mijn hart gaat tekeer en mijn hoofd slaat op hol. Wat heb ik toch? Mijn emoties gaan met me aan de haal. Vicky's *Zwangerschapsgids, tips van je beste vriendin* heeft me gewaarschuwd dat ik onsamenhangend zou gaan denken, maar ik had niet verwacht dat het zo snel zou gebeuren. En zo volledig.

Er wordt op het raampje geklopt. Jim is er weer en heeft bekertjes van de Starbucks bij Sainsbury's in zijn handen.

Hij doet de auto open, stapt in, geeft me een warm kartonnen bekertje en begint uit zijn eigen beker te slurpen. 'Klaar?' vraagt hij. 'Want ik ben er zeker klaar mee.'

'Ja hoor.' Ik staar recht voor me uit. 'Ik denk dat het nu wel uit mijn systeem is.'

23

'Ik ben vanuit Zimbabwe gekomen om de tumor in mijn ruggenmerg te laten weghalen. Ik wist dat er vijftig procent kans was dat mijn onderlichaam verlamd zou raken. Toen ik wakker werd, vertelde een verpleegster me voorzichtig dat ik bij de vijftig procent hoorde die pech had. Maar ze vertelde me in één adem door dat ik zwanger was. Ik heb de baby Kayode genoemd, dat betekent "hij brengt vreugde". Hij is het enige waarvoor ik wil blijven leven.'

Betty, 39, East Finchley

Het zou niet zo erg zijn als ik alleen met mijn gevoelens en verwachtingen aangaande Laurence (hoezeer die ook de bodem zijn ingeslagen) te maken had. Maar nee, dankzij Anne-Marie en mijn eigen lafheid en stommiteit heb ik ook met die van het grootste deel van mijn collega's te maken.

'En vertel eens, doe je nog aan seks als je zwanger bent? Of krijg je dat gevoel...' Anne-Marie prikt met een vinger in een gebalde vuist, 'dat hij tegen het hoofdje duwt?'

'Sst! Jezus, Anne-Marie.' Jocelyn kijkt om zich heen of niemand het heeft gehoord. 'We staan hier in een gezinsrestaurant en dat is toch écht onder de gordel.'

Ik lach nietszeggend en bid in stilte dat ze hun mond houden over Laurence. Als ik had geweten dat we het over Laurence zouden gaan hebben, zou ik waarschijnlijk een andere groep hebben gekozen om de taak van vanochtend mee te verrichten.

Judith was vanochtend weer lekker op dreef. We moesten in haar kantoor komen om te horen dat we geen flauw benul hadden van wie onze doelgroep was en dat we in het Luilekkerland leefden waarin iedereen in de media werkte en waar men tijdens de lunch naar Yo

Sushi gaat. (Waar heeft zij de afgelopen eeuw gezeten? Met mijn schamele loontje kan ik met een beetje geluk nog net sushi bij de supermarkt halen.)

Ze eiste dat we ons in groepen verdeelden en stuurde ons naar verschillende eetgelegenheden waar we moesten lunchen en een praatje moesten aanknopen met lezers van *Believe It!* om een opiniepeiling te houden over of Fern Britton haar fans nu had bedrogen door een maagband te laten plaatsen of niet (de meeste lezeressen wilden alleen maar weten waar ze zelf een maagband konden laten plaatsen). Ik koos voor de McDonald's op de South Bank omdat het dichtbij was. Maar nu wilde ik dat ik met Barry's groep was meegegaan naar Nando's bij de Elephant and Castle, dan was ik tenminste niet onderworpen aan deze ondervraging van Anne-Marie (journalisten zijn altijd het ergst).

We hebben het even niet over het detail dat ik Laurence niet meer zie, laat staan dat hij ooit de vader van mijn kind is geweest, maar hoe langer deze farce over de vaderschap voortduurt, hoe schuldiger ik me voel. Voordat je het aan me kon zien, voordat ik bij Jim introk, voordat ik me zo met Jim verbonden voelde, was het een idiote grap, iets waarvan ik echt dacht dat ik het in een wip kon terugdraaien. Er was alleen een hoop moed voor nodig om uit te leggen dat ik een beetje in de war was geweest in die eerste desoriënterende weken en dat ik me voor het blok geplaatst had gevoeld. Maar nu is het een donkere, spookachtige schaduw die me in de vroege uurtjes al wakker maakt en aan mijn geweten knaagt. Soms lukt het me pas tegen zonsopgang om in slaap te vallen, dan beslaat de schaduw mijn hele kamer en vervult hij me met paniek. Ondanks het feit dat Anne-Marie noch Jocelyn Laurence ooit heeft ontmoet, is hij in hun gedachten een droomman. Hij is Frans, hij stuurt me in een opwelling bloemen, hij verleidt me met spontane diners. En om het nog mooier te maken: het is een stormachtige romance, een heftige liefdesaffaire met baby, en dat binnen een paar maanden, wat kon er nu romantischer zijn? Het is belachelijk, ik weet het, maar eigenlijk wil ik hun dromen niet verstoren. Het feit dat mijn eigen dromen al in duigen zijn gevallen mag de pret niet drukken.

Ik zie Anne-Marie humeurig in haar frietjes prikken. Ze heeft de norse uitdrukking op haar gezicht van iemand die weet dat ze te ver is gegaan maar toch dolgraag een antwoord op haar vraag wil hebben.

'Dus ik neem aan dat die vraag te intiem is?' zegt ze, nadat niemand vijf minuten lang een woord heeft gezegd.

'Oké,' zeg ik zuchtend. 'Ja, natuurlijk kun je nog vrijen als je zwanger bent, en nee, ik heb nog niet het gevoel gehad dat hij tegen het hoofdje zat.'

Jocelyn klakt afkeurend met haar tong, maar ze wilde het antwoord net zo graag horen als Anne-Marie, dat weet ik gewoon.

'Nou, ík wil iets over de romantiek weten,' zegt ze. Ik word overspoeld door een golf van misselijkheid. 'Hij zal je wel ontzettend mooi vinden. Een natuurlijke schoonheid, zoals God het heeft bedoeld?' Dromerig doet ze haar ogen dicht. 'Een naakte zwangere vrouw is grandioos, heb ik altijd gevonden.'

Anne-Marie lacht, en er spat een beetje sap van de hamburger uit haar mond. (Ze heeft ons laten beloven dat we het haar Vegetarische Vriendje nooit zullen vertellen. Oog in oog met een Big Mac werd haar wilskracht gewoon net een beetje te veel op de proef gesteld.)

'Dat weet ik nog zo net niet, Joss,' zeg ik, inwendig ineenkrimpend bij de herinnering aan de vorige keer dat Laurence me zonder kleren heeft gezien. 'Zo sexy zie ik er zonder kleren niet uit, hoor.'

'Maar het is allemaal zo snel gegaan, dat is juist zo mooi!' zegt ze hartstochtelijk. 'Als een vrouw zwanger raakt heeft ze meestal al jaren iets met haar man, en, je weet wel,' ze trekt rimpels in haar neus, 'dan is hij niet meer zo happig.'

'Jócelyn!' Soms sla ik stijl achterover van Jocelyns gebrek aan zusterschap.

'Maar jullie, Laurence en jij, dit is allemaal op de eerste golven van liefde gebeurd, een baby die uit echte hartstocht voortkomt!'

O god, hou toch alsjeblíéft je kop.

'Hij zal wel een heel Lekkere Papa op school zijn,' zegt Anne-Marie, die de augurk uit haar Big Mac vist.

Waarom vermoed ik nu dat Anne-Marie vroeger zo over alle papa's van vriendinnen dacht?

'En wanneer krijgen we hem te zien, deze Laurence?' vraagt Jocelyn.

'Ja, wanneer kunnen we Lekkere Papa in levenden lijve aanschouwen?' voegt Anne-Marie eraan toe.

'Snel,' zeg ik. 'Misschien op de borrel als ik met verlof ga.'

Misschien? Nooit, zul je bedoelen.

'Iemand warme appeltaart?'

Die middag op het werk zijn ze niet te genieten. Jocelyn en Anne-Marie willen het Laurence-verhaal gewoon niet met rust laten. Hoe ziet hij eruit? Olijfkleurige huid? O, dan wordt de baby mooi bruin! Gaat hij Frans met de baby spreken? Tweetalige kinderen, wat exotisch! Grappig; Sonya, onze nuchtere beeldredacteur die zelf een kind heeft, heeft wat realistischer vragen. Maak ik me geen zorgen dat een pasgeborene alle kans dat onze relatie echt vorm krijgt de grond in zal boren? (Die relatie ligt al onder de zoden, dank u wel.) Heb ik nagedacht over de vraag of dit gewoon lust is in plaats van liefde en wanneer de werkelijkheid van de baby zich aandient, dat we er dan plotseling tot over onze oren in zitten? (Daar is hij al achter.)

Soms is zwanger zijn net alsof je een vetbolletje bent dat buiten in een boom hangt: iedereen kan iets uit je komen pikken, op je kauwen en je uitspugen. Beseffen ze dan niet dat mijn hoofd al op springen staat van mijn eigen vragen, zorgen en angsten, zonder dat die van hen ook nog eens komen meedoen?

Eindelijk daalt in het kantoor de vijf-uurstilte neer; iedereen beseft dat hij maar beter wat werk kan verrichten. Er klinkt zacht toetsenbordgeratel, als de eerste druppels van een regenbui tegen het raam. Uit de neus van Brian Worsnop knalt een dramatisch harde nies. Ik blaas wat kruimels tussen mijn toetsen uit en klik zomaar eens mijn mailbox aan.

Van: victoria.peddlar@hotmail.com
Moet voor een klant in de stad zijn. Zin om met G en mij in CaH een glaasje shandy te drinken? Uur of 19.00... x

Godzijdank zijn er vriendinnen.

De Coach and Horses is binnen leeg; iedereen staat buiten op straat in de zon te drinken. Gina zit op een kruk op het verhoogde gedeelte en Vicky is bezig op haar rug te trommelen. Ik sta daar met twee tassen vol aankopen die aan mijn armen trekken.

'Hoi,' zeg ik als niemand opmerkt dat ik er ben.

'O, hoi,' zegt Vicky alsof ze inderdaad helemaal opgaat in het een voor een masseren van Gina's ruggenwervels. Gina heeft er een handje van om dit soort onverdeelde aandacht op te eisen.

Ik zet met een overdreven gekreun mijn tassen op de grond en ga op de kruk ertegenover zitten.

'Mag ik na haar?'

'Ik ben duur,' zegt Vicky. 'Als ik dit in mijn praktijk zou doen, zou het je veertig pond armer maken, dat kan ik je wel vertellen.'

Ik buk om Gina aan te kijken, die met haar kin op haar borst af en toe een goedkeurend gemompel laat horen als Vicky bij een bijzonder gespannen zenuwknoop komt.

'Dat komt zeker door al die seks in New York, hè, Gina?' gil ik bijna, zodat ze me kan horen boven het gebonk van *There She Goes* van The La's uit.

'Met Michelle alle platenzaken in dat verrekte Manhattan afzoeken, zul je bedoelen.' Ik duw een pijpenkrul voor haar gezicht weg.

'De wittebroodsweken zijn zeker voorbij?' zegt Vicky nuchter.

'Nee, we zijn nog heel verliefd, dank je. Maar natúúrlijk kan ze jullie niet vervangen,' zegt Gina. Dan zegt ze: 'Ha, dat is eigenlijk niet waar! Over een paar weken trekt ze in jouw kamer, Tess.'

Vicky klopt Gina op haar rug. 'Dat moet genoeg zijn,' zegt ze, en gaat weer bij haar glas wijn zitten. Vandaag heeft ze haar haar opgestoken – ze ziet er beeldschoon uit met haar haar omhoog, als de jonge Felicity Kendall maar dan veel minder bekakt.

Ik bestel mijn glaasje shandy aan de bar en ga zitten. De pub ruikt naar stof, naar zonlicht op fluweel.

'Hoe zit dat nou met dat verhaal over Laurence?' vraagt Vicky, waarmee ze me overrompelt.

'Welk verhaal over Laurence?'

'Over dat het weer aan is. Ik dacht dat hij niet eens had gebeld.'

Gina trekt een grimas als om te zeggen 'dat is nieuw', wat het natuurlijk ook is.

'Oké, we zijn uitgeweest. Maar ik heb niet de moeite genomen het jullie te vertellen, omdat het een rampenuitje was.'

Gina kijkt me aan alsof ze wil zeggen 'vertel mij wat,' en ze heeft natuurlijk gelijk.

'Nou, ik heb hem verteld dat ik zwanger was...'

Buiten laat iemand een glas vallen. Iedereen juicht. We wachten tot ze stil zijn.

'En, surprise, surprise, hij wilde het niet weten.'

'Maar hij heeft het toch wel met Chloe uitgemaakt? Toch?' zegt Vicky, al helemaal verontwaardigd namens mij.

'Ja,' zeg ik, 'hij had in elk geval het fatsoen om zijn eerste relatie uit te maken voordat hij de tweede uitmaakte. Maar om eerlijk te zijn, hij wist niet dat ik zwanger was toen hij het met Chloe uitmaakte. Hij heeft duidelijk meer gekregen dan hij had besteld.'

'Juist, dus hij heeft het niet op een lopen gezet zodra jij het hem hebt verteld?' Gina wil graag dat haar vriend er niet al te slecht van afkomt, en dat het allemaal niet te negatief op haar afstraalt.

'Niet direct. Hij schrok een beetje toen ik het hem vertelde – dat spreekt voor zich, denk ik – en toen zei hij dat hij erover moest nadenken. Daarna belde hij me toen ik met Jim in de Ikea stond om een ledikantje te kopen en zei dat hij tijd had gehad om na te denken en dacht dat hij het wel kon hebben. Toen gingen we uit eten maar ik kreeg het gevoel dat hij er niet helemaal bij was. Hij zei dat hij zou bellen, maar dat heeft hij niet gedaan. Dat was twee weken geleden. Ik snap eigenlijk niet waarom ik nog verbaasd ben. De man heeft me gedumpt – per e-mail nog wel. Waarom zou hij me in godsnaam nu willen, zwanger en wel?'

'O, kom op!' zegt Gina, die weer op haar kruk neervalt alsof ik iets heel oneerlijks zeg. 'Er is nog tijd genoeg! Hij kan nog steeds bellen.'

Ik trek mijn wenkbrauw ironisch omhoog.

'Hij belt niet, Gina, laten we reëel blijven. Na twee afwijzingen komt de boodschap wel over, hoor.'

'O, meisje, wat rot,' zegt Vicky, die haar best doet oprecht te klinken. 'Misschien zat het er gewoon niet in – tenslotte is hij een schorpioen en ben jij een boogschutter, dat combineert voor geen meter.'

'Lief dat je me een hart onder de riem wilt steken,' zeg ik glimlachend. 'Maar ik denk niet dat het aan astrologische tegenstellingen ligt. Ik accepteer nu maar dat het altijd een eikel is geweest...'

Gina moet eerder weg. Gina heeft altijd een leukere afspraak achter de hand. Vicky is nu een beetje aangeschoten. Ze legt troostend een arm om me heen.

'O, Tess Jarvis.' Ze omklemt me stevig. 'Het is natuurlijk rot van Laurence. Echt, ik vind het vreselijk. Ik weet dat jij weet wat ik van Laurence vind, maar ik weet ook hoe leuk jij hem vond, dus ik vind het heel erg voor je.'

'Hoeft niet, echt niet. Ik schaam me alleen dood,' zeg ik. 'Ongelooflijk dat ik het bijna met mijn ex heb gedaan terwijl ik zwanger was van een ander!'

'Wat! Heb je...?'

'O, god...' Inwendig krimp ik in elkaar. 'Daar heb ik je nog niet over verteld, hè?'

Als Vicky echt lacht, dan is het niet gewoon smakelijk lachen; haar hele gezicht vertrekt zich en ze maakt geluiden alsof ze naar adem hapt als in een astmatische aanval.

'Oké,' zeg ik na vijf minuten Vicky-lach. 'Zo grappig is het ook weer niet. Laurence vond het in elk geval niet zo grappig.'

'O god, sorry,' zegt ze, en ze snuit haar neus in een servet. 'Alleen dat beeld van Sebastiaan de Slak die maar bleef blaten, ik blééf erin. Hé, je moet het positief bekijken.'

'Ja, ik weet het,' zeg ik omdat ik precies weet wat er nu gaat komen, 'ik heb tenminste niet in mijn broek gescheten.'

'En hoe zit dat nou met Jim?' vraagt Vicky als ze eindelijk tot bedaren is gekomen.

'Nou, waarschijnlijk vertel ik hem niet dat ik het bijna met Laurence heb gedaan, dat is misschien wat minder smakelijk.'

Vicky knikt nadrukkelijk.

'Maar ik denk wel dat ik hem zal vertellen dat ik met hem ging. We hadden een huisregel, snap je, dat we niet met anderen zouden zoenen, uitgaan of naar bed gaan zolang ik zwanger was. Maar Jim begrijpt het wel. Hij weet dat dingen niet altijd in de goede volgorde gebeuren.'

'Eh, dat zou ik niet doen,' zegt Vicky.

'Hoezo niet?'

'Nou, laat ik het zo zeggen: hoe zou jij het vinden als hij ineens aankondigt dat hij iets met iemand heeft, dat hij een vriendin heeft?'

'Dan ben ik blij voor hem.'

Mijn mond beweegt, leidt een heel eigen leven.

'Echt?'

'Echt.'

'Zou je niet jaloers zijn?'

'Nee!'

'Tess, ik geloof er niets van. Volgens mij ben je verliefd op Jim.'

'Victoria!' Ik zit nu bijna te lachen. 'Hou eens op, zeg. Geef het op.'

'Oké,' zegt ze, en ze heft verontschuldigend haar handen. 'Maar ik wil maar zeggen...'

'Goed,' zucht ik, 'wat wil je maar zeggen?'

'Dat ik heb lopen nadenken over wat je zei dat er in Norfolk is gebeurd, je weet wel, dat Jim je afweerde. Dat klopt gewoon niet.'

'Nou, hij deed het wel, oké? Maak het nou niet erger door te zeggen dat ik het me heb verbeeld.'

'Er is iets wat ik je niet heb verteld,' zegt ze.

'O? Wat is dat dan?'

'Iets wat Jim tegen me heeft gezegd.'

Ze ziet mijn ogen oplichten, ik weet het gewoon.

'Een paar maanden geleden, voordat we gingen kamperen, zijn we met z'n allen naar dat restaurant geweest, Ping-Pong, weet je nog, toen jij niet kon komen? Maar goed, we raakten allemaal stomdronken en uiteindelijk kwamen we in Lupo terecht. Jim was helemaal toeter en begon over jou...'

Ik adem bibberig in.

'Om kort te gaan zei hij dat hij nog nooit van iemand had gehouden als van jou. Hij zei dat jij het meisje van zijn dromen was.' Haar ogen vullen zich met tranen. 'Is dat niet fantastisch lief?'

'Ach wat, hij was dronken.'

'Maar hij heeft het gezegd, Tess.'

'Dat zal best, maar meende hij het ook? Hij heeft het verder toch nooit gezegd?' Ik kijk haar nu recht aan. 'Maar goed, toen we naar Norfolk gingen was hij duidelijk van gedachten veranderd over mij. We zijn gewoon vrienden, Vicky. Het is jammer, ik weet het, maar zo zit het. Bovendien, als het erin had gezeten, dan was het nu toch wel al gebeurd?'

'Je zei zelf toch dat juist Jim weet dat de dingen niet altijd in de goede volgorde gebeuren?' zegt Vicky hoopvol.

'Weet ik wel, maar luister, je weet hoe het hoort te gaan. Kijk nou naar Rich en jou. Jullie waren op slag verliefd, konden vanaf het begin niet buiten elkaar en jullie zijn nog steeds smoorverliefd.'

Vicky blaast haar wangen op.

'Nou, dat is toch zo?'

'Het is niet allemaal hartstocht en kaarslicht.'

'Nee, maar je hebt Dylan, en daardoor niet veel tijd, maar jullie zijn nog wel verliefd.'

'Ik weet het eigenlijk niet meer.'

'O Vicky, dat is wel zo.'

'We hebben al eeuwen niet gevreeën. We praten al weken amper

237

met elkaar. Hij is helemaal geobsedeerd door dat stomme stuk dat hij aan het schrijven is, zit uren in de logeerkamer alsof hij een of ander genie is, maar intussen zou hij me ook met Dylan kunnen helpen.'

Vicky verrast me met haar gebrek aan ondersteuning voor Rich. Ze heeft hem altijd gesteund in zijn schrijfwerk, zijn amateurtoneel. Ze waren altijd het leuke stel dat themafeestjes gaf, toneelstukjes deed en dat op hun bruiloft een ingestudeerd dansje deed. Maar nu ben ik bang dat hun relatie haar glans heeft verloren en dat ik het gewoon niet heb gemerkt.

'Misschien is hij boos dat je hem niet steunt.'

'Misschien,' zegt ze. 'Maar het komt erop neer dat ik het helemaal zat ben. Tegen buren is hij de vrolijke pias en op feesten altijd de gangmaker, maar wat heb ik aan hem als man?'

'Dat klinkt wel een beetje hard.'

'O, ik meen het niet,' verzucht ze. 'We hebben het gewoon moeilijk. We vinden elkaar nu gewoon even niet zo aardig, snap je?'

'Shit, het spijt me dat ik zo met mijn eigen sores bezig was dat ik niet eens heb gevraagd hoe het met jou gaat.'

'Geeft niet,' zegt ze. 'Als je eenmaal bent getrouwd vraagt niemand nog naar je relatie. Bovendien,' ze glimlacht nu naar me, 'zo gaat dat gewoon als je getrouwd bent. Die dolle passie die je aan het begin voelde, dat gevoel dat alles wat hij doet en zegt helemaal geweldig is, dat ebt uiteindelijk weg, snap je. Of het ligt gewoon diep begraven en als je niet de moeite neemt diep te graven, dan vergeet je dat het ooit zo is geweest.'

'Jezus, dat klinkt deprimerend.'

'Het komt wel goed,' zegt ze, als ze mijn ontstelde blik ziet. 'We gaan niet scheiden of zo, gekkie! Zo gaat het gewoon als je getrouwd bent, Tess. Het gaat niet zoals in de film; dit is het echte leven.'

24

'Drie weken nadat Eliza was geboren, bekende Nick dat hij tijdens een zakenreis met een Israëlische stewardess naar bed was geweest. "Hoe durf je?" zei ik. "Onze tweede dochter is amper de baarmoeder uit!" Hij keek me aan – ik zat haar op dat moment net te voeden – met een ijskoude blik. "Er waren twee baby's voor nodig om te beseffen dat ik helemaal geen baby's wil," zei hij. Hij draaide zich om en liep weg.'
Camilla, 34, Richmond

Gisteren was afschuwelijk. Jim en ik zijn naar een barbecue bij Vicky en Rich thuis geweest; de eerste deze zomer. Gina was er natuurlijk ook, en de gebruikelijke mensen van het werk van Vicky en Rich en een paar buren. Ik weet precies wat Vick zal hebben gedacht. 'Laten we al onze lieve vrienden uitnodigen, de zon schijnt vast, Rich doet zijn barbecueshirt aan, onderhoudt zijn gasten en dan weet ik weer waarom ik met hem ben getrouwd.'

Juist, nou, het liep niet helemaal volgens plan.

Om te beginnen kwam de regen met bakken uit de hemel. We moesten het doen met gegrilde worstjes die we in de huiskamer van een bordje op schoot aten. Nu Rich niet de rol van roosterkoning kon spelen probeerde hij de rol van supergastheer te spelen, maar slaagde er alleen in om Vicky te irriteren en zich 'bij iedereen voor schut te zetten door te hard te praten en te lachen'. (Moet zij nodig zeggen... De arme man kan op dit moment niets goed doen. Ik begrijp hem wel.) Uiteindelijk had hij er genoeg van en stommelde naar boven, ongetwijfeld om aan zijn meesterwerk te werken. Om een lang verhaal kort te maken: de sfeer liet al veel te wensen over voordat Jim dronken werd, stomdronken. Erger dronken dan ik hem ooit had gezien.

Ik had het niet erg gevonden als het de finale van het WK was geweest of als hij de loterij had gewonnen of iets anders dat dit soort dronken idiotie rechtvaardigt, maar het was verdomme een doodgewone barbecue, overdag nog wel, en Jim liep door Vicky's huiskamer te zwalken als die vent uit *Shameless*.

Op een gegeven moment wilde hij zijn blikje op een tafel zetten, schatte het verkeerd in en viel boven op stille Amanda, de buurvrouw links van Vicky en Richard, die op zijn zachtst gezegd een bloosprobleem heeft. Ze jankte als een hyena, viel opzij tegen de schoorsteenmantel, tegen een vaas aan, die aan diggelen viel. (Ze vond het verschrikkelijk. Jim vond dat een paar seconden lang ook, tot zijn kortetermijngeheugen hem in de steek liet.) Jim kan drinken, begrijp me goed, maar de dronken Jim is meestal een levendiger, ondeugender versie van zichzelf, niet deze wankelende, lallende dronkaard die ik niet herkende.

Het ergste was dat ik me toch verantwoordelijk voor hem voelde. Voordat ik zwanger raakte zou ik hebben gelachen en samen met de nog denkende gasten naar hem hebben gewezen en geroepen 'goed bezig, Ashcroft!' Net zoals Gina deed. (Voordat ze hem nog een glas gaf zodat ze hem nog eens extra kon uitlachen.) Maar deze keer had ik het idee dat ik hem moest verontschuldigen, alsof iedereen dacht: en jij hebt hém uitgekozen om jezelf voort te planten? Behalve dan natuurlijk dat het niet zozeer een keuze was, dan wel dat het gewoon zo was gelopen. Niet dat ik op een stoel kon klimmen om die kanttekening luidkeels te kennen te geven.

Vicky was onverstoorbaar, als altijd, en babbelde tegen de wankelende, hikkende gedaante voor haar alsof hij zich doodnormaal gedroeg. Als mensen hem vroegen of hij blij was met de baby, stak hij meestal van wal met een aandoenlijk enthousiasme over hoe groot de baby nu is, dat hij aan zijn eigen tenen kan sabbelen en meer van die nutteloze feitjes die hij leert uit mijn *Roze wolk*; maar deze keer reageerde hij met een achteloos schouderophalen. Hij zei: 'Ik weet nog niet eens waar ik blij mee moet zijn.'

'Je weet toch waardoor het komt, hè?' zei Vicky, die me op de overloop even apart nam. 'Hij is kwaad op je vanwege Laurence, omdat Laurence je in de IKEA belde. Kom op! Het is toch duidelijk, hij is jaloers. Mannen bezatten zich altijd als ze jaloers zijn.'

'Ik denk van niet,' zei ik, want ik vond dat hij er niet zo makkelijk van af mocht komen. 'Hij loopt zich al de hele week als een idioot te bezatten en te gedragen. Waarschijnlijk heeft hij zo'n handige prenatale crisis die mannen zo interessant vinden. Het is jammer dat de vrouwen de baby's dragen en niet dronken mogen worden, anders had ik me die luxe ook wel willen permitteren.'

Daar had ze niet van terug.

Toen ik thuis tv zat te kijken – nadat ik Jim eigenhandig de hele weg naar huis overeind had gehouden en hem op zijn bed had gemikt, waar hij met zijn schoenen aan onmiddellijk in slaap was gevallen – dacht ik na over wat Vicky vandaag had gezegd, en van de week in de Coach and Horses. Oké, die dronken streken – de avond met Gina, met Rotkop en nu op de barbecue – waren allemaal gevolgd op de avond dat hij voor me had gekookt – de avond dat ik niet kon blijven eten omdat ik met Laurence uitging. Plotseling kwam het in me op: zou Gina hem het essentiële detail hebben verteld? Dat ik eigenlijk een afspraakje met Laurence had, en niet gewoon een pizzaatje ging eten met wat vrienden. Een snelle sms bevestigde dat ze het niet had verteld. (Je kunt veel dingen van Gina zeggen, maar, eerlijk is eerlijk, klikken doet ze niet. Per slot van rekening kan zij discretie ook wel waarderen.) Maar ook al had ze dat wel gedaan, oké, dan had ik een huisregel geschonden, maar meer ook niet. Dat is een technisch detail. Hij zou er nijdig om zijn, maar het zou hem geen gebroken hart bezorgen. Het zou zeker niet betekenen dat dit bizarre gedrag een of ander Shakespeareaans blijk van onbeantwoorde liefde is.

De gebeurtenissen van de ochtend erna leveren wat dat betreft de bevestiging.

Om tien uur 's morgens schuifelt Jim de badkamer uit, net als ik erin wil lopen. Helemaal rozig van de warme douche en met de druppels nog aan zijn wimpers.

'Morgen.'

'O, morgen,' zegt hij met een kraakstem, alsof hij is vergeten dat ik hier woon. Als ik dan niet opzij ga: 'Alles goed?' Hij zegt het niet onvriendelijk, maar aan zijn strakke glimlachje zie ik dat hij geërgerd is. 'Wilde je iets zeggen?'

'Ik? Nee.'

Herinnert hij zich gisteren niet?

'Ik vroeg me alleen af hoe het met je hoofd ging.'

'Prima,' zegt hij met een knik, terwijl de bierdampen uit al zijn poriën slaan. Dan zucht hij en kondigt ernstig aan: 'Ik denk dat ik moet gaan liggen.'

En dat was het dan. Jim zegt helemaal niets over gisteravond en dus doe ik dat ook niet. Als we elkaar twee uur later, zoals is afgesproken, voor koffie in Uplands Café treffen, gaat hij gewoon zitten. Zijn Adidas-jack helemaal dichtgeritst, zijn haar in een nog creatievere coupe doordat hij met nog nat haar in slaap is gevallen. Nonchalant mikt hij de krant voor me op tafel.

'Je ziet er na een uurtje slapen een stuk frisser uit,' zeg ik opgewekt, en bestel een cappuccino. 'Je ziet er bijna menselijk uit.' Dan besef ik dat de krant die hij voor me heeft neergegooid helemaal geen krant is, maar een makelaarstijdschrift. Huizen in Zuid-Londen.

'Er staat wel wat moois in, kijk maar eens,' zegt Jim langs zijn neus weg, terwijl hij niet eens opkijkt van de kaart die hij zit te lezen. 'We kunnen komende week wel een paar bezichtigingen doen als je wilt. Ik heb er een paar omcirkeld die me wel iets lijken.'

Mijn mond valt open.

'O, bedankt.'

Sinds ik bij hem ben ingetrokken, hebben we met geen woord gerept over mijn vertrek. We hebben er theoretisch over gesproken, voornamelijk omdat ik de logistiek niet zag zitten, maar we hebben het niet over een huizenjacht gehad. Nog niet.

Ik sla het krantje open, nog verward door de schok. Het bloed gonst in mijn oren en de woorden in het krantje lopen allemaal door elkaar.

Ik heb geloof ik aangenomen dat we dat op een laag pitje hadden gezet, dat we wisten dat dat iets was wat ik nog moest doen, maar waar we niet over na wilden denken – ik in elk geval niet. Maar bij Jim ligt dat duidelijk anders. Hij staat duidelijk te popelen om van me af te zijn.

Ik kijk naar hem, met zijn benen over elkaar geslagen en haarlokken ronddraaiend. Hij is zich niet bewust van de chaos in mijn hoofd, en het kan hem kennelijk ook niet schelen. Het is niets voor hem om zo bot te zijn.

'Dus...' Als ik mijn mond opendoe klinkt mijn stem verstikt. 'Wanneer denk je dat ik ergens iets moet kopen?'

'Ergens wat?' mompelt Jim, die niet echt luistert. Als hij een zwarte koffie bij de serveerster heeft besteld: 'Nou, het is nu al juli, en je wilt niet in hoogzwangere toestand allerlei dingen moeten bekijken, toch, dus...' Hij vouwt de kaart dicht en slaat zijn armen over elkaar, '... de komende maand of zo?'

Wat is er gebeurd met 'je mag zo lang blijven als je wilt'? Wat is er gebeurd met de huisregel dat ik op huizenjacht zou gaan 'als de baby er eenmaal is' om te vermijden dat het te knus wordt?

Te laat, besef ik, het is voor mij al te knus geworden.

'Oké,' zeg ik.

Wakker worden, Tess, je hebt gewoon van alles aangenomen. Echt iets voor jou, jij neemt altijd alles maar aan.

'Goed idee.'

'Ik vond die in Camberwell goed klinken,' gaat Jim verder. Mijn god, hij heeft zelfs huiswerk gedaan.

'Eetkeuken, grote slaapkamer – dus je kunt er twee van maken, of het is tenminste niet zo vol als je er met de baby moet slapen...'

Ik probeer mezelf in een flat voor te stellen, met de baby – de voedingen, het huilen midden in de nacht. De werkelijkheid verschilt zo sterk van het idee dat je ervan hebt. En ik ben eraan gewend bij Jim te wonen. Sterker nog, ik vind bij Jim wonen heerlijk. Ik vind het fijn om samen met iemand te ontbijten, te koken, iemand die me eraan herinnert de kip te laten ontdooien. Ik ben eraan gewend Jim 's morgens om radioprogramma's te horen lachen, aan zijn eerste minutenlange plas van de dag en inslechte smaak wat films betreft. Ik kan me niet voorstellen dat er niemand is om na een dag werken mee te kletsen en niemand die op zaterdagochtend op mijn bed springt alsof we kinderen op een kostschool zijn, of niemand om mee te kibbelen, alsof we getrouwd zijn.

'Camberwell ligt kilometers verderop,' zeg ik, terwijl ik tegen de tranen vecht die dreigen op te komen.

'Nou, het lukt je waarschijnlijk niet om hier ergens iets te kopen,' zegt Jim. Wat is hij toch verdomde nuchter. 'Voor 190.000 pond kun je iets overnemen van de sociale woningbouw in East Dulwich, maar in Camberwell kun je met een beetje geluk iets in een leuk klein gebouw krijgen.'

'Jezus,' zeg ik zuchtend, terwijl we onze spullen bij elkaar pakken om het café uit te lopen. Ik wil graag praten, alsof ik door te praten de plotselinge angst die ik voel kan smoren, de druk kan wegnemen. 'Zes maanden geleden had ik me in geen miljoen jaar kunnen voorstellen dat ik alleenstaande moeder zou worden. Als je tegen me gezegd zou hebben dat ik in mijn eentje een flat voor de baby en mij zou kopen, dan had ik je vierkant uitgelachen!' Ik probeer ontspannen te klinken, maar zo voel ik me vanbinnen allerminst.

'O,' zegt Jim. 'Je meent het.'

Ik ga door.

'Echt, eerlijk, ik dacht dat dat alleen andere mensen overkwam, alleenstaand ouderschap, snap je, en ik kan je wel vertellen: die grietjes die in die sociale woningbouw wonen en zwanger zijn van types die even een wip hebben gehad en...'

Jim snuift. 'En wie ben jij dan wel?' zegt hij. 'De koningin?'

'Je snapt wel wat ik bedoel,' zeg ik, maar hij slentert naar de deur. 'Ik zeg alleen maar wat ik denk.'

We lopen naar North Cross Road, alles voelt zwaar aan en ik vind het moeilijk om hem bij te houden.

Bij de zaterdagmarkt staan we stil omdat ik twee brownies koop voor de waanzinnige prijs van twee pond per stuk, in de hoop hem op te beuren, misschien kunnen we ze later opeten, 's middags bij de thee, stel ik voor.

'Misschien,' gromt hij, 'als ik klaar ben met mijn werk.'

We hebben ze net betaald en slenteren weer naar huis, intussen stellen met kinderwagen ontwijkend die daar met opzet lijken te lopen en die ons doorhebben als de plaatselijke bedriegers. Dan zie ik een stel naar ons toe lopen waarvan ik weet dat ik hen ken, maar pas als ze voor mijn neus staan, besef ik dat het Rachel en Alan zijn met Tilly in haar wagen.

Vooral in het geval van Rachel is het geen wonder dat ik haar niet herken. Weg is de trendy jurk en het verzorgde uiterlijk met glanzende haren. In plaats daarvan een joggingbroek en een verbleekt T-shirt. Maar ze ziet er nog steeds mooi uit en ze lacht nog steeds, dolgelukkig. Ze is duidelijk niet zo'n meisje dat er altijd perfect moet uitzien.

'Hé, hallo!' zeg ik, en ik kus haar op de wang. 'Hoi, Alan.'

Alan knikt.

'Jim, dit zijn Rachel en Alan. Degenen die ik bij de bushalte heb leren kennen, de Rachel met wie ik laatst koffie heb gedronken. En dit is Tilly, haar dochter, echt een schatje. Ik heb haar nog geen enkele keer zien huilen.'

'Dus, eh...' Rachel knikt naar Jim. 'O, sorry! Ja!' Ik glimlach verlegen omdat ik snap waar ze op aanstuurt. 'Dit is Jim, de Jim die de vader van mijn kind is.'

'Hoi,' zegt Jim met een glimlach; hij is dit soort bizarre introducties nu wel gewend. 'Jee, het is wel een schoonheid, hè?' zeg hij, terwijl hij een blik werpt op Tilly die met wijd open ogen in haar wagen zit. En aan de manier waarop hij uit zijn nurkse stemming komt is te merken dat hij het echt meent.

We babbelen even, het gesprek komt op de bevalling (bij mensen met kinderen is dat onvermijdelijk): zevenentwintig uur weeën, een slagveld in de verloskamer, Rachel die dacht dat ze dood zou gaan. (Wat mij sterkt in mijn besluit om bij de eerste weeën te vragen om algehele verdoving.)

'Ze deed het geweldig, hè, schat?' zegt Alan met ogen die gloeien van trots. Rachel schudt verlegen haar hoofd.

'Echt, als je haar een kind op de wereld ziet zetten, dan heb je zoiets van, wauw, vrouwen zijn ontzaglijk sterk,' zegt Alan tegen Jim.

'Hij weet nog niet eens of hij erbij wil zijn, hè, Jim?' zeg ik, en ik stoot hem aan. Jim zegt niets. Ik ben een beetje teleurgesteld.

'Je zou gek zijn om dat te missen. Je moet bij de bevalling zijn! Ik bedoel, zelfs al is het niet mooi om te zien; waarschijnlijk hoef je een poosje geen seks!'

Rachel lacht zenuwachtig, Jim en ik lachen uit beleefdheid mee en ook uit iets anders wat veel ingewikkelder is. 'Maar ik had het voor geen goud willen missen. Het mooiste moment in mijn leven.'

Ze vertellen over de gekte van die eerste paar dagen, het slaapgebrek, de allesoverheersende liefde waarvan Rachel zegt dat die haar volledig heeft overrompeld. Ze zijn eerlijk en positief, maar wat me nog het meest opvalt is dat ze al zo'n eenheid zijn. Het ene moment een stel, het volgende een gezin.

We nemen afscheid, steken over om naar huis te gaan, maar ik ben er met mijn hoofd niet bij. Ik loop te malen en te denken. Ik had er niet echt over nagedacht of Jim bij de bevalling zou zijn – ik had aangenomen van wel, maar als hij nu eens niet wil? Wil ik zelf dat mijn vriend me in die toestand ziet? Overal bloed en waarschijnlijk met sluitspieren die het opgeven? Maar dan, het alternatief – want ik zie het echt niet zitten om mijn moeder te laten komen – lijkt me zo troosteloos, zo eenzaam. Ineens lijkt alles een beetje eenzaam. Er verspreidt zich een onrust door mijn buik, het gevoel dat ik nergens echt bij hoor.

Ik wil gewoon blijven praten.

'Rachel en Allen zijn aardig, hè,' zeg ik.

'Ja,' zucht Jim. 'Van hem weet ik het nog niet, maar zij is een schat.'

'En de baby was schattig.'

'Een dotje,' zegt Jim.

'Maar ze zien er wel uitgeput uit, vind je niet?'

'Ja,' lacht Jim, maar ik hoor dat het hem niet echt boeit. 'Uitgevloerd.'

We komen thuis, doen het tuinhek open. In de voortuin vormt zich een wolk die het er helemaal donker maakt. Ik denk almaar aan hoe ze met zijn drieën overkwamen, en onwillekeurig denk ik aan ons; dat wij zo niet zullen lopen, dat wij geen gezin zullen vormen. Ik probeer me Jim in het ziekenhuis voor te stellen, probeer me die eerste paar nachten met de pasgeboren baby voor te stellen, ieder in onze eigen slaapkamer, maar het lukt me niet. Ik denk aan hoe ik me kinderen krijgen had voorgesteld, maar dat was zeker niet zó.

Jim zoekt in de voortuin naar de voordeursleutels. Ik sta daar voor het eerst te denken dat ik eigenlijk niet naar binnen wil.

Blijf praten.

'Ze leken echt verliefd, saamhorig, snap je, in aanmerking genomen dat ze een baby'tje hebben.'

Jim laat ons binnen en schakelt het inbraakalarm uit.

'Ja,' zegt hij, 'het zag er hecht uit.'

'Die baby, die boft maar,' verzucht ik. Jim slaakt ook een zucht, maar dan anders.

'Om te beginnen heeft ze wat uiterlijk betreft al een enorme voorsprong.'

Jim mikt de sleutels op tafel, trekt een kastje open en pakt een glas.

'Stel je voor hoe het is om zulke knappe ouders te hebben!'

Hij draait de kraan open, laat het glas vollopen en drinkt het in één keer leeg.

'Het komt niet vaak voor dat je ouders ziet die zo verliefd zijn. Ik voelde me heel geborgen bij mijn ouders, maar voor ons kind...'

'Tess, in godsnaam!'

Jim zet het glas met een klap neer. Ik schrik me kapot.

'Hou in godsnaam je mond!'

Verbijsterd kijk ik hem aan.

'Waarom blijf je maar doorgaan?'

Hij draait zich om, en de tranen springen in mijn ogen.

'Ja, huil jij maar, toe dan.' Hij legt zijn hoofd in zijn handen. 'Het gaat allemaal om jou, hè. Nooit om iemand anders. Je snap er niets van, hè?' Hij kijkt me woest aan.

'Waarvan? Sorry, waarom ben je zo boos op me?'

'Je haalt alles helemaal door het slijk, onze baby, deze zwangerschap, je vergelijkt ons altijd met andere mensen.'

Ik sta er verward bij.

Hij stormt door naar de zitkamer, pakt mijn boek *De roze wolk* en gooit het op de grond.

'Heb je het gelezen?' roept hij.

'Ja, dat weet je toch,' zeg ik.

'Heb je al die verhalen gelezen?'

'Ja!' zeg ik verdedigend, 'natuurlijk.'

'Zit er één volmaakt verhaal tussen?'

Ik kan geen antwoord geven, ik huil te hard.

'Want dat zijn ze niet, toch? Geen van alle. Ze bewijzen geen van alle die theorie van jou dat iedereen het perfect doet, behalve wij. Nou, jij weet er niets van, Tess, jij weet niets over het echte leven, en dat verbaast me, gezien de mensen met wie je elke dag voor je werk praat. Dit kind krijgt in elk geval een vader.'

'Een fantastische vader,' zeg ik, en ik loop naar hem toe, maar hij wendt zich af.

'Ik wil dit kind tenminste. Weet je het van mijn vader?'

'Wat? Dat hij dronk?'

'Dat hij mijn moeder tot moes heeft geslagen?'

'Sorry, ik wist niet...'

'Waar mijn zus en ik bij waren?'

Ik doe mijn ogen dicht.

'Het spijt me,' zeg ik. 'Ik had niet... je hebt me nooit verteld...'

'Bij jou zat het wel goed, Tess, met je vader die echt van je houdt, die vindt dat jij het mooiste bent sinds de uitvinding van gesneden brood. De mijne was een rasetter, hij vond drank belangrijker dan zijn gezin. Daarna heeft hij de benen genomen en is nooit meer teruggekomen. Dit is mijn kans, snap je dat dan niet?'

Hij staat nog te schreeuwen, maar zijn stem breekt.

'Mijn kans om het niet te verknallen, om anders te zijn dan mijn pa. Toen jij vertelde dat je zwanger was, was het verdomme de mooiste dag in mijn leven, maar jij ziet alles negatief, jij zet overal een domper op. Omdat het niet helemaal perfect is.'

Ik probeer iets te zeggen, maar vind mezelf zo stom dat ik niets kan bedenken. Tot mijn ontzetting barst Jim in tranen uit. Hij staat daar maar te trillen als een kleine jongen. Ik loop naar hem toe. Ik wil hem nu dolgraag in mijn armen nemen. Ik wil alles terugnemen, ik wil opnieuw beginnen.

Ik doe nog een stap en strek mijn armen uit.

'Nu niet,' zegt hij, en dan loopt hij de kamer uit. Tien seconden later hoor ik de deur van zijn slaapkamer dichtslaan.

Ik sta in de keuken en het bloed ruist in mijn oren. Ik sta als aan de grond genageld en walg van mezelf. Wat ben ik toch een trut. Een ongelooflijke trut. Hoe kan ik nou zo'n bord voor mijn kop hebben?!

Ik pak mijn boek van de grond, leg het op de keukentafel en loop de zitkamer in. Ik ga op de bank liggen en doe mijn ogen dicht. Ik hoor een vliegtuig overvliegen, maar boven blijft het muisstil. Dan doe ik mijn ogen dicht, klem ik mijn kaken op elkaar en komen de tranen. Tranen van zelfverachting. Ik denk aan Jim in zijn kamer, sla mijn armen om mezelf en stel me uit alle macht voor dat ik Jim vasthoud.

Ik moet zijn ingedommeld, want als ik mijn ogen opendoe, zit Jim op de bank.

'Hallo,' zegt hij. 'Ben je in slaap gevallen?'

Ik knipper met mijn ogen. 'Ik ben vast in slaap gesukkeld.'

'Het spijt me, Tess.'

'Nee, Jim, alsjeblieft. Het spijt mij, heel erg. Ik had geen idee hoe ik overkwam.'

'Ja, maar ik had niet zo tekeer moeten gaan, het was overdreven en oneerlijk van me. Hoe kon jij dat nu allemaal weten? Zelfs ik was het vergeten.'

Een poosje zeggen we niets. Bij de buren wordt muziek aangezet, en dan haalt Jim diep adem en begint te praten.

'Ik mis hem,' zegt hij. 'Dat is het, denk ik. Ik heb dat nooit tegenover mezelf toegegeven, maar ik besef dat het zo is.'

'Je vader, bedoel je?'

'Ja, die. Hij was een ongelooflijke eikel, maar hij bleef mijn vader. En hij was niet altijd zo,' vertelt hij verder. Ik laat hem maar praten. 'Het kwam door de drank, daarvóór was hij best een leuke vader.'

'Wat voor iemand was hij dan?' vraag ik.

'Gewoon. Hij nam me mee om te vissen en naar het park, een bal-letje trappen, jongensdingen, hè? Maar toen het drinken echt begon, ik weet niet, veranderde hij van de ene dag op de andere. Ineens kon het hem allemaal niets meer schelen: het leven, wij, alles.'

'Dat moet heel moeilijk voor je zijn geweest.'

'Ik was nog maar een tiener. Ik kon er toen nog niets mee, denk ik. Ik was gewoon... ik weet het niet... verward en kwaad op hem.'

'Dat zal niemand verbazen.'

We zitten een uur te praten en Jim stelt zich open zoals hij nog nooit heeft gedaan. Hij vertelt dat zijn vader vaak in de kleine uur-tjes thuiskwam. Jim was de klank van het dronkenmansgelal, dat hij door zijn slaapkamerraam hoorde, gaan vrezen. Hij vertelt dat hij zijn vader vaak van de keukenvloer kon opvegen en daarna naar het geschreeuw in de slaapkamer naast de zijne luisterde. Hij vertelt over de keer dat hij zijn vader een stalen lamp naar zijn moeder zag gooi-en en dat het ding een snijwond in haar slaap maakte. Ik luister ont-zet; hij praat en praat. Daarna, als hij uitgepraat is, eten we de brow-nies en Jim lacht een beetje verlegen omdat ik me nu wel erge zorgen zal maken over de baby, nu ik weet uit wat voor nest de vader komt (doe ik niet). Dan zegt hij: 'Laten we ergens heen gaan.'

'Waarheen? Hoe bedoel je?'

'Laten we naar de kust gaan, naar Whitstable, gewoon een B&B boeken.'

Zijn gezicht licht op omdat hij raadt wat ik denk.

'Met twee bedden natuurlijk, kijk me niet zo aan!'

25

'Ik had net de baan van mijn dromen bemachtigd – secretaresse voor de directeur van Yorkshire Fittings. Ik was naar Leeds gegaan om het grootste deel van mijn eerste salaris uit te geven aan een Biba-jurk en chique schoentjes. Toen ontdekte ik dat ik dertien weken zwanger was. Ik was er kapot van. In die tijd werkte je niet lang door als je zwanger was, dus het leek me niet de moeite om zelfs maar te beginnen. Het ergste was dat ik daarna nooit meer in die jurk heb gekund, ook niet nadat onze Steven was geboren.'
    Janet, 56, Pontefract

Door de hitte van een felle zon breekt het wolkendek van die ochtend open. Letterlijk iedereen heeft hetzelfde idee – we gaan weg uit de stad, naar de kust, en de A2 staat helemaal vol, het verkeer gaat in slakkengang en mijn bezwete billen plakken aan de stoel. Jim heeft een bandje met een foute pianohousemix uit 1998 opstaan en de muziek dreunt door het zonnedak. Ik kan de verleiding niet weerstaan om met mijn hand het gebaar 'doorspoelen!' uit het raampje te maken.
    'Wil je daarmee ophouden?' zegt Jim.
    'Waarmee?'
    'Wat je met je hand doet. Dat vind ik raar.'
    Ik vind het prachtig dat hij zich een beetje schaamt, omdat dat zo zelden gebeurt. Ik ga door en hij schudt wanhopig het hoofd.
    Als je naar Whitstable rijdt, is het net of je naar het einde van de wereld gaat. Links de steile kalkrotsen, rechts de glooiende heuvels van Kent. Het enige teken van beschaving is een verspreid liggend stadje dat tegen een ruige heuvel is op gebouwd. Zelfs de namen klinken als het einde van de wereld: Gravesend, Ebbsfleet. Het is

ongelooflijk dat zo'n glinsterend, witgebleekt juweeltje dertig kilometer ten zuiden van Londen op je ligt te wachten.

Maar uiteindelijk gaan we de snelweg af. Langs duffe vrijstaande woningen rijden we de stad in, met zijn tearooms, lage deuropeningen en winkels die deurstoppers verkopen met het opschrift EVEN NAAR HET STRAND. Roodverbrande mannen en door de zon gebruinde meisjes met neerhangende bikinibandjes komen de pubs uit om van de zon te genieten.

Overal het gekrijs van meeuwen, wat me aan thuis doet denken.

'Waar is het nou?' Jim leunt als een bejaarde bestuurder naar voren. 'Jij hebt geboekt, dat ding van negentig pond per nacht.'

'Ik trakteer, Jim,' protesteer ik. 'Eén nacht zal ons de kop niet kosten. Bovendien, je verdient het. Het is het minste wat ik kan doen. Vooral omdat ik je geen huur betaal.'

De B&B heet Cove House. Het staat weggestopt achter de duinen, in een van de stille straatjes tussen de vervallen vissershuisjes.

Als we uit de auto stappen, slaat de hitte ons in het gezicht. De huizen zijn verblindend wit tegen een diepblauwe lucht.

'Moet je zien.' Jim staat met zijn handen in zijn zij voor een mooi, withouten huis met de ingang in het midden. Aan weerszijden van de deur hangen manden met vlammend oranje bloemen. Ergens op het dak koert een houtduif.

De eigenaresse, een forse vrouw met een bruin verweerd gezicht, laat ons de kamer zien, waarna ze ons alleen laat. We kijken elkaar aan en barsten in lachen uit. 'Goed gedaan, Jarvis!'

'O kijk, het is gewéldig!' kweel ik. 'Wat ben ik toch slim!'

Kaalgeschuurde houten vloeren, een bad op leeuwenpoten, een enorme victoriaanse kast met steentjes tussen de dubbele ruitjes. O, en maar één bed (maar wel een prachtig smeedijzeren exemplaar).

'Alleen dit ene bed?' vraagt Jim grijnzend.

'O!' Ik sla een hand voor mijn mond. 'Sorry, waarschijnlijk heb ik gedacht dat er met een "double" een "twin" werd bedoeld.'

En als hij nu eens denkt dat ik het met opzet heb gedaan? Dat ik hem erin geluisd heb?

'Geeft niet,' zegt Jim, die mijn bezorgde gezicht ziet. 'Hebben we al eens gedaan, toch? Samen in één bed slapen. Dus dat zal nog wel een keer lukken.'

We hadden de hele dag wel van de mooie Molton Brown-spullen

en de breedbeeld-tv kunnen genieten, maar er gaat een lokroep uit van het volmaakte vierkant glinsterende zee dat we door ons raam met kleine ruitjes zien, dus we laten onze tassen vallen en gaan naar buiten.

Jim koopt bij een viswagen een beker kokkels en we slenteren langs de kademuur. We volgen de kromming van het strand dat vol ligt met bleke lijven die daar als vis in de zon liggen te drogen.

'Vertel eens, Jim,' zeg ik; ik heb een onbedwingbare drang om hem vragen te stellen. 'Wat wil je met je leven doen? Je weet wel, wat zijn je dromen voor de toekomst?'

'Allemensen,' zegt Jim lachend. 'Wat is dat nou weer voor vraag? Ik vind één dag al lastig, laat staan de hele toekomst.'

'Oké, maar wil je les blijven geven?'

'Ja,' zegt hij schouderophalend, 'absoluut. Ik vind het heerlijk.'

'En heb je nog ambities?'

'Gewoon gelukkig zijn.'

We lopen het strand op. De schelpen kraken onder onze voeten.

'Alles goed?' vraagt Jim.

'Ja, hoezo?'

'Ik vraag het alleen maar, om te horen of je niet wegsmelt in deze hitte.'

We blijven een uur lopen en Jim maakt me aan het lachen met verhalen over de kinderen op school, die hem op de hak nemen met zijn auto, zijn kleren, zijn alles.

'Vind je dat niet erg?' vraag ik. De gedachte dat hij wordt geplaagd vind ik vreselijk, arme kerel!

'Ben je gek,' lacht hij. 'Het zijn maar kinderen, het hoort erbij. Je moet erboven staan en gewoon doorgaan met je werk.'

Het strand wordt breder en rustiger. Op een stukje gras links van ons staat een groepje strandhuisjes die in felle kleuren zijn beschilderd.

'Kijk, zo mag ik het zien,' zegt Jim. 'Zo een zou ik wel willen hebben.'

'Wat zou je daar willen doen?' vraag ik.

'Niets, dat is het hem juist. Een beetje peinzen, een potje scrabble, een paar slaapmutsjes met een goede vriend.'

Het strand trekt en we gaan op onze rug op de handdoeken liggen.

'Denk jij dat je je ooit settelt?' zeg ik. Het komt er gewoon uit.

'Ik weet het niet,' zegt Jim. 'Ik hoop het, ooit.'

Ik doe mijn ogen dicht. Er danst licht over mijn oogleden. Ik hoor het gekwebbel van kinderen en het geruststellende ruisen van de zee.

'Ik denk,' begint hij. Dan zwijgt hij even en haalt diep adem. 'Ik denk dat ik nooit overtuigend bewijs heb gezien, dat het kan.'

'Dat wat kan?' vraag ik, en ik draai me op mijn zij naar hem toe.

'Nou, het leven,' zegt hij, aan zijn handdoek pulkend. 'Maar voornamelijk toewijding, snap je, relaties, liefde.'

Ik doe mijn mond open om iets te zeggen, maar Jim gaat verder.

'Wat ik probeer te zeggen is denk ik dat ik, waarschijnlijk toen ik puber was, ben opgehouden te geloven in dat "nog lang en gelukkig". Het is nooit bij me opgekomen dat – dat ik ooit getrouwd zou zijn en kinderen zou hebben. Het is niet iets wat ik voor me zag.'

'Misschien helpt het ook niet dat je vader dronk en je moeder in elkaar sloeg en je zus aan de coke is,' gooi ik eruit. 'O god, sorry Jim.'

'Het is al goed,' zegt Jim met een schouderophalen. 'Het heeft lang geduurd voordat ik het zelf besefte.'

'Denk je dat het ooit zover komt?' vraag ik. 'Dat je trouwt, bedoel ik. Het kinderen krijgen is duidelijk min of meer geregeld...'

'Misschien,' zegt hij nonchalant. 'Ja, ik denk van wel. Waarschijnlijk loopt het bij mij net zo als bij een vriend van me. Dat was er net zo een als ik. Twijfelachtige jeugd, een paar vriendinnetjes, kon nooit een echte relatie onderhouden, en toen kwam hij de ware tegen.'

'En toen?' vraag ik. Hij kijkt me aan en het zonlicht in zijn ogen maakt er een caleidoscoop van groen en goud van.

'En toen was dat het dan. Hij heeft het toch gedaan. Hij is verliefd geworden.'

Ik zucht tevreden en voel de warmte van de kiezels onder mijn hand.

'Wie is die vriend dan?' vraag ik na een korte stilte. 'Je hebt het nooit over hem gehad.'

'O, gewoon een collega van school,' zegt Jim.

'Nou, dat is fijn voor hem,' zeg ik.

Ik ga weer liggen.

'Maar goed,' zegt Jim, nadat we ons een poosje hebben overgegeven aan onze eigen overpeinzingen. 'Genoeg over mij. Hoe zit dat met jou, hè, Jarvis? Wat zijn jouw grote plannen?'

'O, dat weet ik niet,' zeg ik. 'Een betere schrijver worden.'

'Hoe denk je dat je dat gaat aanpakken?'

'Voor een beter tijdschrift gaan werken. Misschien een cursus creatief schrijven volgen.'

'Echt?' zegt Jim. Hij komt half overeind. 'Je hebt nooit verteld dat je dat wilde.'

'Tja, al die ellende die mensen dan weer moeten overwinnen, daar kun je niet eeuwig tegen, bovendien wil ik echte dingen schrijven.'

'Echte dingen?'

'Ja, je weet wel, echte creatieve dingen, fictie, poëzie. Ik vind het zo goed van Rich dat hij zijn eigen script schrijft.'

'Nou, laat maar eens horen,' zegt Jim. Hij komt overeind en is ineens enthousiast. 'Dan doen we het, we gaan nu oefenen.'

'Hoe bedoel je?' zeg ik en ik trek vraagrimpels in mijn voorhoofd.

'Beschrijf de zee,' beveelt hij.

'Beschrijf de zee?'

'Ja, beschrijf de zee. Je weet wel, alsof je aan een beschrijving werkt.'

Ik ga in kleermakerszit op mijn handdoek zitten en kijk hem met gefronste wenkbrauwen aan, maar eigenlijk vind ik het nu al leuk.

'Wat?' zeg ik. 'Alsof ik een boek voorlees?'

'Precies. Kijk naar de zee, bekijk hem echt goed, denk erover na hoe je hem zo origineel en kernachtig mogelijk kunt beschrijven en vertel. Ik wil dat je echt al je verbeeldingskracht gebruikt, al je zintuigen. Geen clichés graag.'

'Zo hé,' zeg ik lachend. 'Ik ben blij dat je mijn leraar niet bent. Je bent eng.'

Jim geeft geen krimp.

Ik kijk uit over de zee – mooi, maar vandaag redelijk saai. Ik doe mijn ogen dicht en bid om inspiratie.

'Oké,' begin ik. 'Nee, sorry, ik voel me een muts.'

'Jarvis!'

Ik probeer het weer.

'De zee,' begin ik, vechtend tegen de neiging om er een geintje van te maken, 'was loodgrijs en zachte golfjes drentelden gelukkig naar de kust, als na een lange, fijne wandeling.'

'Aardig,' zegt Jim, en hij klinkt ergerlijk verrast, 'origineel, leuke verpersoonlijking. Beetje overdreven misschien, met die wandeling.'

'Ja, ja. Dat dacht ik al zodra het mijn mond uit kwam,' zeg ik, verbaasd over hoe serieus ik het neem. 'En loodgrijs,' zeg ik kritisch, 'is een beetje cliché?'

'Waarschijnlijk, ja.'

De volgende tien minuten wordt de zee olifantgrijs (als het een ruige, stampende zee is), steengrijs, maangrijs (die was van Jim, heel mooi). We waarderen vooral mijn voorstel van duifgrijs voor een vredige zee, 's morgens heel vroeg misschien.

'Nu ben jij aan de beurt,' zeg ik. 'Hoe zit het met de wolken en de lucht?'

'Goed,' zegt Jim met komische ernst. Hij grijpt zijn zonnebril om naar de lucht te kunnen kijken.

De halve maan huid die boven de hals van zijn T-shirt te zien is, krijgt al een rabarberrode kleur in de zon...

'Kleine wolkjes dreven als plukjes watten... door een azuurblauwe lucht,' begint hij. 'En terwijl de zon in de zee zakte...'

'Wacht eens even,' val ik hem in de rede. 'Als "plukjes watten" geen cliché is, weet ik het niet meer, en "azuurblauwe lucht"? Dat is toch erger dan loodgrijze zee!'

'Ja, ja, oké,' zegt Jim, half gekwetst en half geamuseerd. 'Jij hebt gewonnen. Je hebt gelijk, het is moeilijker dan je denkt.'

Maar we krijgen het echt te pakken, dit wordt de rest van het weekend ons favoriete spelletje. Meeuwen krijsen niet meer gewoon; ze blaten en jammeren, de zon wordt een spiegelei, een meisje heeft een huid met de kleur van een Mars-reep. En ik raak de tel kwijt van de keren dat Jim probeert zijn wattenwolkjes te verbeteren (bij 'wolken als uitgehongerde schapen' spuit de sinaasappelsap die ik drink uit mijn neus van het lachen). Het wordt een voortdurende wedijver om betere beschrijvingen dan de ander te verzinnen en we zijn er de hele dag zoet mee.

'Je bent goed, Tess,' zegt Jim als we onze strandspullen verzamelen. 'Je bent een betere woordensmid dan ik, en ik geef nog wel creatief schrijven. Waarom ga je zelf niet schrijven? Doe een avondopleiding of een workshop.'

'Dat doe ik denk ik ook, hoewel ik denk dat ik me dood schaam als ik het moet voorlezen en bovendien krijg ik een kind.'

'Dan pas ik op het kind,' zegt Jim.

'Meen je dat?'

'Ja,' maar hij krabbelt terug. 'Als ik op vrijdagavond uit mag, en misschien dinsdagavond. En er is zaterdag voetbal...'

Ik gun hem een kwade-echtgenote-blik.

'Geintje,' zegt hij, 'min of meer.'

Tegen de tijd dat we het strand af gaan, is het over zessen. Terwijl we over het verschroeide gras achter de strandhuisjes naar de B&B lopen, vallen onze lange schaduwen voor ons uit, en het enige geluid is het verre gezoem van een grasmaaier en het ruisen van de branding.

'Wil jij het eerst in de badkamer? Jij hebt altijd vijf keer zoveel tijd nodig,' vraagt Jim als we terugkomen in de koelte van onze kamer. Hij zet Sky Sports aan en doet zijn T-shirt uit, waarna hij op het bed neerploft. Onmiddellijk veert hij weer overeind.

'Auw, shit!' roept hij. 'Jezus, dat doet pijn!'

'O jee!' Ik kijk ontzet naar hem. 'Kijk eens hoe verbrand je bent!'

Jims armen, Jims hals, Jims borst en schenen... Jims alles waar geen kleren hebben gezeten heeft een felroze tint.

'O, Jim,' zeg ik met een hand voor mijn mond, 'dat ziet er ontzettend rauw uit.'

Hij staat kreunend op en schuifelt naar de passpiegel.

'Christus,' zegt hij, terwijl hij zichzelf bekijkt. 'Waarom doe ik dit nou altijd?'

'Omdat je denkt dat je een Zuid-Europeaan bent?' zeg ik hoofdschuddend. 'Jim, met wat voor factor had je je ingesmeerd? Vier? Je bent een Schot, Jim. Accepteer dat nou eens.'

Gelukkig had ik eraan gedacht om aloë-vera mee te nemen.

'Moet je dat kleurtje van jou zien,' zegt Jim en hij klakt met zijn tong. Hij zit tegenover me op het bed terwijl ik de crème pak. 'Jij bent verdorie in één enkele dag chocoladebruin geworden.'

'Dat heb ik aan het Cornwallse bloed van mijn vader te danken,' zeg ik, de crème zachtjes in de huid op zijn enkels masserend. Ik doe mijn uiterste best niet te hard te drukken. 'Doet dit pijn?'

Hij schudt zijn hoofd.

'Daarom heb ik die gekke combinatie van donker haar en blauwe ogen, maar wel een modderkleurige huid.'

'Heb jij blauwe ogen?' vraagt Jim.

Ik kijk hem aan en wapper verlegen met mijn wimpers.

'Nee hoor, ze zijn een soort zeegroenblauw.' Hij tuurt me aan. 'Prachtige kleur eigenlijk.'

Ik pomp nog wat crème op mijn hand en leg allebei mijn handen om Jims voet. Ik concentreer me op de enkel en de wreef, masseer in kleine cirkels, en neem daarna elk verschroeid teentje onder handen om de crème zachtjes in te wrijven.

'Je hebt mooie voeten,' zeg ik. 'Niet die vreselijke eendenpoten van mij.'

'O, nou, laten we dan maar hopen dat hij of zij mijn voeten krijgt. En de rest liever van jou.'

Het late zonlicht stroomt de kamer in. Door ons open raam horen we het sissen en knisperen van de zee als hij op het strand rolt en zich weer terugtrekt.

'Ziezo,' zeg ik, en ik zet de fles weg. 'Dat maakt het weer lekker koel.'

'Dank je,' zegt Jim. 'Lekker hoor. Maar volgens mij hoor ik jou eigenlijk te masseren.'

Ik laat het bad vollopen, doe er een paar druppels mamabadolie in en laat me in het dampende, geurige water zakken. Mijn buik steekt er als een eiland bovenuit. In de kamer hoor ik voetbalcommentaar en af en toe een felle kreet van Jim: 'Tegen de lat!' 'Waardeloos!' 'Crimineel, wat een superschot!' Het is merkwaardig geruststellend.

Met mijn voet draai ik de warme kraan dicht. Ik leun achterover en doe mijn ogen dicht. Wolken als plukjes watten? Hoe slecht is dat? En wolken als magere schapen? Waar heeft hij dat in vredesnaam vandaan? Ik zie ons voor me, over het strand langs de waterlijn slenterend, Jim die over het zand loopt met twee smeltende ijslolly's in zijn handen. Ik zie hem voor me, in de kamer hiernaast, onder de vette smurrie, een hitte uitstralend die sterk genoeg is om er een ei op te bakken, en onwillekeurig glimlach ik.

'Ben je in slaap gevallen, Jarvis?'

Shit! Mijn ogen schieten open.

'Nee,' roep ik terug. 'Ik kom er nu uit.'

Ik hijs me uit het bad, sla een handdoek om me heen, doe de badkamerdeur open en kom er gehuld in een stoomwolk uit.

'Oké,' zegt Jim, die zich van het bed laat glijden. 'Een koude dou-che voor mij, denk ik.'

De douche gaat aan, ik hoor hem een kreet slaken en grinnik in mezelf terwijl ik mijn koffer openklap.

Het is een prachtige zomeravond. Ik wil me mooi aankleden, maar niets wat ik aantrek ziet eruit zoals ik wil. In mijn gedachten ben ik dun met een enorme buik. In werkelijkheid heb ik overal rondingen en een klein buikje. Ik probeer alle kleren in mijn koffer, tot er alleen nog maar een zwart, schuin op de stof gesneden jurkje met spaghettibandjes in zit. Ik laat het over de brede banden van de zwangerschapsbeha glijden en ga voor de passpiegel staan. Jezus, wat erg. Hoe komt het dat je er in je verbeelding zoveel beter uit-ziet? Overal zadeltassen; ik weet zeker dat mijn dijen doorlopen tot aan mijn knieën, maar iets anders heb ik niet, ik zal het ermee moe-ten doen.

'Wauw, gave jurk.'

Jim komt in een wolk Lynx de badkamer uit. Zijn verbrande neus gloeit als een boei.

'Niet liegen. Ik ben een olifant. Een dikke, logge olifant.'

'Niet waar,' zegt Jim.

'O, absoluut. Moet je zien.'

Ik houd alle kledingstukken die ik heb geprobeerd en afgewezen omhoog. 'Dit zag er niet uit, dit zag er niet uit, dit kan niet eens meer dicht...!'

'Je bent zwanger, idioot, natuurlijk word je nog dikker.'

'Ik zie er walgelijk uit.'

'Je ziet er prachtig uit,' zegt Jim. 'Je ziet er zelfs mooi uit.' Hij kijkt naar me in de spiegel. 'Je bént gewoon mooi.' Hij zegt het zo zacht dat ik het nauwelijks versta.

Ik doe alsof er niets is gebeurd, strijk de jurk glad en doe een stap achteruit. 'Nou, het moet zo maar,' zeg ik met een glimlach naar Jim. Maar mijn hart fladdert als een vogeltje in mijn borst.

Zei hij net dat ik mooi was?

In het centrum is het stampensdruk en de lucht is zwoel en vochtig. We kijken bij restaurants naar binnen, maar het ziet er overal over-vol en heet uit. Dan heeft Jim een geniaal idee.

'Wat dacht je van The Neptune? Die pub aan het strand. Daar kunnen we toch buiten zitten? Fish-and-chips eten.'

The Old Neptune is een vrijstaand, vervallen oud huis aan het einde van de boulevard langs het strand. Bij de plaatselijke inwoners is het populair en vanavond zit het vol, maar buiten op het zand staan zo'n tien tafels. Het lukt ons er één te bemachtigen die in de beschutting van de kademuur staat.

We gaan zitten, ik met uitzicht op de zee. Er ligt niets tussen mij en de inktzwarte, gladde zee.

'Ik heb een zalige dag gehad,' zeg ik. 'Ik vind het hier heerlijk.'

'Ik ook,' zegt Jim. 'Ik heb in tijden niet zo'n fijne dag gehad.'

Weemoedig denk ik terug aan die dag in de haven in Whitby, toen hij ook zo zat, met zijn gezicht naar de ondergaande zon, en dat ook had gezegd.

'Ik krijg net een déjà vu,' zeg ik. 'Van die dag in Whitby, weet je nog? Toen we de caravan van mijn ouders hadden schoongemaakt.'

'O jee,' zegt Jim, 'dat weet ik nog wel. We zaten toen ook aan zee bij een pub buiten, alleen was jij toen niet zwanger en dus dronken we bier.'

'Ja,' zeg ik, 'en zaten we te zoenen.'

'En lagen we te vrijen,' zegt Jim.

We lachen verlegen en kijken naar de zee.

Jim loopt naar de bar en bestelt het eten. Ik doe mijn teenslippers uit en duw mijn voeten in het nog warme zand. Het is nu bijna donker en de enige lichtbron is de warme gloed van de ramen van de pub en een versluierde maan, waarvan het licht langs de hemel lekt.

Jim komt terug en een paar minuten later hebben we te eten.

'Grappig hoe het is gelopen, vind je niet?' De tranen schieten in mijn ogen door de azijn op mijn friet.

'Wie zou dat hebben gedacht, hè? Die dag in Whitby? Dat we nu hier zouden zitten, ik zwanger, over vier maanden uitgerekend! Het is allemaal goed,' zeg ik, plotseling met een warm gevoel vanbinnen.

'Meen je dat?' vraagt Jim.

'Ja, eerlijk. Misschien leek het soms van niet, ik weet dat je de laatste tijd soms gek van me werd, maar ik heb er geen spijt van, Jim, dat weet je toch?'

'Ja,' zegt hij met een glimlach. 'Natuurlijk weet ik dat.'

'En weet je, wat er ook gebeurt,' ga ik verder, 'ons kind zal nooit te maken krijgen met ouders die gaan scheiden, want we zijn toch geen stel. Dat is heel goed.'

'Heel goed.'

Uit de pub komt uitgelaten gelach en van de zee het voortdurend ruisen. Bij de tafel naast ons maakt een groep tieners in een uniform van leggings en minispijkerrokjes zich klaar om samen op de foto te gaan.

Jim legt zijn vork neer en glimlacht naar me, een ernstige glimlach.

'Weet je,' zegt hij, 'vandaag, toen we op het strand zaten?'

'Ja.'

'Weet je nog van die vriend over wie ik je vertelde? Die collega van school?'

Er ligt een uitdrukking op zijn gezicht die ik eigenlijk niet ken. Hij ziet er een beetje kwetsbaar uit. Hij kijkt op zijn bord neer.

'Nou, eigenlijk, eh, weet je, toen ik zei dat het met mij waarschijnlijk net zo zou gaan als met hem, dat ik misschien... nou ja, eigenlijk...'

Het hoge gejammer van mijn mobieltje klinkt ineens door de avond.

'O, god.' Ik zie mijn moeders nummer oplichten. 'Ik kan maar beter even opnemen. Ze gaat zich zorgen maken als ik niet opneem.'

'Hallo?'

Ik mime 'sorry' naar Jim en kuier het strand op. Mam klinkt geagiteerd en nogal serieus. Het gaat over papa. Ze maakt zich zorgen om hem, hij is heel teruggetrokken en gedraagt zich vreemd.

'Het komt wel goed, mam,' zeg ik. 'Geef hem de tijd. Je weet dat hij soms een beetje neerslachtig is, maar dan ook snel weer opknapt.'

De zee likt slaperig aan het zand.

'Ik weet het niet, lieverd,' zegt ze. 'Hij doet al weken zo. Deze keer is het erger. Ik kan hem er niet uit wakker schudden.'

Ik probeer haar gerust te stellen en vraag of ik hem kan spreken, maar hij kijkt tv en wil niet aan de telefoon komen, wat inderdaad helemaal niets voor hem is.

'Is alles goed?' vraagt Jim als ik weer bij ons tafeltje ben.

'Ja, hoor. Pa is gewoon een beetje somber, meer niet. Ma loopt zich erover op te winden – hij is wel meer zo – maar ik weet dat hij er wel weer uitkomt, ze moet hem gewoon meer ruimte geven.

Maar, eh, wat zei je ook weer?' vraag ik, nadat we nog even over mijn vader hebben doorgepraat.

'O, niets,' zegt Jim, en hij neemt een slok van zijn Stella. 'Het is nu niet belangrijk.'

We lopen in bijna volmaakte duisternis terug naar de B&B en het gejoel uit de pub sterft langzaam weg. We kijken wat tv, stappen in bed, allebei op de uiterste rand. We zijn ons allebei scherp bewust van de ruimte tussen ons in. We praten even en dan is er stilte, duisternis.

'Jim,' zeg ik, maar aan zijn ademhaling hoor ik dat hij slaapt. 'Volgens mij voelde ik de baby net bewegen.'

26

'Ik werd te dik om op mijn werk mijn buik nog te verhullen. Mijn huis-arts gaf me het adres van een Georgian gebouw vlak bij Lancaster Cas-tle. Op de naamplaat op de voorgevel stond Ferry Road Sociale Wel-zijnsdienst. Zodra Lilian was geboren wist ik dat ik haar niet kon afstaan. Zoals dat soms gaat met wonderen, kreeg ik drie weken later een telegram van mijn tante die aanbood ons in huis te nemen.'
Geraldine, 82, Barrow

De nacht nadat we uit Whitstable terugkomen, slaap ik onrustig. De baby stuitert rond, net als de gedachten in mijn hoofd. Ik voel me na dit weekend hechter verbonden met Jim dan ooit, alsof elk moment in Whitstable een dierbare herinnering is die gewoon nog stond te gebeuren, een helderrode ballon die in een hemelblauwe lucht zweeft. Het was als vroeger, toen we zorgeloos waren, gewoon vrien-den. Maar dit waren ook nieuwe momenten, heerlijke nieuwe mo-menten! Momenten waarvan ik niet wil dat er over zes maanden een eind aan komt, als ik op mezelf moet gaan wonen.

Het lijkt een eeuwigheid te duren voordat de dag besluit aan te breken. Als het eindelijk zover is, kijk ik uit het raam en zie de meest grijze, minst juli-achtige dag die er bestaat, en ik krijg dat gevoel – ik kreeg het weleens toen ik klein was –, die twijfel of dit weekend wel echt heeft plaatsgevonden. Of was het maar in mijn verbeelding?

Ik sta met mijn armen over elkaar geslagen op mijn bed, mijn neus bijna bij die van Eminem.

'Zo, Slim,' zucht ik (volgens mij kennen Slim Shady en ik elkaar nu goed genoeg om hem zo te mogen aanspreken), 'wat denk jij, hmm? Wat komt er uiteindelijk nou van mij terecht?'

Eminem staart me aan van onder zijn honkbalpet, zijn handen

hangen naast zijn slobberbroek en zijn voeten staan wijd uit elkaar. Ik slaak een zucht, stap zo elegant als een babyolifant van mijn bed. 'Juist. Oké. Wat betreft inzichten hoef ik niet veel van je te verwachten, geloof ik.'

Het huis is stil omdat Jim 's morgens vroeg naar zijn werk is gegaan om eindejaarsverslagen te schrijven. Ik mis zijn aanwezigheid en zijn gescharrel.

Ik kleed me aan (Slim en ik hebben graag onderonsjes waarbij ik alleen een slipje aanheb) en ga in kleermakerszit op mijn bed zitten om mijn wenkbrauwen te epileren. Mijn buik van achttien weken steekt als een bescheiden boeddhabuikje naar voren en ik zie het begin van een streep van onder mijn beha naar mijn navel lopen, kastanjebruin en scherp afgetekend, als een hennatattoo.

Ik treuzel, ga tien minuten te laat de deur uit naar mijn werk, maar vreemd genoeg kan het me geen zier schelen. Als ik bij de bushalte aankom, staat Rachel er al, met Tilly blakend van gezondheid in haar wagen. Even denk ik dat kwart over negen best vroeg voor moeder en kind is om al op pad te zijn, maar Rachel lijkt me wel zo'n supermama die waarschijnlijk naar een soort baby-yogales in de binnenstad gaat.

'Kijk eens aan! Hoeveel weken ben je nu? Je bent echt groter geworden,' zegt ze als ik naar de bushalte toe loop. Vandaag heeft ze een enorme retro zonnebril op, een hippiebloesje aan en een lange broek. Daarbij heeft ze een crèmekleurige pashmina om haar schouders geslagen. Ze is weer haar eigen modebewuste zelf.

'Achttien,' zeg ik. 'Bijna halverwege!'

'Jee, spannend zeg. Probeer ervan te genieten. Ik wou dat ik meer van mijn zwangerschap had genoten. Voor mij was zwanger zijn een bron van stress.'

Dat verrast me. Ze lijkt me een type dat van haar zwangerschap zou genieten – hem bijna helemaal in lotushouding doorbrengt in zwangerschapskleren van Isabella Olivier.

'Waar ga jij vandaag heen?' vraag ik. 'En waar is Alan? Naar zijn werk zeker. Ik kwam jullie vorig weekend zeker toevallig tegen.'

'Nou, nee. Hij is ontslagen, eigenlijk,' zegt ze. 'Hij heeft op dit moment geen werk, dus hij is thuis.'

'O, wat vervelend,' zeg ik, en ik denk: dat is raar. Ik weet zeker dat hij zei dat hij brandweerman was.

'Ja, het kwam verschrikkelijk onhandig uit, net voordat Tilly werd geboren. Het was een klap in zijn gezicht.'

Ik wil geen foute dingen zeggen of iets doms als 'Hij vindt vast wel weer iets' dus ik verander van onderwerp.

'Ik heb het gisteren voor het eerst voelen bewegen.' Ik weet zeker dat ze geroerd is dat ik haar zoiets belangrijks vertel, en dat ze door mijn openhartigheid mij ook meer vertelt, maar ze reageert er niet op. Ineens luistert ze niet meer. Ze kijkt zenuwachtig de weg af, alsof ze spoken heeft gezien.

'Ik moet gaan,' zegt ze, en ze slaat haar pashmina steviger om haar schouders. 'Ik moet gaan, het spijt me. Ik zie je nog, oké?'

'Tuurlijk,' zeg ik bezorgd. 'Gaat alles goed? Kan ik je ergens mee helpen?'

Maar het is te laat, ze is weg. Ze rent heuvelopwaarts, met Mathilda in haar wagen, naar een zwarte auto die daar stopt.

'En hoe bepaalt Bruno jouw keuze wat mannen betreft?'

Anne-Marie snuift.

Ik leg een vinger tegen mijn lippen om te gebaren dat ze stil moet zijn en zet de telefoon aan de andere kant van mijn bureau zodat ze niet mee kan luisteren.

'Nou, hij kwispelt as hij ze wel ziet zitten, snappie?' De vrouw aan de andere kant van de lijn praat platter dan ik ooit heb gehoord. 'En as hij ze niet ziet zitten bijt hij ze in hun pote!'

'Juist.' Ik wrijf over mijn voorhoofd. Ik had gehoopt dat het een iets hoogstaander verhaal zou zijn. 'En doet hij verder nog iets specifieks?'

Drie kwartier later leg ik de telefoon neer. Het enige specifieke wat ik heb gehoord, was dat Bruno aan hun kruis snuffelt als hij ze twijfelachtig vindt en dan bij de deur gaat staan blaffen tot ze ze eindelijk naar huis stuurt.

'Dat klonk echt superbriljant,' zegt Anne-Marie lachend, terwijl ik me dramatisch achterover over mijn bureaustoel drapeer en kreun van ellende.

'Eerder ellendig,' zeg ik. 'Die hond is doodnormaal, die heeft net zo veel bijzondere gaven als jij en ik!'

'O, geen zorgen,' zegt Anne-Marie die fanatiek doortypt. 'Maak er maar wat van, de echte gekken merken er toch niets van. Bovendien heb je veel belangrijkere dingen aan je hoofd. Hoe gaat het trouwens met Fransje?' Ik voel het bloed naar mijn binnenste schieten. 'Je hebt het al een eeuwigheid niet over hem gehad.'

'Prima,' zeg ik, en ik doe alsof ik aan de batterijen van mijn dictafoon friemel. 'Niets te melden, alles gaat als een trein.'

'Aah,' zegt Anne-Marie, 'je zit al helemaal in fase twee. Geniet er maar van, want in fase drie komen de kleine ergernissen om de hoek kijken en dan gaan die je vreselijk irriteren.'

Het rode lichtje op mijn telefoon knippert.

Ik neem op.

'Hallo, met Features.'

'Hoi, met Becky van de receptie. Er staat hier een man beneden die zegt dat hij voor jou komt.'

'O, echt? Ik verwacht geen man. Hoe heet hij?'

'Dat zegt hij niet. Hij zegt alleen maar steeds: "Zie ik er soms uit als een terrorist?" Ik denk dat je beter even kunt komen.'

Eerlijk gezegd had mijn pa niet minder op een terrorist kunnen lijken. Zijn overhemd is niet dichtgeknoopt, hij heeft een lange bermuda aan, draagt sandalen met sokken en hij eet een portie friet van de McDonald's. Hij ziet eruit als een uit de kluiten gewassen tiener.

'Pap! Wat doe jij nou hier?'

'Ik kom om jou te zien, natuurlijk. Vind je het niet leuk dat ik er ben?' zegt hij en hij maakt aanstalten me te omhelzen. Ik geef hem een knuffel, maar zijn omhelzing is slapjes, helemaal geen omhelzing.

'Tuurlijk wel, maar...'

'Niet dat ik ook maar een schijn van kans heb om hier binnen te komen. Deze idioten denken blijkbaar dat ik bommen in mijn schoenen heb.'

'Páp!' zeg ik tussen opeengeklemde tanden door. 'Ze doen gewoon hun werk. Dat is standaard beveiliging; iedereen moet zijn naam geven en krijgt een pasje.'

Hij haalt zijn schouders op en gaat door met het eten van zijn frietjes.

'Tony Jarvis,' zeg ik tegen Becky, de receptioniste. Ik mime 'sorry'. Ze glimlacht en geeft me met verwarde blik in haar ogen het pasje.

'Eh, kom hier maar even zitten, pap.' Als ik naar een grote roodleren bank in de hal loop kuiert pap achter me aan.

Pap laat een hand gaan over de grote rubberplanten aan weerszijden van de bank.

'Ze hangen,' zegt hij. 'Ze moeten eens gesponst worden en kunnen wat aandacht gebruiken, deze planten.'

'Oké.' Ik frons mijn wenkbrauwen. 'Ik zal het Becky van de receptie wel laten weten. En pap, gaat alles goed? Waar heb ik deze leuke verrassing aan te danken?'

'Ik wilde je gewoon even zien, meer niet. Ik ben naar de Tate Gallery of Modern Art geweest. Wat een prullen staan daar, vind je niet? Ik kon niets vinden wat ik de moeite waard vond. Er stonden stapels dozen bij de hoofdingang, misschien zijn ze de boel aan het inpakken.'

'Pap, dat is een kunsttentoonstelling, eentje die de Turner-prijs heeft gewonnen.'

'Een wat?' Hij gromt en is niet onder de indruk. Ik kijk hem bezorgd aan. Pa weet precies wat de Turner-prijs is; normaal gesproken is hij erg in cultuur geïnteresseerd.

'En waar is nu je kantoor?' vraagt hij, en hij biedt me een frietje aan (dat ik afsla).

'Vijfde verdieping, precies boven het tijdschrift *Gardener's World*. Hé, ik kan een abonnement voor je regelen, als je wilt, voor je verjaardag.'

Hij kijkt dwars door me heen en blijft kauwen. Ik vraag me af of hij me wel heeft gehoord.

'Tja... Hoe gaat het met mam? En met mam en jou?'

'O, prima, met mama en mij gaat het prima, het gaat altijd prima,' zegt hij, zoals hij altijd doet. Ik slaak een zucht van verlichting. Dat mijn ouders zouden gaan scheiden is een van mijn grootste angsten. Maar toch ben ik een beetje ongerust; er is iets ernstig mis met mijn vader.

'En Ed? Gaat het goed met Ed en Joy en de meisjes?'

'Hmm,' zegt pap met zijn mond vol, 'hou op met al die vragen, alles gaat prima.'

Ik zucht en een poosje zitten we zwijgend naast elkaar.

Dan zeg ik: 'Pap, luister, even serieus. Het is nogal onverwacht dat je kwam, helemaal alleen, snap je, zonder me eerst te bellen. Ik maak me alleen zorgen, meer niet.'

'Ik wilde alleen eens een keer wat anders,' zegt hij. 'Mag een man niet een beetje variatie in zijn leven als hij daar zin in heeft?'

'Tuurlijk, pap. Tuurlijk mag dat.'

'Nou, dan. Dat bedoel ik.'

Vijf minuten later zegt hij dat hij ervandoor gaat, naar dat reuzending dat hij bij de rivier heeft gezien.

'Nou, zeg maar niet tegen je moeder dat ik ben geweest, oké. Anders maakt ze zich maar zorgen. Beloof je dat?'

'Oké,' zeg ik tam. 'Dat beloof ik.'

Ik kijk naar mijn vaders korte spillebeentjes die naar de uitgang lopen en vraag me af of ik me aan de belofte kan houden die ik net heb uitgesproken.

27

'De seks met m'n ex was geweldig, veel beter dan het ooit was geweest toen we nog echt iets hadden. Een maand nadat we het voor de vierde keer hadden gedaan – natuurlijk in beschonken toestand – kwam ik erachter dat ik zwanger was. "Je houdt het toch niet, hè?" zei hij met een panische blik in zijn ogen. "Ja," zei ik. "Natuurlijk hou ik het. Het is waarschijnlijk het enige goede wat ik aan jou overhou."
Sufia, 35, Manchester

'Heeft een likje verf nodig, wat kluswerk, maar qua ruimte krijg je voor deze prijs niets beters,' zegt Craig van Kinleigh Freiht en Kolkard (of Kinleigh Vreet en Kokhals, zoals Jim en ik het zijn gaan noemen) en hij gooit de sleutels in de lucht en vangt ze weer op.

Dit is de tweede bezichtiging van een flat in Camberwell. Een flat met één slaapkamer op de tweede verdieping van een vervallen victoriaans appartementengebouw. Het heeft potentieel – lichte ruimte, hoge plafonds en voor de prijs (189.000 pond, wat het maximale is dat ik kan betalen) is het groot. Maar er heeft in geen jaren iemand gewoond en afgezien van een roze matras die tegen de muur ligt is er geen teken van leven. Ik kijk rond en doe mijn best om mezelf er te zien wonen.

'Bestaat de mogelijkheid om deze muur eruit te bikken en twee slaapkamers te maken, en van de slaapkamer een zitkamer te maken?' vraagt Jim, en hij klopt op de muren alsof hij weet waar hij het over heeft.

Craig van KVK streelt zijn sikje – getrimd op drie centimeter lengte – en zet zijn voeten nog verder van elkaar neer. 'Ik zou niet weten waarom niet,' zegt hij schouderophalend. 'Maar hebben jullie niet liever één grote slaapkamer?'

'Ze verwacht in december een baby,' zegt Jim, en zijn stem klinkt hol in de lege ruimte. 'Dus als we er twee slaapkamers in kunnen maken zou dat ideaal zijn.'

'O, gefeliciteerd...' Craigs ogen duiken mijn decolleté in. 'Ik vroeg me al af of u misschien in verwachting was.' Ineens fronst hij zijn wenkbrauwen. 'Maar, dus...' Het cognitieve proces komt duidelijk sputterend op gang. 'Waarom zoeken jullie dan niet samen iets?'

'We hebben geen relatie,' zegt Jim. Ik ben gekwetst door zijn vlotte antwoord.

'O, oké,' Craig heeft een diepe denkrimpel op zijn voorhoofd. 'Maar het kind...?'

'Is van mij,' zegt Jim.

Craig trekt een gezicht.

'Het zit gecompliceerd in elkaar,' zeg ik met een halfhartige glimlach.

Craig knikt en is duidelijk in verlegenheid gebracht omdat hij nu blijkbaar getuige is van de rommelige nasleep van een naar scheidingsverhaal. Hoe kan hij weten dat we nooit een stel zijn geweest?

'Nou, ouderschap is het moeilijkste wat ik ooit heb gedaan, dat is een ding dat zeker is,' zegt hij, luchtig doorpratend. 'Onze kleine ladykiller is nu vijf maanden. Mijn vrouw zegt dat de borstvoeding het ergste was, omdat eh... ik haar daar niet echt mee kan helpen!' Als hij lacht, laat hij een stel volmaakte facings zien. 'Maar, ik bedoel...' Hij blaast zijn wangen vol lucht en trekt een ernstig gezicht, alsof hij een masker opzet. 'Ik kan me niet voorstellen hoe het is als je in je eentje bent.'

Jim grijnst alsof hij sorry wil zeggen. Ik haal mijn schouders op. Ik ben hier nu wel aan gewend. Dan laat ik mijn beste nietszeggende glimlach op Craig los.

Staat dat me te wachten? Zielig zijn in de ogen van de samenleving? Craig van KVK zegt vanavond thuis waarschijnlijk tegen zijn vrouw: 'Niet zeuren, mens, ik heb vandaag iemand gesproken die er veel erger aan toe is dan jij.' Waarschijnlijk vindt hij Jim een enorme eikel en denkt hij dat hij me pas heeft gedumpt, maar natuurlijk is niets minder waar.

Ik laat mijn hand langs de muren van de flat gaan – er bladdert verf op de grond. Ik probeer iets te bedenken wat ik kan zeggen waarin doorklinkt dat ik de flat echt wil hebben. Alsof ik een serieuze koper ben. Jim glimlacht bemoedigend.

'Maar hoe moet dat met de inrichting? Ik bedoel...' Ik zoek alle smoezen om de flat maar niet te nemen. Bij de gedachte dat ik mijn veilige haven bij Jim zou verlaten, voel ik een misselijkmakende angst.

'Dat is puur cosmetisch,' zegt Jim. Hij kijkt opgetogen, vol enthousiasme. 'Je moet je voorstellen hoe het eruitziet met al je spullen erin. En ik zal je helpen met klussen. Rotkop en ik doen het in één weekend.'

Ja, hoor, wil ik zeggen. Je hoeft er niet zo verrekte positief over te doen. Je zou wat harder om mijn aanstaande vertrek kunnen treuren.

'Ik vind dat je een bod moet doen,' zegt Jim. Craig kijkt omlaag en tikt met een glanzende schoen op de vloer. Hij wil niet te gretig overkomen, maar ik kan de dollartekens bijna in zijn oogkassen zien rollen.

'Het is een mooie plek, je kunt er heel veel van maken en het is groot, Tess. Beter een grote flat waar je nog iets aan moet doen, dan een chique tent waar je je kont niet kunt keren.

'Dus, eh... is dat een ja?' probeert Craig, als Jim en ik elkaar een paar seconden hebben staan aankijken, waarbij we allebei proberen elkaars gedachten te lezen.

'Ja,' zeg ik, 'het is absoluut een ja.' Ik glimlach; ik wil Jim voor geen goud laten zien wat ik echt voel, maar ik heb pijn in mijn keel van de inspanning die het me kost.

We besluiten 185.000 pond te bieden. Craig belt de verkopers en het wordt ter plekke aanvaard.

'Geweldig!' zegt Craig stralend. Hij probeert me een high five te geven, maar mijn hand mist de zijne en kletst bijna tegen de zijkant van zijn hoofd aan. 'Je hebt een superflat gekocht.'

Jim doet een stap naar voren en omhelst me stevig. Terwijl ik hem in mijn armen houd, waarschijnlijk langer en steviger dan zou mogen, voel ik dat hij zich terugtrekt, ik weet het zeker.

Wat ook gaande is sinds we in Whitstable zijn geweest, is dat Jim veel meer uitgaat. Het lijkt wel of die eerste paar weken dat we samenwoonden en we veel thuis waren en gewoon veel met elkaar kletsten, alleen nieuwigheid was, en dat hij nu liever wat afstand houdt. Ik voel me eenzamer in het huis, alsof we geen eenheid, al was het een wat onconventionele eenheid, meer vormen.

Jim steekt zijn hoofd om de hoek van de deur als ik *De roze wolk* lig te lezen. 'Nou, eh... tot straks, hè?'

'Oké. Doe het rustig aan met Rotkop, je weet wat voor lichtgewicht hij is. Ik wil niet dat hij nog zo'n allesoverheersende kater krijgt en dat jij nog een teen breekt als je voor hem invalt.'

'Ja, schat,' zegt Jim gekscherend. Dan rekt hij zijn nek uit om te zien wat ik lees. 'Ben je nog steeds in dat boek bezig?'

'Het lijkt er wel op,' zeg ik, er ineens verlegen mee. 'Ik ben bij nummer zesennegentig, dus nog vijf te gaan.'

Jims hoofd verdwijnt uit de deuropening en komt weer tevoorschijn, alsof hij niet weet of hij iets zal zeggen of niet.

'Je maakt je toch niet druk om wat ik laatst tegen je heb gezegd, hè?' zegt hij. 'Je weet wel, dat jij ons altijd vergelijkt met anderen en dat je wat meer van die verhalen zou moeten lezen, als je echt wilt weten wat er in het echte leven gebeurt.'

'Nee, maak je geen zorgen. Zo paranoïde ben ik niet,' lieg ik.

'Mooi. Ik wil niet dat je jezelf van alles verwijt. Ik kom waarschijnlijk laat thuis, dus ik zie je morgen, oké?'

'Oké,' zeg ik. 'Veel plezier.'

Ik hoor de klik van de voordeur, en dan daalt de stilte neer, oorverdovend. Ik lig op bed met het boek op mijn buik en kijk de kamer rond die straks mijn kamer niet meer is, maar die van onze baby, die zelfs niet in mijn eigen huis is. Wordt het een meisjeskamer? Met bloemenelfjes en schattige ruitstofjes? Of wordt het een jongenskamer, met piraten en treintjes? Ik stel me voor hoe Jim hier midden in de nacht binnenkomt om ons kindje in slaap te sussen als ik er niet ben. Redt híj het wel in zijn eentje? En dan heb ik het nog niet over mij. Het lijkt wel of we doorstomen naar de status van alleenstaande ouder, zonder eerst als stel te hebben geoefend.

Ik sta op en loop als op de automatische piloot Jims kamer in. Hij ruikt naar Jim – naar Lynx (Jim is nooit zo'n aftershave-type geweest), de papierlucht van boekwinkels, de geur van metaal en hout van school.

Ik neus in zijn boekenkast. Boeken die talloze verhalen vertellen, en niet alleen die op de bladzijden. Er staat een verzameling oorlogspoëzie van Faber en Faber, veel van Ian Banks, alles van William Boyd. Ik zie een boek uit 1970 met de titel *In dertig dagen een wasbord op je buik* met een foto van een man in kniekousen en een heel korte short. Op de onderste plank staat de Asterix-verzameling (trendy en cool), de boeken van *De Vijf* (klassiek en cool) en een reeks over een pony die Gill heet (*Gills dressuurwedstrijd, Gills nieuwe stal...* – helemaal niet zo cool, die heeft hij voor me verzwegen).

Ik ga op zijn bed zitten en laat me achterover in de geruite kussens zakken. Ze ruiken naar jongens, naar Jim. Ik pak de foto – die foto in het rode lijstje van ons in Norfolk – en houd hem dicht bij mijn gezicht, en dan hoog boven me, zodat ik hem in het vage avondlicht kan zien. Gina en Vick die tegen elkaar aan leunen, en ik, al poepbruin na een dag in de zon, in de strandstoel tegen Jim aan. Ik bekijk mijn eigen gezicht eens goed, en nu zie ik het, alsof ik een belangrijke aanwijzing zie op een foto in een forensisch onderzoek.

Al dat gezemel over dat het een belachelijk idee was om hem uit te vragen, dat Jims afwijzing alleen maar goed voor mij was, was een leugen, één grote leugen! Vanbinnen was ik er kapot van, en ik denk dat ik dat op een bepaalde manier altijd ben geweest. Maar ik heb het verdrongen en geprobeerd te geloven wat Jim altijd tegen me zei: we zijn vrienden, boezemvrienden. Dat moet je toch niet verpesten? Bovendien, hoe kun je nu verliefd zijn op iemand die niet verliefd is op jou?

Maar blijkbaar is het me toch gelukt. Want ik ben wél verliefd, ik ben smoorverliefd op Jim Ashcroft: op zijn magere figuur in al zijn Schotse, lelieblanke glorie, op zijn rare springerige loopje en zijn zorgwekkende stropdassenkeuze. Ik houd ervan als hij úren in zijn thee roert, als hij een briefopener gebruikt om zijn post te openen. Ik kijk graag toe terwijl hij een krant leest en de woorden met zijn lippen vormt, en als hij thuiskomt van voetbal, helemaal bezweet en vol vuur, wil ik hem op de grond trekken en hem verslinden. Maar ik houd vooral van de manier waarop hij de dingen neemt zoals ze komen – waaronder mij –, alsof het nooit in hem zou opkomen om iemand, wie dan ook, te willen veranderen.

Ik leg de foto terug en word overspoeld door het gevoel dat ik Jim mis, dat ik bij hem wil zijn, van droefenis dat ik, wij, het helemaal hebben verknald. Verdomme Tess, waarom heb je nou niet volgehouden? Toen we in Whitstable waren, waarom heb je niet gezegd wat je voelde? Neem eens een risico!

Ik heb een onverwachte aandrang om naar de babyfoto's te kijken die hij me gisteren heeft laten zien. Ik wil me voorstellen hoe ons kindje eruit zal zien. Ik wil Jim dicht bij me voelen.

Ik herinner me dat hij de foto's in albums in een lage, witte IKEAdoos bewaarde. Ik ga op de grond liggen en kijk onder zijn bed, waar het vol ligt met oude sportschoenen en een laag stof van een decimeter. Ik zie de witte doos en begin eraan te trekken, en dan valt mijn blik op een andere, donkerrode doos ernaast. Er zit een sticker op, waarop in Jims handschrift staat *brieven en zo*, met lichtgroene pen geschreven.

Ik kan mijn nieuwsgierigheid niet bedwingen. Ik schuif hem onder het bed uit en ga in kleermakerszit op het bed zitten en doe hem open. Er zitten een paar brieven in van zijn moeder, waar ik niet naar kijk, dat vind ik te persoonlijk, en een paar lieve ansichtkaarten van Annalisa. Ze gaan allemaal over mensen van wie Jim waarschijnlijk nog nooit heeft gehoord; een reikicongres waar ze is geweest, het feit dat de bank beslag legt op het huis van haar ex, en allemaal ondertekend met: *Ik kus je, verloren jongen.* Ze is knetter, Annalisa, zo gek als een deur, maar ze 'had' Jim, en waarschijnlijk heeft ze in het geheim diep getreurd toen hij haar mailde om ons nieuws te vertellen, ook al zou ze dat nooit uitspreken.

Er zitten twee brieven in van het kantoor van Ken Livingstone ('Beste meneer Ashcroft, het spijt ons te horen dat u van mening bent dat u uw parkeerbekeuring moet aanvechten...') en een pakketje ansichtkaarten die met een elastiekje bij elkaar worden gehouden. Ik merk dat ik het handschrift herken, maar ik kan het niet goed plaatsen. Als ik zie waar ze vandaan komen – twee van het Malawimeer, een uit Harare, een van een safarikamp in Chobe, in Botswana – besef ik dat het mijn handschrift is.

Ik pak er één, die uit Malawi, en draai Jims lamp zo dat ik het goed kan zien:

Er staat:

Lieve Jim,
Ben ziek (ooit van projectielsch**ten gehoord, term van mijn vader) en dus lig ik nu in mijn tent om dit te schrijven. Niet de beste week gehad: mijn fototoestel is gepikt op station van Lilongwe, ben zo high geworden door de Malawi Gold-spacecakes (omdat ik nog van streek was om het fototoestel) dat ik ging hallucineren, in een greppel ben gevallen en mijn enkel verstuikte, en nu dit weer, duidelijk het begin van malaria. Mis jullie verschrikkelijk, vooral jou, mis onze eerlijke gesprekken en jouw impressies van Broke-Snell. (Laat ze er nog steeds een met foie-grassmaak vallen als ze weggaat? Hihi!) Bel me, jij

sch**k! (V heeft het nummer van dit kamp.) Tot gauw (als ik ten-
minste niet voor die tijd doodga), hou zooooveel van je,
Tess xxx

Dus hij heeft ze wel gekregen, hij heeft mijn kaartjes gekregen! Maar hij heeft het er nooit over gehad. Dus ik had gelijk. Ik doe het elastiekje er weer omheen, precies zoals Jim het eerder had gedaan, zodat ze bij elkaar zitten, in een hokje gestopt, opgeslagen voor geen enkel toekomstig gebruik.

Ik doe ze terug in de doos, schuif hem weer onder zijn bed, ga naar beneden en eet twee kommen Frosties zonder melk omdat we geen melk hebben en ik geen zin heb om te halen.

Ik kijk naar *When a Man Loves a Woman* op dvd, meer omdat ik eens goed wil huilen dan omdat ik die specifieke film wil zien (ik ken de tekst uit mijn hoofd). En hij heeft het gewenste resultaat; ik huil tranen met tuiten. Dan hoor ik om elf uur de sleutel in het slot en schrik ik omdat ik Jim niet zo vroeg terug had verwacht. Ik zie er niet uit: opgezwollen ogen, dikke lippen, het hele verhaal.

'Je bent vroeg terug,' zeg ik, nadat ik de dvd uit en de tv aan heb gezet en me op mijn wangen heb geslagen in een haastige poging er normaal uit te zien.

'Jézus!' zegt Jim ademloos. 'Moet je je gezicht zien. Heb je zitten huilen?'

'Daar is niet veel voor nodig,' zeg ik met een geforceerde glimlach. Ik gebaar naar het lege dvd-doosje. 'Een echte jankfilm, elke keer weer.'

Jim staat me aan te kijken. Hij weet dat ik maar wat sta te kletsen en dat ik er niet zo kan uitzien door naar een film te kijken, zelfs niet na een jankfilm. Hij doet zijn jas uit en gaat op de stoel tegenover me zitten, niet naast me op de bank, merk ik.

'Het komt door het verhuizen, hè?' zegt hij, zo zacht dat ik meteen weer volschiet.

'Ja, ik denk van wel. Ik doe het in mijn broek.'

'Luister, ik gooi je echt niet op straat voordat de baby er is,' zegt hij, alsof dat me minder het gevoel geeft dat ik een vreemde in mijn eigen (al is het tijdelijke) huis ben.

'Weet ik,' zeg ik met trillende kin. 'Maar ik wil niet langer blijven dan jij leuk vindt, en ik moet wennen aan het idee dat ik alleenstaande moeder word, Jim. Dit wordt mijn leven, mijn toekomst.'

Jim zucht, kijkt naar de grond en dan weer naar mij. Zijn gezicht is ernstig.

'Luister, ik weet niet of je er iets aan hebt, maar ik leef echt met je mee, oké? Ik heb waarschijnlijk niet erg veel inlevingsvermogen laten zien en jij hebt vast het idee dat je je gevoelens moet verbergen. Maar ik weet dat het moeilijk voor je is om te wennen aan het idee dat je alleenstaande moeder wordt, aan die flat en aan hier weggaan, aan dat alles zo snel gaat.'

'En jij ook,' zeg ik.

'Ja, nou...' zegt hij schouderophalend. 'Ik ben niet degene die zwanger is, toch? En het spijt me. Het spijt me echt, Tess. Want ik weet dat je het zo graag wilde, het hele verhaal, verliefd worden, en het is gewoon niet zo gelopen.'

Ik kijk hem aan, probeer iets te zeggen, maar kan niet praten. Iets in mijn binnenste breekt.

Meer hoef ik niet te weten.

28

'Het was Harry die kinderen wilde. Ik was dik tevreden met de kake-
toes en twee keer per jaar op safari. Toen kreeg ik voedselvergiftiging
door een coquille Saint-Jacques en ziedaar: de zwangerschap was een
feit. Zaad van Adonis! We hebben nu vier kinderen, maar elke keer als
ik coquilles eet zegt Harry gekscherend: "Daar gaan we weer, één hap
en het is gebeurd. Moet ik de kinderkamer vast schilderen?"'
Lillian, 50, Aldeburgh

In Whitstable was ik verliefd op het leven en alle mogelijkheden,
maar nu voelt het alsof we die vierentwintig uur echt aan het eind
van de wereld hebben doorgebracht, in een vacuüm zonder verband
met het echte leven, want sindsdien kan ik uit Jims gedrag alleen
maar opmaken dat ik het verkeerd heb geïnterpreteerd. En nu die
flat – een duidelijk teken dat ik verder moet met mijn leven. Ik heb
het gevoel dat ik weer terug bij af ben, net zo bang en ontheemd als
ik me die eerste waanzinnige dagen voelde toen ik net had ontdekt
dat ik zwanger was.

Het is een winderige, bewolkte zaterdag. Het weer is net zo besluiteloos als ik, dus ik ga de stad in, ga op koopjesjacht om de tijd een
beetje te doden tot mijn afspraak met Gina. We gaan om halfvijf
naar *Ocean's Thirteen*. Ik sta net in Cath Kidston mezelf ervan te
overtuigen dat ik geen dag meer kan zonder een strijkplankovertrek
met zeilbootjes erop, als Gina belt.

'Hé, hoi.' Ze klinkt erg vrolijk. 'Ben jij al in de stad?'

'Ja, in Cath Kidston in Covent Garden. Ik sta op het punt een hormonale rampaankoop te doen.'

'Wat dan?'

'Een strijkplankovertrek met zeilbootjes erop.'

'O, jezus. Blij dat ik belde. Luister, ik weet dat we al voor de film hebben afgesproken, maar nu je toch al in de stad bent wou ik vragen of je eerst kennis wilt maken met iemand.'

'Wie?'

'Simon. Mijn nieuwe vriend. Echt, Tess...' Ze klinkt hyper, alsof ze op het punt staat te ontploffen: 'O jee, hij is zo lief, zo ontzettend anders dan mijn gebruikelijke type vriend.' (Ja, ja...) 'Je zult hem geweldig vinden, echt.'

'Oké.' Niet dat ik iets anders te doen heb. 'Wanneer en waar?'

'Ik bedacht dat we wel samen konden lunchen. Wat dacht je van Chinatown? Zullen we om, zeg, halfeen afspreken bij de boog op Gerrard Street?'

'Beloof je dat ik dan crispy duck kan eten?'

'Allemensen, jij hebt echt een eetobsessie, hè?'

'Yep.'

'Oké, ik beloof dat we crispy duck voor je regelen.'

'Je hebt me overgehaald. Ik zie je straks.'

Gina heeft haar haar los hangen, in een wilde bos. Ze heeft zich helemaal opgemaakt, een gilet van bont aan over een paars bloesje met strikjes, denim hotpants met een turquoise panty eronder en laarzen tot aan haar knieën.

'Ik zie dat je vandaag hebt gekozen voor de bescheiden, onopvallende look.'

'Vind je het leuk?' vraagt ze stralend.

'Super. Je maakt een echte verschijning.'

'O, mooi. Simon zegt dat hij het prachtig vindt als ik me helemaal laat gaat wat kleren betreft. Hij kan niet tegen vrouwen met saaie kleren.'

(Goed teken: niet saai. Slecht teken: het zou kunnen betekenen dat we weer te maken hebben met een pretentieuze mafketel die acteur/ Mexicaans jongleur/tattoo-artiest wil worden.)

Gina bekijkt me eens goed.

'En, hoe gaat het met de, eh... buik?'

'Hij groeit,' zeg ik, en ik trek mijn vest opzij.

'Krijg nou wat,' zegt ze. Ze doet een dikke laag lipgloss op. 'Hij is gigantisch, walgelijk gewoon!'

Ik voel me echt gestreeld.

Pas als we beginnen te lopen... in de tegenovergestelde richting van

Chinatown, biecht Gina op dat de plannen zijn veranderd.

'Het spijt Simon, maar hij kan niet weg van zijn werk, hij stelt voor dat we naar zijn kantoor toe komen.'

'Wat? Op zaterdag?'

'Ja, hij werkt echt heel hard.'

Ik sta stil op straat.

'Juist, dus het Chinese banket is veranderd in helemaal geen eten in het kantoor van de vriend van mijn vriendin?'

'Eh... ja. Sorry,' zegt ze met een spijtige grimas.

'Dat wordt een goedmakertje.'

Gina heeft me al vaak verrast met haar vriendjeskeuze, maar deze keer sta ik paf. Simon werkt niet alleen als businessmanager voor HSBC (een bánk; bedenk dat Gina wel zelf voor een bank werkt, maar met een grote boog om alle soorten bankiers heen loopt...), maar hij heeft ook nog een saai kantoor waar nog geen notitieboekje op zijn bureau ligt om het wat op te fleuren. Hij draagt een pak, elke dag, heeft een kort opgeknipt kapsel, sproeten over zijn lieve jongensneusje en kan niet langer zijn dan één meter zeventig. Hij doet me aan Michael J. Fox denken.

Wat me ook verbaast is dat ik na een paar seconden al weet dat dit de ware is. Dat dit voor Gina de ware man is.

'Tess, dit is Simon. Simon, dit is mijn beste vriendin, Tess. Zij is degene die zwanger is van haar boezemvriend, je weet wel, over wie ik je heb verteld?'

'Ha, Tess. Hoe is het?' Simon glimlacht breed naar me met een blik van 'ach, zo is Gina nu eenmaal' en geeft me een stevige hand, kijkt me aan en zo.

'Ha, Simon. Met mij is het goed, hoor, dank je. Mooi...'

Kantoor, wilde ik zeggen, maar op dat moment kan Simon niet meer horen wat ik zeg omdat Gina zich aan zijn mond heeft vastgezogen en hem staat te zoenen alsof hij naar het front gaat. Niet dat hij klaagt, overigens. Er volgt een zoenpartij van ruim tien seconden en ik doe maar alsof ik opga in een folder over pensioenen.

'Nou,' zegt Simon uiteindelijk, terwijl hij Gina's rug streelt. 'Ik weet niet of jullie honger hebben, maar ik rammel. Als niemand er problemen mee heeft, ik heb hamsandwiches en kaaschips in mijn tas. Zullen we die delen?'

En zo komt het dat ik mijn zaterdagse lunch gebruik in het kantoor van het HSBC-filiaal aan de Shaftesbury Avenue, waar ik een hamsandwich deel met mijn verliefde vriendin en haar even verliefde vriend, met het gevoel dat ik in een documentaire speel over surrogaatouders. Maar weet je, ik vond het niet erg. Ik kan zelfs zeggen dat het best leuk was. Ik mocht Simon; hij gaf me niet het gevoel dat ik een olifant ben. Hij was grappig en eerlijk, en hij lachte me niet uit toen Gina het verhaal over Luisa Vincenzi weer opdiste (die griet kan het gewoon niet laten), maar lachte hartelijk met me mee.

Maar wat ik vooral waardeerde was zijn manier van met mijn vriendin omgaan en het feit dat ze het hele uur dat ze bij hem was aan één stuk door heeft zitten lachen.

Uiteindelijk nam ik rond twee uur afscheid van Gina. We zouden eigenlijk naar de film gaan, maar na een smekende blik van Gina toen Simon vroeg of ze met hem wilde gaan, leek het me dat ze van gedachten was veranderd. Logisch. Als ik moest kiezen tussen achter in de bios met mijn vriendje vozen en naast mij zitten terwijl ik de hele tijd maagzuur naar boven voel komen, dan zou ik het ook wel weten.

Ik steek over, vervuld van een prettig moederlijk gevoel dat Gina misschien eindelijk de juiste heeft gevonden. Er is geen tijd om me te verstoppen of weg te lopen; ze zijn er gewoon, alsof de tijd even vooruit is gespoeld. Laurence, hand in hand met een meisje. En door wat Gina me heeft verteld over de kattenogen en de kleine piercing boven haar gestifte lippen weet ik dat het Chloe is.

Laurence is zich doodgeschrokken, alsof hij net zijn moeder is tegengekomen terwijl hij high is van de drugs.

'Hoi,' zegt hij.

'Hoi,' zeg ik.

'Hoe is het?'

'Goed. Ik groei, dat snap je wel. En met jou?'

'Ja, goed, met ons gaat het goed. Alles gaat, eh, goed.'

Chloe neemt me eens op en kijkt dan op naar Laurence, oprecht verward.

'Schat, waar zijn je manieren?' Ze geeft hem een zachte por in zijn zij. 'Ga je me niet voorstellen?'

Ze drukt zich goed uit, is op een exotische manier mooi, met een trendy, Londens tintje, met haar gestippelde chokertje en haar met kohl omrande ogen. Ze heeft een snelle, intelligente blik; haar houd je niet voor de gek. Maar er zit ook warmte in, en zeker geen spoor van de maffe hysterie die Laurence haar toeschreef.

'Eh, dit is Tess,' zegt Laurence met een gebaar naar mij, waarbij hij het klaarspeelt de andere kant op te kijken. 'Tess, dit is Chloe.'

Ze knikt vriendelijk maar begrijpend.

'En, wanneer komt je kindje?' Ze glimlacht. Ze is alleen maar nieuwsgierig, maar Laurence staat te popelen om zich uit de voeten te maken.

'December. 14 december.'

'Ach, wat een bofkont ben je. Ik wil het liefst nu kinderen. Heel stiekem zou ik de bruiloft een beetje eerder willen doen, zodat ik zwanger kan worden!'

'Brúíloft?' Ik werp Laurence een blik toe. Ik zie hem met zijn ogen knipperen en dan naar de grond kijken. 'Ja, we zijn verloofd. We trouwen in september, maar dat geloof ik pas als het ook echt gebeurt!'

Het beeld wordt duidelijk. Zodra ik de bom laat vallen zijn ze weer samen. Er volgt een aanzoek, alle grote gebaren, maar zonder gevoel, zonder overtuiging.

'Gefeliciteerd,' zeg ik met een geforceerde glimlach. 'Dus dat zal wel iets recents zijn, dan. Een haastklus voor september.'

'Ben je gek?' zegt Chloe lachend. 'De langste verloving aller tijden! Hij heeft me drie jaar geleden al gevraagd.' Ik word helemaal koud. 'Het duurde nog eens drie maanden voordat hij met een ring kwam, maar zelfs toen wilde hij nog geen datum prikken. Uiteindelijk moest ik hem een ultimatum stellen. Ik heb hem gedumpt en gezegd dat hij in mijn oude flat mocht wonen. Ik zei dat als hij geen datum voor de bruiloft had, als hij er niet binnen drie maanden uit was, het uit zou zijn.'

Ze vertelt verder, maar ik hoor haar niet goed; er klinkt te veel gekletter in mijn hoofd: het is net of alle stukjes van een Rubiks-kubus in één keer op hun plaats schieten en de kubus dan zwaar en massief in mijn maag blijft liggen. Ik blijf Laurence aanstaren, maar hij kijkt geen enkele keer op; wat een ongelooflijk karakterloze lapzwans.

'Tjonge, dat is wel streng, maar kennelijk heeft het gewerkt.' Uiteindelijk glimlach ik. Dan zeg ik, ik kan het niet laten: 'Laurence was blijkbaar klaar voor het huwelijk en het gezin. Hij heeft voor het léven gekozen, hè, Laurence? Hij had gewoon wat tijd nodig om alles op een rijtje te zetten.'

Blijf lopen. Blijven lopen en niet omkijken. Ik voel me alsof alle adem uit mijn longen is geslagen, ik ben buiten adem. Hij heeft het dus niet alleen niet uitgemaakt, maar was ook nog eens verloofd met haar? Al die tijd?! Wat ben ik een ongelooflijk domme trut geweest! Hoe naïef kun je zijn? De herinnering aan ons, daar in die flat, háár flat, ik zwanger, met die bespottelijke beha op de grond en dat gedoe met Sebastiaan de Slak. O, god! Ik kan nooit meer naar die slak kijken.

Ik ga linksaf de hoek om en loop Romilly Street in. Ik heb geen plan, mijn benen lopen maar door. Het is onbewolkt, de middaglucht klaart op en de sprankelende jongelui van Soho staan bij cafés op het terras; zonnebril op, overhemd los, een sigaret in de ene hand en de andere hand om de slanke, gebruinde schouder van een of ander sprankelend jong ding, kletsend, lachend. Een volière vol exotische vogels, ik heb het zo vaak gezien. Ik heb hier talloze voetstappen liggen, maar op dit moment, nu mijn hart in mijn keel bonkt, lijkt het wel een ander universum, alsof ik het gadesla vanuit een geluiddichte glazen kooi.

Ik hoor mijn eigen ademhaling. Alles ziet er vreemd uit. Ooit was ik een van die sprankelende jonge dingen, had ik het gevoel dat ik er hier, op deze plek, bij hoorde. Nu weet ik het niet zo zeker meer. Hoort een alleenstaande, zwangere vrouw wel ergens bij?

Een vrijgezellengroepje met roze veren in het haar en bedrukte T-shirts rolt kakelend Kettner's champagnebar uit, waar ik menig 'beschaafd' avondje uit heb doorgebracht, gevolgd door uren bezweet dansen in een of andere souterrainclub. Daar zijn de donkerrode bankjes van Pollo's Italiaans restaurant. In het bankje naast de deur staat een afdruk in de vorm van mijn billen; Bar Italia, waar ik ooit van de trap ben gevallen en ik mijn been heb opengehaald. Ik loop Frith Street door. De schok is aan het wegebben en laat een gevoelloosheid en gelatenheid achter. Ik spring op de stoep als er een motor met twee luidruchtige kerels voorbijscheurt. Geschrokken doe ik mijn ogen dicht en proef bijna de goedkope Franse wijn en de kipfilet voor vijf pond waar ik als leerlingjournalist op heb geleefd, als ik langs Café Emm op Frith Street kom.

En dan zie ik daar mijn goeie, ouwe stamcafé, de Coach and Horses, en zelfs dat ziet er vandaag op een of andere manier anders uit. Alsof je naar het huis gaat waar je bent opgegroeid, en daar een ander gezin ziet wonen.

Wat een zomer is dit aan het worden. Nog maar drie maanden geleden strompelde ik die pub uit met het besluit mijn leven op orde te krijgen, beslissingen te nemen, vooruit te komen in mijn leven. Nou, dat heb ik zeker gedaan! Hoewel ik niet had verwacht zo weinig inspraak te krijgen in de wendingen van het verhaal. Ik had niet verwacht dat het leven dergelijke plannen met me had.

Stiekem wens ik dat ik alles kon terugspoelen. Dat ik op die plek ben waar mijn verhaal nog geschreven moet worden, waar er nog zoveel mogelijkheden zijn, zoveel wegen die ik kan inslaan. Zoveel hoop. Ik heb twee maanden van mijn leven vergooid. Laurence heeft een loopje met me genomen! Ik ben nog single – nog stééds single. Zelfs Gina heeft het wat dat betreft beter geregeld. En het enige wat ik wil, eigenlijk altijd heb gewild, datgene wat deze hele toestand goed zou maken, dat zal dus nooit gebeuren. Maar goed, zo is het leven, denk ik, je kunt nu eenmaal niet alles hebben. En ik heb wel een baby, een Jim-baby, dat kan niemand me afnemen. En als dit niet was gebeurd, dan was er wel iets anders geweest. Daar kun je gif op innemen.

Wanneer ik thuiskom, ligt Jim uitgestrekt op de bank, de afstandsbediening in zijn hand. Als hij me de sleutels op de keukentafel hoort mikken, draait hij zich om.

'O, hoi, wat doe jij nu thuis?' zegt hij. 'Je zou toch uitgaan met Gina?'

'Daar is verandering in gekomen,' zeg ik. Ik doe mijn schoenen in de gang uit en loop terug naar de keuken. Ik zie een briefje naast de telefoon liggen. 'Tess, V heeft gebeld. Graag terugbellen.'

'Hoe laat heeft Vicky gebeld?' vraag ik, terwijl ik de telefoon pak.

'O, rond vieren.'

'Klonk ze oké?'

'Ja, prima.'

Ik leg weer neer, bedenk dat ik haar straks wel bel.

My Place in the Sun is op tv. Jim zet met de afstandsbediening het geluid zacht.

'En, eh... Hoe zit dat met Gina? Is ze ziek?' Een bezorgde blik. 'Ben jíj ziek?'

'Nee, met mij gaat het goed.' Ik zie Jims prachtige gezicht naar me opkijken en ik wil wanhopig graag bij hem op schoot springen om hem te knuffelen, net als vroeger, maar ik weet dat dat niet meer zo vanzelfsprekend is, dat we niet meer samen het bed in rollen, dat we vrienden zijn, weliswaar op enigszins gespannen voet, en dat we elkaars grenzen respecteren. Maar toch wil ik hem alles vertellen. Over wat Laurence heeft gedaan, over vandaag. Hij wordt de vader van mijn kind; horen we niet honderd procent eerlijk tegen elkaar te zijn?

Ik ga naast hem zitten en gooi het op tafel.

'Jim, luister, weet je nog dat ik ging lunchen met Laurence en daarna pizza ging eten en jij die verrukkelijke maaltijd van visafval (ik geef geen krimp bij deze contradictio in terminis) had gekookt? Nou, ik was toen niet helemaal eerlijk tegen je.'

'O. Oké?' Jim komt overeind op de bank en zet de tv uit.

'Eigenlijk waren de afspraken met Laurence geen vriendenafspraken. We hadden iets, we waren min of meer een stel. Ik weet dat we die huisregel hadden, dus ik wil eerlijk tegen je zijn. Het heeft al die tijd aan mijn geweten geknaagd.'

Jims blik is uitdrukkingsloos.

'Wat? Zelfs toen je hem had verteld dat je zwanger was?'

'Dat heb ik hem niet verteld – nou ja, uiteindelijk wel, maar niet op het moment dat ik tegen jou had gezegd. Ik heb het hem verteld toen we al een tijdje iets hadden.'

'Waarom? O...' Jim lacht verlegen, alsof om te zeggen 'dom van me'. 'Natuurlijk, anders gooi je je eigen ruiten in.'

'Ik wilde dat hij me leuk vond, ik wilde hem niet afschrikken. Ik dacht zelfs dat we wel een kans maakten.'

'Meen je dat?'

'Ja. Ik weet het, het klinkt stom, maar wat hij tegen me zei, dat hij echt graag kinderen wilde en wilde trouwen... ik dacht dat hij was veranderd en dat we, als de baby was geboren, het rustig aan konden doen en het een kans konden geven.'

'Ik snap het. En wat bedoel je met "iets hebben"? Hebben jullie...?'

'Nee! God nee, hoewel het weinig scheelde. Ik ben op een gegeven moment naar zijn huis gegaan en toen werd het spannend, maar er kwam iets tussen.'

Jim kijkt me met gefronste wenkbrauwen aan. 'Iets als de baby, neem ik aan.'

'Ja, de baby. Natuurlijk de baby,' zeg ik, en ik bedenk dat ik het ongelooflijk vind dat Sebastiaan de Slak verdorie dieper in mijn herinnering aan dat moment is gegrift dan de baby.

'Maar goed, toen heb ik het hem verteld.'

'En hij kon het zeker niet aan.'

'Nee, natuurlijk kon hij dat niet, bovendien bleek er nog een complicatie te zijn.'

Ik vertel Jim alles: dat Laurence had gezegd dat hij het met Chloe zou uitmaken en dat ze een gevaarlijk hysterisch mens was, dat niets daarvan waar was omdat hij verdomme al die tijd verloofd met haar was! Ik vertel hem dat ik maar een afleiding ben geweest, een laatste kans om nog ongebonden lol te maken, dat hij me heel wat onzin op de mouw heeft gespeld om me maar uit de kleren te krijgen.

'Het is een eikel, Tess. Dat weet je toch?' zegt Jim.

'Nu wel!' zeg ik met een ironische glimlach.

Een poosje zeggen we niets. Ik kijk door het raam naar de voortuin. De bladeren van de kersenboom trillen elegant in de wind.

'Dus, eh...' Jim begint te praten en ik kijk hem aan, maar hij kijkt mij niet aan. Hij staart geconcentreerd naar zijn vinger. 'Hield je van hem?'

En ook al zit ik daar en denk: nee, ik hou van jou, idioot, zeg ik: 'Ja, op een zeker moment denk ik dat ik echt van hem hield.'

29

'Je kon van Mike niet zeggen dat hij vluchtgedrag vertoonde. Het was alsof we allebei zwanger waren. Als ik treacle pudding *wilde eten terwijl ik naar* Sex and the City *keek, at Mike mee. Als ik midden in de nacht geroosterd brood met kaas naar binnen propte, deed hij dat ook. We zijn uiteindelijk allebei bijna twintig kilo aangekomen. Het probleem was dat ik de helft daarvan weer kwijt was toen onze dochter was geboren. Een jaar na de bevalling heeft Mike nog steeds een buik van vier maanden.'*
Steph, 28, St. Albans

Hoe kan dat nou? Ik ben net wakker en op mijn 'I Love the Algarve'-wekker is het al tien over elf. Ik ga zitten en leun tegen mijn kussens aan. Alles voelt raar; stil, alsof we ingesneeuwd zijn, of alsof ik door mijn wekker heen ben geslapen en mijn vlucht heb gemist naar een fantastisch oord, waar al mijn vrienden nu zitten te zingen en bier te drinken.

Ik lig even stil, voel het regelmatige geschop van ons kind als het tikken van de klok, tijd die wegtikt. Dan sta ik op, klop bij Jim op de deur, maar er komt geen reactie, en als ik naar binnenga, zie ik dat het bed is opgemaakt, dus ik denk dat hij de deur uit is gegaan.

Ik loop in mijn nachtpon naar beneden, sta in de keuken en weet niet goed wat ik met mezelf aan moet. Het enige geluid is het zachte gezoem van de koelkast. Vanuit mijn ooghoek zie ik het briefje van gisteravond over Vicky's telefoontje. Verdorie, ik heb niet teruggebeld. Ik ging weer eens te veel op in mijn eigen sores en ben het glad vergeten. Ik bel met de vaste lijn mijn mobiel en die komt onmiddellijk vibrerend in actie; hij draait als een geëlektrocuteerd knaagdier op de tafel om zijn as. Ik scroll naar de V.

'Hoi, met mij. Gaat alles goed? Sorry dat ik gisteravond ben vergeten je terug te bellen.'

'Geeft niet.' Haar stem klinkt zangerig en meer ontspannen dan hij in lange tijd heeft gedaan. 'Het was toch beter dat je ermee wachtte tot vanochtend.'

'Hoezo? Wat is er dan? Wat is er gebeurd?'

'Wacht even.' Vicky mompelt iets, kennelijk tegen Rich, ik hoor Dylan op de achtergrond rommelen. 'Ik ga even naar hiernaast.'

Ik hoor een deur dichtgaan, dan een diepe zucht en: 'Het is alweer goed, we hebben het weer min of meer uitgepraat, maar Rich en ik hebben gisteravond nogal een toestand gehad,' zegt ze. (Dat betekent waarschijnlijk dat ze elkaar bijna hebben afgemaakt. Vicky bagatelliseert haar eigen leven altijd.) 'Weet je nog dat Rich op mijn verjaardagsfeest heel lang weg was? En dat Jim met de speech moest beginnen en toen hij wel kwam opdagen dat hij toen straalbezopen was?'

'Ja...'

'Nou, het blijkt dat hij buiten met een of ander grietje had liggen rotzooien. Hij heeft het gisteren opgebiecht.'

'Wát?! Wie?' (Het ligt op het puntje van mijn tong om 'Wateeneikel' te roepen, maar ik voel om een of andere reden aan dat dat niet gepast is.)

'O god, ik weet het niet. Een grietje, een vriendin van een vriendin van iemand van mijn opleiding.'

'Ja, maar wacht even.' Ik leg mijn voeten op de salontafel. 'Waarom ben je er zo rustig onder? Ik maak me zorgen. Ben je dronken?'

'Nee! Hou op, zeg. Echt, Tess, het slijmen en zelfverwijt nu vind ik erger dan hoe hij was voordat hij het bekende!' zegt ze lachend. Ik lach niet. Is ze gek geworden?

'Luister, wat doe jij vandaag?' vraagt ze.

'Eh... ik? Niets. Jim is weg, ik loop maar wat door het huis te rommelen als een bosvarken.' De drilboor in Lordship Lane begint weer.

Vicky lacht. 'Heb je zin om af te spreken? Rich heeft Dylan de hele dag, je snapt wel waarom. Gina komt ook. Dan kan ik je alle onsmakelijke details vertellen.'

'O, oké.' Ik klink niet overtuigd.

'Maak je geen zorgen!' lacht ze. 'Echt, het is niet zo erg als het klinkt. Eigenlijk ben ik blij dat het is gebeurd. Maar goed, alles goed met jou?'

'Ja, ja, prima. Nou ja, ik heb ook wel iets te vertellen.'

'Klinkt onheilspellend. Laten we iets afspreken. We hebben duidelijk veel bij te praten.'

We hebben afgesproken in Jack's bar, onder de spoorwegbogen bij het Southwark-station. Iedereen zit buiten onder de hangende manden met sprietplanten. Onduidelijke Ibiza-achtige chill-outtonen zweven uit de luidspreker. Als ik Gina en Vicky zie, die al een fles witte wijn hebben aangebroken, heb ik even heimwee naar vroeger, naar vorige zomer, voordat het leven zo verdomde volwassen werd.

Ik hoor Vicky's platte Yorkshire-accent al van een kilometer afstand.

'Weet je,' zegt ze, 'hij was zo ver heen dat hij niet eens meer weet wie het was. Dat is wat mij betreft ook niet belangrijk. Waarom hij het deed, dat is belangrijk.'

Gina luistert met open mond.

'Maar hij heeft het met iemand gedaan, en jullie zijn getrouwd. Voel je je niet een heel klein beetje belazerd?'

'Hé, hoi.' Ik zet mijn tas neer en zwaai mijn benen over de bank, een beetje onelegant met mijn dikke buik, zodat ik tegenover hen kom te zitten. 'Dat laatste heb ik opgevangen, maar ik denk dat je weer een stukje terug moet. Ga nog eens terug naar het begin.'

Dat doet ze. Ze vertelt dat Richard zich al een hele poos vreemd gedraagt en dat alles gisteravond is uitgekomen. Ze hadden een felle ruzie over het feit dat de afwasmachine al wekenlang kapot was (ze had besloten om er niets aan te doen omdat zij kennelijk altijd al alles deed wat met het huis te maken had. Rich merkte niet eens dat ze er expres niks aan deed...). Toen bleek dat Rich ook met een soort protestactie bezig was, namelijk tegen het feit dat er altijd op hem gemopperd werd. En tóén, in het heetst van de strijd, liet hij de bom vallen: hij had het op Vicky's feestje met iemand gedaan en werd sindsdien verscheurd door schuldgevoelens en zelfhaat, wat eigenlijk de ware reden was waarom hij haar niet onder ogen kon komen. Daarna was hij in huilen uitgebarsten.

'Hij is op een gegeven moment zelfs op zijn knieën gegaan,' zegt Vicky lachend en huilend tegelijk. 'Hij was zo bezig met het idee dat het niets te betekenen had en dat ik dat ook geloofde en, weet je, ik weet dat het raar klinkt, maar ik geloof het echt.'

Gina en ik knikken eensgezind, want als je erbij stilstaat is de gedachte dat Richard het met iemand anders dan Vicky zou doen en dat het iets te betekenenen heeft, bespottelijk. En we kennen hem gewoon, we voelen wat hij voelde toen hij de volgende ochtend zijn roes had uitgeslapen en het zich herinnerde. Waarschijnlijk heeft hij toen ook gehuild, als een kind zitten snikken en zich ingeschreven voor een openbare steniging. Het is gewoon niets voor Richard. Rich is veel dingen, maar hij is geen schuinsmarcheerder.

'Maar goed,' gaat Vicky verder. 'Eigenlijk wijt ik het gedeeltelijk aan mezelf.'

'Meen je dat? Hoezo?' vraag ik.

'Nou, die arme Rich,' zegt ze. 'Hij moet zich sinds Dylans geboorte behoorlijk buitengesloten hebben gevoeld. Ik moest en zou de perfecte moeder worden en wilde het niet verknallen zoals de mijne heeft gedaan. Waarschijnlijk wilde hij gewoon wat aandacht. Kennelijk ben ik echt zo'n zeurpiet geworden, wat ik had gezworen nóóit te worden. En ik denk dat ik hem ook niet veel ruimte geef. Alleen omdat ik zelf heb moeten uitvinden hoe ik alles moest doen, een grote zelfstandigheid heb moeten ontwikkelen – voornamelijk uit noodzaak en om te overleven –, verwacht ik dat ook van hem. Maar eigenlijk ben ik toch niet getrouwd om een rijke vent te hebben, een superklusser of iemand die de rekeningen op tijd betaalt of de afwasmachine repareert?

Bovendien heb ik erg kleinzielig op dat script gereageerd. Ik weet dat er waarschijnlijk weinig van terecht komt, maar hij is er trots op en het is een creatieve uitlaatklep voor hem, en eerlijk gezegd ben ik gewoon verbitterd, bekrompen en jaloers omdat ik niet meer zing. Ik bedoel, waarom zing ik niet meer?' zegt ze, geërgerd door haar eigen gebrek aan initiatief.

Ik kijk naar Vicky terwijl ze praat, naar dat brede, open gezicht, de grijns die zo vaak snel komt, de helderblauwe, onopgemaakte ogen waarachter geen leugens schuilgaan, geen bedrog, en ik bedenk hoezeer ik haar bewonder. Ze kijkt in de spiegel en ziet hoe ze in werkelijkheid is. En ik vraag me af: doe ik dat wel?

We kletsen door, de zon staat hoog en de barkeeper brengt mijn Virgin Mary. Ik verbeeld me dat ik met mijn vriendinnen bij Café del Mar zit en ik vergeet mijn problemen. Dan slaat Vicky een hand tegen haar voorhoofd.

'O god, Tess! Zit ik maar door te zeuren over mezelf en ik heb jou niet eens gevraagd hoe het ging. Wat is er gebeurd?'

'Shit, ja.' Gina gaat rechtop zitten. 'Hoe staan de zaken met Laurence?'

'O, jezus.' Ik drapeer mezelf dramatisch over de tafel en dis het hele verhaal op. Vicky, de schat, heeft het fatsoen het 'zie je wel?' voor zich te houden en er zelfs niet uit te zien alsof ze het denkt, maar ik weet dat ze het wel denkt. Gina verstopt zich achter haar zonnebril, maar aan de manier waarop ze aan haar haar zit te frunniken en haar lippen op die Gina-manier tuit, als een verlegen tiener, zie ik dat ze zich gedeeltelijk verantwoordelijk voelt, alleen maar omdat ze een kennis van Laurence is – ook al verwijt ik haar niets.

'Aha,' ze trekt een grimas als ik ben uitgepraat, 'dus hij blijkt nog steeds een lamzak te zijn, en hij is dus geen spat veranderd.' En dat waardeer ik natuurlijk, omdat ik weet hoeveel moeite het haar kost dat te zeggen.

'O, Jarvis,' verzucht Vicky. 'Je hebt wel veel voor je kiezen gekregen, hè? Je hebt je portie wel gehad.'

'Allemaal mijn eigen schuld, natuurlijk. Wat ben ik toch een sukkel. Maar weet je wat het ergste is?'

'Nee, wat is het ergste?' vragen ze.

'Ik denk dat ik verliefd ben op Jim.'

Het gegil en de stompen in mijn zij tot ik me bijna moet verdedigen gaan minstens een minuut lang door. Gina moet er een opsteken om het te vieren.

'O god, ik wist het wel!' Vicky steekt een vinger op. Haar ogen glinsteren van plezier omdat ze het al die tijd wel heeft geweten. 'Ik herkende dat gezicht van jou wel, die glimlach elke keer als iemand iets over hem zei!'

'Ja,' voegt Gina eraan toe, terwijl ze een hijs neemt, 'en die liefhebbende blik toen hij zich bezoop op die barbecue en iedereen vond dat hij zich als een eikel gedroeg.'

'Eh, eigenlijk,' corrigeer ik, 'vond ik dat niet zo leuk. Jíj hoefde zijn plas niet op te dweilen toen hij later die nacht de wc-pot had gemist.'

'Moet je dat horen!' schatert Gina. 'Net een getrouwd stel!'

Onwillekeurig bloos ik uit een opgetogen soort schaamte, maar dan wordt mijn glimlach van mijn gezicht geveegd door de werkelijkheid.

'Maar goed,' zeg ik, 'het maakt niet uit wat ik voel, want het gaat toch niet gebeuren.'

Hun mond valt open. 'Hè?'

'Jim beantwoordt mijn gevoel niet, dat weet ik gewoon. Er is een tijd geweest, we zijn een dag in Whitstable geweest, oké, het was echt geweldig en heerlijk en ik dacht: misschien voelt hij wel iets voor me. Maar sindsdien, echt, hij kan net zo goed bij de notaris voor de deur gaan liggen, zo graag wil hij dat die flat doorgaat...'

'Hoe bedoel je?' vraagt Vicky terwijl haar hele lichaam inzakt.

'Nou, ik heb alleen een bod gedaan omdat Jim zo enthousiast was. En je had hem moeten horen. Als het aan hem ligt staat hij er dit weekend al te klussen. Hij wil me het huis uit, en wel snel.'

'Ik geloof er niets van,' zegt Vicky hoofdschuddend.

Gina zet haar zonnebril af.

'Dat komt omdat het nergens op slaat,' zegt ze.

'Hoe weet jij dat zo zeker?' vraag ik. Ze kijkt nu schaapachtig en ik ben een beetje van mijn stuk gebracht.

'Ik weet het gewoon.'

'Eh, maar hoe dan? Gina? Zoiets kun je niet zomaar zeggen en dat dan niet toelichten.'

'Luister, beloof je dat je niet boos zult zijn?' smeekt ze, en ze pakt mijn hand. 'Want als ik toen had geweten wat ik nu weet, dan was het echt niet gebeurd.'

Mijn hart gaat als een dolle tekeer. 'Nee, ik zal niet boos op je zijn.'

'Die avond, toen jij met Laurence uitging, nou, eigenlijk...' Ze wendt beschaamd haar blik af. Zo heb ik Gina nog nooit gezien. 'Toen heb ik geprobeerd Jim te versieren. O, god! Ik was zo dronken!'

Ik hap naar adem, niet uit afkeer, maar gewoon van schrik. Jim is wel de laatste op wie ik verwacht dat Gina valt!

'Het spijt me, Tess, ik had er geen idee van dat jij dat voor Jim voelde. Ik dacht... O, shit.'

'Ja, shit, Gina,' mompelt Vicky, die ongelovig haar hoofd schudt.

'Maar luister,' zegt ze. Ik zit daar maar met openhangende mond.

'Er is niets gebeurd, ik zweer het je, en weet je waarom niet?'

'Nee, waarom niet?'

'Omdat hij jou wil. Alleen jou, Tess! Hij zei dat als hij iemand zou kussen, dat alleen jij dat dan zou kunnen zijn. Je moet weten dat ik Jim altijd een schatje heb gevonden.'

'O jeetje,' kirt Vicky. Het is net een klucht.

'Toen jullie op de universiteit zo'n beetje op heuphoogte met elkaar waren vergroeid, was ik zo verdomde jaloers.' Ik heb Gina nog nooit zo transparant gezien. Het lijkt wel alsof ze het licht vanbinnen heeft aangedaan en we zo in haar hoofd kunnen kijken. 'Ik fantaseerde er altijd over een vriend te hebben als Jim – zo zorgzaam en grappig en creatíéf, echt creatief. Niet zo'n nepcreatieveling, het soort waar ik in leek te blijven steken. Maar toen wist ik dat hij verliefd op je was, het was zo overduidelijk. En toen jij zwanger werd, was ik min of meer kwaad op je, weet je nog? Omdat het zo zonde leek. Je wilde hem niet eens en nu kon niemand hem krijgen – in elk geval ik niet!'

Vicky kijkt Gina aan, met stomheid geslagen. Ik zit me daar alleen maar af te vragen of ik droom.

'Oké,' zegt Gina, als we niets zeggen. 'Jullie kunnen wel weer iets minder debiel kijken. Tess, het is in orde, ik ben in geen enkel opzicht een bedreiging. Het zou nooit wat worden tussen Jim en mij. Ik ben te intolerant en hij is te relaxed, bovendien ben ik stapel op Simon, maar echt, Tess...'

Ik kijk haar nu aan en voel dat ik glimlach.

'Ik vertel het je omdat ik van je hou. Ik ben stapeldol op jullie, op jou en hem. En ik wil dat je de waarheid weet en dat je het gaat uitpraten en...' ze gooit haar handen in de lucht, 'dat jullie er nu eens iets van maken. Kom op, zeg!'

Ik zit daar maar en ik voel, ik weet niet wat ik voel, een explosie van vreugde, denk ik, en dankbaarheid. Ik sta op, loop om de tafel heen. En terwijl ik dat doe, voel ik dat Gina zich subtiel terugtrekt – mijn god, ze denkt dat ik haar ga slaan! Maar dat doe ik natuurlijk niet. Ik pak haar glas uit haar handen, ga naast haar zitten en sla mijn armen om haar blote, gebruinde schouders. 'Dank je, Gina. Dank je wel,' zeg ik. 'Ik hou ook van jou.'

Ik sprint bijna – nou ja, ik ren zo hard als mijn toestand me toestaat – door Blackfriars Road en bedenk wat ik ga zeggen. De lucht is helder en mijn geest is helderder dan hij ooit is geweest. Ik heb mijn hand tegen mijn mond gedrukt en heb het gevoel dat ik straks misschien nog barst van geluk. Ik haal mijn mobiel tevoorschijn om Jim te bellen, om te vragen wanneer hij terugkomt. Ik wil hem zien – maar dan gaat hij over. Het is Ed, mijn broer.

'Tess?' zegt hij. 'Kun je naar huis komen? Ik bedoel, nu meteen? Er is iets met papa.'

30

'We hebben Kira voor de kerst geadopteerd. Met Nieuwjaar was ik ten einde raad, we konden het gewoon niet vinden samen. Toen het op een dag in februari goed sneeuwde, viel er iets op zijn plaats. Plotseling werd ik verliefd. Sindsdien ben ik erachter gekomen dat het niet onmiddellijk komt, zelfs niet als het biologisch gezien je eigen kind is. Ik kan me niet meer voorstellen dat ik me zo ongerust maakte.'
Annabel, 36, Exeter

Het blijkt dat, terwijl ik wakker lag door mijn ploertige ex, mijn vader drieëntwintig paracetamollen wegspoelde met driekwart fles wodka.

Lancaster Royal Infirmary is niet het witte, lichte, moderne soort ziekenhuis; het lijkt niet zozeer een huis voor zieken, maar meer voor de verdrietigen: donker steen, victoriaans, met muren waaraan een zware klimop zich vastklemt, zoals mijn arme vader in de greep is van zijn droefenis. Wanneer ik aankom staat mijn broer buiten op me te wachten, ongeschoren en met een vlekkerig gezicht.

'Tess.' Hij omhelst me stevig. Het is pas de tweede keer dat we elkaar in nuchtere toestand omhelzen. 'Gelukkig ben je er. Hij blijft maar vragen wanneer jij komt. Echt, hij wil alleen jou zien.'

We gaan naar binnen. Bij de geur van stof en gloeiend hete radiatoren, ontsmettingsmiddel en gestolde jus val ik bijna flauw. Ik heb mijn vader nog nooit met iets ernstigers meegemaakt dan met een rommelende maag, en hier loop ik nu door die deprimerende gangen, waar zelfs je voetstappen spookachtig weerklinken; het lijkt allemaal zo verkeerd, het is zo'n schok.

Ik loop achter Ed aan door de gang, langs een vrouw die met opgezwollen voeten in een rolstoel zit, een uitgemergelde man met een pakje sigaretten in het borstzakje van zijn pyjama. We stappen in de lift bij een verpleger en een man, ook in een rolstoel, met sneeuwwit haar en pupillen als kikkerdril. Hij ziet eruit alsof hij minstens honderdvijftig is.

Een verdieping hoger stopt de lift. 'Oké, Albert, wij moeten er hier uit,' zegt de verpleger terwijl hij de man de lege gang in rolt.

'Hoe gaat het met hem?' vraag ik aan Ed. 'Ziet hij er heel slecht uit? Moet ik me mentaal voorbereiden?'

Ed slaat broederlijk een arm om me heen.

'Nee, nee. Zo erg is het niet. Hij is gewoon heel erg moe en, je weet wel, emotioneel.'

Het blijkt dat mijn broer voor deze ene keer een meester in het zachtjes uitdrukken is geweest.

Mijn vader, mijn stevige, grappige vader die er een keer voor heeft gezorgd dat ik in een souvenirwinkel in het Lake District in mijn broek plaste van het lachen, is verdrietig, echt verdrietig.

De ronde, glimmende wangen hangen slap omlaag, zijn ogen liggen diep weggezonken en staan doods. Zijn huid is lijkbleek en lijkt als natte klei van zijn gezicht af te hangen. Dit is mijn vader niet.

Ik probeer te glimlachen, niet te geschokt te kijken, maar mijn moeder zegt wat ik denk.

'Ik weet het, hij ziet er vreselijk uit, hè?'

Zelfs in deze toestand weet mijn vader er een glimlach uit te persen.

'Hoi, pap.' Ik loop om het bed heen en kus hem zacht op zijn wang. 'Hoe voel je je?'

'Stom; kater en een dreunende hoofdpijn,' mompelt hij. Ik ga naast hem zitten en hij pakt mijn hand. 'Nu begrijp ik waarom jullie twee na een avond stevig drinken altijd de hele dag in bed bleven liggen.'

Ik kijk mam aan. Ze glimlacht, maar haar lippen beven. Ik zie dat er een infuus aan mijn vaders hand zit.

Ik pak een tros druiven van het nachtkastje. 'Heb je niet meer van ze gekregen? Zijn ze aan het bezuinigen?' Mam doet een halfslachtige poging een geluid te maken dat 'charmant' betekent.

'Fijn dat je dochter er is, hè?'

Ik haal de sinaasappelchocola van Terry's die ik op Euston-station heb gekocht uit mijn rugzak. 'Dit heb ik voor je meegenomen.'

Pap klopt op mijn hand. 'Lieve meid,' zegt hij. 'Dat is mijn lievelingschocola.'

'En dit.' Ik haal de cd van Vaughan Williams tevoorschijn, die met *The Lark Ascending* erop. 'Mijn arts heeft me hiermee laten kennismaken. Ze zegt dat ze er vrolijker van wordt, dat ze dan blij is dat ze leeft.'

Mam friemelt aan de deken.

'Nou, laten we niet op de zaken vooruitlopen,' zegt ze. 'Naar huis is al heel mooi om te beginnen, met alle mooie dingen van de lente, dat is iets om je op te verheugen.'

We gaan om mijn vaders bed zitten – ik, Ed en mam – met het gordijn eromheen dichtgetrokken. We zijn sinds 1999 niet zo met zijn vieren bij elkaar geweest. Mam wil me het hele verhaal vertellen. Ed zegt dat hij het verhaal op zijn minst drie keer heeft gehoord, omdat Joy is langsgekomen en de twee oma's mam allebei hebben gebeld. Mam zegt dat ze niet vindt dat het gezond is om niet te praten, nu niet meer, waardoor ik me ga afvragen wat ze nog meer te verbergen heeft. Het verhaal gaat als volgt: mam werd zaterdag om twee uur 's nachts wakker en zag dat pap niet in bed lag. Toen ze beneden kwam was hij ook niet in het huis. Ze zegt: 'Ik dacht: nou, da's mooi, hij is gewoon gaan slaapwandelen en zwerft nu waarschijnlijk in zijn nakie over Glebe Close omlaag. Hoe sla ik me daar nu weer doorheen?' Toen zag ze het licht van het zaklantaarntje in de kas.

Kennelijk biechtte hij het meteen op van de pillen. 'Hoewel ik het toch wel te weten zou zijn gekomen, want ik tel die pillen elke avond.' (Wat bewijst dat ze nog maffer is dan ik dacht.) Pap heeft nooit echt willen doodgaan, dat zou hij haar en ons nooit aandoen, zegt ze. Ze praat over hem alsof hij er niet bij is. Nee, mijn vader wilde er gewoon voor zorgen dat het allemaal even ophield, hij wilde slapen en pas wakker worden als alles weer beter voelde.

Volgens mam was het ambulancepersoneel geweldig. Een broeder leek blijkbaar op die 'heel lekkere man' uit *Relocation, Relocation*. En in het ziekenhuis waren ze – op dat ene meisje na, 'die met dat gezicht als een hangkont', die het waarschijnlijk net met haar vriend had uitgemaakt – fantastisch. Echt perfect.

Pap doet af en toe mee, maar hij ligt er voornamelijk bij met een verontschuldigende of misschien beschaamde uitdrukking op zijn gezicht. De ironie is dat dit de meest tragische dag is die wij als gezin ooit hebben meegemaakt – de dag dat mijn vader zich zo verlaten voelde dat hij wil dat het allemaal ophoudt, maar tegelijk weet ik op een of andere manier dat deze periode, nu, dit moment, een gouden moment zal zijn in het collectieve Jarvis-geheugen. Bitterzoet, maar toch zoet.

Om halfacht, anderhalf uur nadat ik ben aangekomen, gaat Ed naar huis om de kinderen in bed te stoppen, en mama stelt voor dat we naar de kantine gaan om pap even rust te gunnen.

In het Danny Ford Café, ongetwijfeld vernoemd naar iemand die niet langer onder ons is, wat niet echt bevorderlijk voor de eetlust is, zitten alleen twee hoogzwangere vrouwen in kamerjassen en een man met een of andere brace om zijn hoofd.

Een muurschildering – een afbeelding van alle seizoenen, van een sneeuwpop en een kerstman tot een enorm kampvuur dat is gemaakt van vliegerpapier, waarschijnlijk gemaakt door schoolkinderen uit de buurt – bedekt een muur. De andere muur is in een ziekelijke groene kleur geschilderd. De tafels en stoelen, respectievelijk wit en rood, zijn aan de vloer bevestigd. Het zou me niet verbazen als hier aardig wat mensen gewond zijn geraakt en een weekje ziekenhuis aan hun bezoek vast moesten plakken omdat ze dat waren vergeten en met hun hoofd op tafel knalden toen ze opstonden.

We gaan bij de toonbank staan. Mam neemt een sandwich met een slaatje en ik een broodje bacon. Dan gaan we zitten. Mam slaat haar armen over elkaar.

'Jij vraagt je vast af wat dit allemaal te betekenen heeft,' zegt ze. Afgezien van haar stem is het enige geluid het onregelmatig rinkelen van bestek, als een soort modern percussiestuk.

'Nou, ja. Min of meer. Het komt nogal onverwacht,' zeg ik en doe mijn best niet al te dramatisch te klinken. Waarschijnlijk heeft ze de afgelopen vierentwintig uur al genoeg drama voor haar hele leven gehad. 'Ik bedoel, pap is duidelijk depressief, maar ik had geen idee dat het zo erg was. Hoe lang is dat al zo?'

'Je hele leven al.'

Ik knipper met mijn ogen, ik kan het niet bevatten.

'Hij is je hele leven al depressief.'

'Maar hoe, ik bedoel, hoe kan dat nou? Hij is altijd zo...'

'Opgewekt?'

'Já!'

'O, Tess, hij is ook best gelukkig geweest. Echt, toen jullie twee kwamen was hij de gelukkigste man ter wereld. Maar net voordat jij werd geboren, heeft papa een zenuwinzinking gehad.'

'Wat?' Het komt er als gefluister uit.

'Hij had toen een overdosis genomen. Veel erger dan nu en ik was hem bijna kwijtgeraakt, Tessa. Mijn eerste en enige liefde was op een haar na gestorven.' Ze glimlacht, ze heeft de roze lippenstift op die ze altijd op heeft, maar de tranen springen haar in de ogen.

'O, mam. Dat wist ik niet.'

'Maar luister.' Mam komt nu naast me zitten en geeft me een knuffel, want ik zit te huilen. 'Gelukkig had ik jou en je broer, anders weet ik niet of ik 's morgens had kunnen opstaan. En ik moest door, ik ging ook door. Dat was heel zwaar omdat je vader weken in het ziekenhuis heeft gelegen, en zelfs toen hij eruit kwam, was hij een half jaar niet veel waard.'

'Dus je wist het wel.'

Ik til mijn hoofd op van haar schouder.

'Wat?'

'Je wist wel hoe het was om alleenstaande ouder te zijn, en ik zat tegen jou te zeggen dat je je mond moest houden! O, mam, het spijt me zo.'

'Doe niet zo gek.' Ze neemt mijn hoofd tussen beide handen en zorgt ervoor dat ik haar aankijk. 'Ik wilde je alleen laten weten dat ik met je meeleefde, meer niet. Ik had niet het idee dat ik je op dat moment alles kon vertellen. Nu wou ik dat ik dat wel had gedaan.'

'Maar waarom heb je het ons nooit verteld?' vraag ik, en ik leun tegen de rugleuning van mijn stoel.

Zelfs nu kan mijn moeder zich niet bedwingen. 'Alsjeblieft niet doen, Tessa. Zo breek je straks je rug nog.' Dan vertelt ze verder. 'We wilden jullie beschermen, we wilden jullie een optimale start in het leven geven, een zo normaal mogelijk gezinsleven. Wacht maar af.' Ze geeft een klopje op mijn buik. 'Als je kindje is geboren, voel jij het net zo. De gedachte dat iets zijn geluk in de weg zou staan, wat dan ook, je moet er niet aan denken. Dus we hadden afgesproken het jullie nooit te vertellen. Ik bedoel, het was niet zo dat je vader de hele tijd zelfmoordneigingen had.' Ze lacht door haar tranen heen. 'Maar ons plannetje ging een beetje de mist in, hè?'

'Dus jullie waren niet echt gelukkig, toen jullie jonger waren? Jullie deden gewoon alsof, omwille van Ed en mij?'

'O, Tess, doe niet zo raar.' Mam haalt een pakje zakdoekjes uit haar tas. 'We hebben zoveel geluk en vreugde om jullie gehad als een ouder zich maar kan wensen.' Ze kijkt me nu strak aan. 'Maar het is niet altijd makkelijk geweest, nee. Het is zeker niet geweest wat ik van het huwelijk had verwacht. Maar ik zou niet anders willen, want ik hou van hem, snap je, die rare man daar in dat bed. Soms word ik gek van de zorgen om hem, maar ik zou niet zonder hem kunnen.' Ze pakt een zakdoekje uit het pakje en bet haar gezicht. 'En hij zou zéker niet zonder mij kunnen.'

'Nee, dat snap ik.'

Als we zijn kamer weer in komen, zit pap overeind en leunt hij tegen zijn kussen. Hij ziet er lichamelijk een stuk beter uit.

'Ik moet even met de dienstdoende peut praten,' zegt hij voorzichtig. 'Maar zodra ze wat het ook is waarvoor ik ben opgenomen hebben beoordeeld...'

'Psychiatrische zorg, Tony.'

'Juist,' zegt pap, 'dat dus. Dan mag ik naar huis.'

'En hoe zit dat met het infuus?' vraagt mam, die aan zijn voeteneinde staat.

'Ze gaan mijn leverfunctie testen, maar ze zeggen dat het nu waarschijnlijk wel goed is. Weer helemaal gerehydrateerd, ik ben klaar.'

'Dat is geweldig nieuws, pap,' zeg ik, en ik ga weer op de stoel naast zijn bed zitten en vouw Terry's sinaasappelchocola weer open. 'Zullen we nog een partje nemen? Om het te vieren?'

Mam begint in haar tas te rommelen en houdt hem ondersteboven. 'Nou, ik ga je moeder bellen,' zegt ze tegen pap. 'Anders kunnen ze er straks nog een opnemen als ze doodgaat van de zorgen.'

Mam loopt de kamer uit en pap en ik zeggen een poosje niets. Onder het eten vult de geur van chocola de kamer. Ik zou het over het weer kunnen hebben, of over het slechte ziekenhuiseten, maar ik waag een sprong in het diepe.

'Mam heeft het me verteld,' zeg ik. 'Dat je depressief bent.'

Pap pakt nog een partje en blijft ermee in zijn hand zitten.

'Echt? O.' Hij kijkt niet op. 'Ze is een slimme, die moeder van je.'

We eten door. Geen van ons tweeën zegt iets, en ik besef dat we al die keren in de kas misschien alleen maar over mijn problemen hebben gepraat, en dat ik nooit vragen heb gesteld.

'Pap, je dacht toch niet echt dat je het eeuwig voor me kon verbergen?' zeg ik uiteindelijk.

'Ik hoopte dat dat niet zou hoeven. Ik hoopte dat het nooit meer terug zou komen.'

'Maar het kwam wel terug.'

'Ja,' zucht hij, 'de schurk is teruggekomen.'

'En dat zal nog weleens gebeuren?'

'Ik denk dat dat er wel in zit als je depressief bent.'

'Nou, ik weet dat ik veel jonger ben en niet veel over het leven weet, maar pap, ik hoop dat je van nu af aan weet dat je tegen me kunt zeggen hoe je je voelt, oké? Ik bedoel, hoe het écht met je gaat. Wat denk je?'

Pap glimlacht en slaat dan zijn handen voor zijn gezicht en maakt het geluid van iemand met ademhalingsproblemen. Ik ben bang dat hij inderdaad geen adem krijgt of dat zijn hoofdpijn is teruggekomen, maar dan realiseer ik me dat ik mijn vader voor de eerste keer van mijn leven zie huilen.

'Kom op, pap.' Ik strijk over zijn arm, maar vanbinnen ben ik ernstig aangedaan. 'Kom op, het is goed. Ik beloof je dat het beter wordt.'

'Ik ben degene die dat tegen jou zou moeten zeggen,' zegt pap. Hij droogt zijn tranen met de lakens. 'Ik heb het gevoel dat ik jullie heb teleurgesteld, jou en Ed. Jullie denken vast dat je ouweheer een echte sukkelaar is.'

'Pap, hou erover op, zeg. Je zit te ijlen. Verbergen dat je depressief bent, ook al zit je mentaal helemaal aan de grond, dat is het grootste offer wat een ouder kan brengen. Dat neemt niet weg dat ik boos op je ben.'

Pap snuift en glimlacht bibberig.

Hij pakt mijn hand. 'Mijn Tess,' zegt hij, 'weet je, jij bent altijd speciaal voor me geweest.'

'In de zin van speciaal onderwijs?' grap ik.

'Nou nee, ik bedoel echt speciaal. Mijn speciale meisje.'

'Waarom?' vraag ik. 'Heel lief dat je dat zegt, maar waarom?'

'Omdat het weinig scheelde of ik had je nooit gekend, daarom. Ik was bijna je vader niet geweest.'

'Mooi, dat is allemaal geregeld!' Mam banjert plotseling in een wolk van Pablo Picasso tussen de gordijnen door. Pap geeft mijn hand een kneepje en laat hem los.

'Je moeder is blij dat je thuiskomt, waar ik een oogje op je kan houden. Nou, zal ik die druiven weggooien of heeft er iemand Tupperware meegenomen?'

Ik blijf bij mijn ouders slapen. De volgende dag is pap onverklaarbaar stil en helemaal niet zijn oude zelf, maar hij smeekt me terug te gaan naar Londen. Hij belooft dat hij niet meteen weer naar de wodka zal grijpen.

'Maak jij je nou geen zorgen om mij,' zegt hij, voordat ik bij mam in de auto stap om naar het station te gaan. 'Zorg nou maar goed voor jezelf en voor je baby, oké? Ik hou van je, meid.' Hij omhelst me en drukt een kus boven op mijn hoofd. Terwijl we wegrijden krijg ik ineens een ingeving. Ik weet wat me te doen staat.

Om twee uur 's middags ben ik thuis en het is er nog steeds eng stil. 'Jim?' Ik roep hem, maar krijg geen reactie. 'Jim, ben je thuis?' Niets. Ik ren naar boven. Zijn bed is opgemaakt, net als voordat ik naar Morecambe vertrok. Ik loop de trap weer af naar de keuken en kijk naar de blocnote naast de telefoon. Misschien heeft hij een briefje geschreven om te zeggen waar hij is, maar er ligt niets. Ik loop naar de koelkast om iets te drinken te pakken. Het briefje is geschreven op een roze Post-it.

Lieve Tess,

Ik kan er niet meer tegen – dat 'gewoon goede vrienden'-gedoe, dat met Laurence. Ik dacht dat ik het kon, maar niet dus. Ik ben even een paar dagen weg. Verder gaat het goed hoor, maak je geen zorgen. Ik hou van je.
Jim x

P.S. Jocelyn heeft gebeld

Shit.

31

'Ik ben één keer zwanger geweest. Ik was achtentwintig en was net gepromoveerd tot nieuwsredacteur bij de Essex Chron and Echo. Mijn
vriend wilde het kind niet, hij was twaalf jaar ouder dan ik en zei dat
als ik het hield, ik mijn droom ooit voor een nationale krant te werken
wel kon vergeten. Die droom heb ik nooit waargemaakt en het kind heb
ik nooit gekregen. Dat heb ik hem nooit kunnen vergeven.'
Judith, 41, Hounslow

Ik moet hem vinden, koste wat kost. Ik moet Jim vinden.
Er zijn maar twee plekken waar ik denk dat hij kan zijn. Ik zal de
een proberen, en als hij daar niet is, ga ik naar de andere. Ik ren
naar boven, gooi wat dingen in een tas: slipjes, crème en de *Roze
wolk*, ik weet niet waarom. Ik heb gewoon het gevoel dat ik het
nodig zal hebben.
Het huis is vol Jim: zijn Adidas-shirtje hangt over de balustrade
en zijn sokken over de radiator.
In de gootsteen in de keuken staat een mok, zíjn mok, waarop
staat: NIET ZO MOKKEN. En een bord met de resten van stukjes
brood met marmite. Ik vraag me af wat er door zijn hoofd ging
toen hij vanochtend zat te ontbijten. Ik denk er liever niet over
na.
Ik loop zijn kamer in; die ruikt zo naar hem. Ik verlang naar
hem. Ik wil Jim. Ik loop naar het kleine bureau waarop zijn desk-
topcomputer staat. Aan weerszijden van het toetsenbord liggen
hoge stapels nakijkwerk, zorgvuldig samengestelde lesvoorberei-
dingen, een exemplaar van *Henry IV*. Ik log in op Google en goddank vind ik daar wat ik zoek. Hij heeft niet erg zijn best gedaan
om het te verbergen, wilde hij dat ik het zou vinden?

'B&B's in Whitstable.' Het staat nog in het veld voor de zoekopdrachten. Het verbaast me niet, niet echt. Het was of daar, of naar huis, en ik weet dat dat huis niet bepaald een toevluchtsoord voor Jim is. Over een uur gaat er een trein. Als ik opschiet, haal ik hem net. Dus ik pak mijn tas, sleutels, telefoon en portemonnee en ren naar de bushalte op Lordship Lane.

Net als ik wil oversteken zie ik Rachel. Ze staat niet zoals gewoonlijk bij de bushalte, maar aan deze kant van de straat, een eindje verderop, met Mathilda op de heup.

Ik probeer er kalm uit te zien, maar kan niet verhullen dat ik opgewonden ben. 'Hoi,' roep ik, en zwaai naar haar. 'Alles goed?'

'Hoi,' zegt ze, maar ze kijkt naar beneden en haar gezicht gaat schuil achter de rand van haar zonnehoed.

'Gaat het wel?' Ik loop een beetje ongerust naar haar toe. 'Ik heb je al een poos niet...'

'Niet echt.' Ze kijkt op. Haar ogen zijn vervuld van angst. Haar rechteroog is opgezwollen, zit half dicht en is bont en blauw.

'O god, wat is er met je gezicht gebeurd?!' De trein die over minder dan een uur gaat, roept me, maar ik kan niet niets doen; dit kan ik niet negeren. 'Luister, wil je samen een kop koffie gaan drinken?' vraag ik. 'Dan kunnen we even praten. Ik maak me zorgen.'

'Kan niet,' zegt ze, en op dat moment rijdt er een auto voor, een zwarte Golf, dezelfde auto die ik eerder heb gezien en... Alan zit achter het stuur. Alle stukjes vallen op hun plaats. Hij kijkt me niet aan, hij staart strak voor zich uit. Ze gaat op de achterbank zitten en neemt Mathilda op schoot. Ze doet de gordel om en kijkt me ook niet meer aan. Dan geeft hij gas, en pas als hij er met gillende banden vandoor gaat kijkt hij me aan; koude, doodse ogen die me woedend aankijken. Dan is ze weg, en blijf ik op de stoep achter met een misselijk gevoel in mijn maag. Ik neem me voor om, wat er na vandaag ook gebeurt, haar ook te gaan zoeken.

Bus nummer 36 gaat in slakkengang over Kennington Road, maar mijn hart galoppeert ervandoor. Ik denk aan Jocelyn. Waarom heeft ze me op zaterdag gebeld? Ze belt nooit in het weekend. Ik overweeg haar te bellen en te vragen wat ze heeft gezegd, maar ik bespaar mezelf de details liever. Ik ben een lafaard.

Ik pak het briefje dat in mijn hand opgekruld zit en bekijk het weer. *Ik hou van je*, heeft hij geschreven. Niet *Liefs, Jim*, of *Veel liefs*,

Jim, maar *Ik hou van je*, en de drang hem te zoeken en alles uit te leggen is zo sterk dat het wel een soort waanzin lijkt die over me is gekomen.

De bus doet er eeuwen over en al die tijd groeit de stress in mijn binnenste. Mijn vingers krommen zich en de spieren van mijn gezicht trekken. Zodra de deuren van de bus opengaan, spring ik eruit en ren ik met mijn handen om mijn buik en mijn tas over het asfalt slepend Victoria Station in. Ik heb nog drie minuten.

'De trein naar Dover Priory vertrekt van perron twee!' wordt er omgeroepen. Maar ik heb geen kaartje, verdomme, en ik heb geen tijd om er een te kopen. Ik ren naar het poortje, het is het proberen waard.

'Ik moet die trein halen en ik heb geen tijd om een kaartje te kopen, mag ik er één in de trein kopen?' roep ik buiten adem.

De man schudt zijn hoofd. Ik hoor een fluitje.

'Alstublíéft?' smeek ik. Ik voel de paniek binnen in me trillen, alsof ik een ketel ben waarin het water bijna kookt en de tranen schieten in mijn ogen. 'Ik moet mijn... de vader...' Ik laat mijn buik zien, dat werkt altijd. De man slaakt een zucht en knikt.

'Dank u wel!' roep ik, en terwijl ik over het perron ren werp ik hem een kushandje toe.

Ik haal het net. De deuren gaan achter me dicht en dan zet de trein zich krakend in beweging, het weidse, zonnige blauw in. We komen langs Battersea, Clapham, met kinderen in speeltuintjes, de veelkleurige drukte van Brixton Market. Een kwartier later hebben we Londen achter ons gelaten en zijn er alleen velden met gerst te zien, zilvergroen, golvend in de wind, als planten op de zeebodem. Ik ben me er, nu er enige afstand tussen ons zit, van bewust wat voor bij elkaar geraapt rommeltje mijn leven daar is geweest en hoezeer dit, wat ik ook tegemoet rijd, aanvoelt als mijn enige echte kans op geluk.

Het platteland strekt zich zondoordrenkt aan weerszijden uit. Het is nog maar juli, maar de hete zomer heeft de velden nu al verbleekt. Over een paar dagen krijgt Jim zomervakantie, dan wordt het augustus, herfst, en waar zullen we dan zijn?

Bij Rochester stapt een groepje meisjes in. Zo te zien zijn ze rond de achttien, hooguit twintig jaar. Alle stereotypen zijn vertegenwoordigd: de rebel met zwart omrande ogen en geblondeerd haar; de prinses van het bal, die alle jongens wel zal krijgen; de leider met dansende paardenstaart die respect bij haar discipelen afdwingt alsof ze Jezus is. De buitenstaander zit naast me: te zwaar, weet zich geen houding te geven en verstopt zich achter een goudblonde pony. En wie is de twintigjarige versie van mezelf, in deze groep die op weg is naar de kust? Daar zit ik, die daar, die met de leider zit te lachen, in de waan dat ik alles voor elkaar heb en dat alles goed komt, gewoon omdat ik het ben, omdat ik altijd geluk heb.

Eindelijk komen we in Whitstable aan. Ik volg het ouderwetse bord waarop STRAND staat. Maar het is niet de toeristenroute, het is niet het Whitstable van die dag die Jim en ik samen hebben doorgebracht. Dit is het normale leven: straten met rijtjeshuizen, kinderen die op hun fietsje in de avondzon spelen. Ik kom bij de haven en de zeelucht komt me tegemoet, en neemt me mee naar de vorige keer. De herinnering is zo duidelijk als een foto. Achter de boten, die in de diepe, ommuurde jachthaven liggen, staat een enorme, gele hijskraan die vrachten ophijst en laat zakken, ladingen steen van de ene plek naar de andere verhuist. Het maakt lawaai en is vies, maar om een of andere reden kan ik me hier ontspannen.

Ik loop verder, bereik de stilte op het strand, en ga verder naar de jachthaven waar de masten kraken in de hitte. Buiten zit een gezin met een klein meisje van een jaar of zeven. Ze heeft een badstof korte broek over een gestreept badpak aan. Ze zit bij haar vader op de knie en laat haar benen heen en weer zwaaien, terwijl ze haar cola door een gekronkeld rietje drinkt. Ik vraag me af wanneer dat gevoel uit mijn leven is verdwenen.

Ik heb echt geen idee waar Jim nu kan zijn, ik weet helemaal niet welke B&B hij heeft gekozen. Ik weet bijna zeker dat hij niet in de B&B zit waar we samen zijn geweest – daarmee zou Jim voor zijn idee te veel toegeven aan het sentiment – bovendien zijn er te veel mooie herinneringen aan verbonden. Maar ik heb een idee dat wel de moeite van het proberen waard is.

De Old Neptune. Ik zie hem in de verte liggen alsof het zelf een schip is dat afgemeerd is op het kiezelstrand, helemaal verzakt en verbleekt. Het is kwart over vier en nog steeds warm. Jim zou met dit weer niet in een hotelkamer gaan zitten, maar toch zie ik hem met zijn huid ook niet op het strand liggen bakken. Ik kom langs

The Whitstable Oyster Company, met zijn rood-witgeblokte tafel-kleedjes en Londense clientèle – voornamelijk welgestelde stellen van in de zestig die met een gin-tonic van de middag genieten. Ik ben er nu bijna, kijk naar de massa's mensen die op het strand liggen, voor het geval dat, maar ik weet dat ik gelijk heb, ik weet gewoon dat hij er is.

Maar hij is er niet.

Ik kijk buiten, zoek alle tafels af waar een rumoerige, naamloze menigte zit van toeristen die naar mijn gretige gezicht kijken, met hun voeten schuifelen en onder de tafel kijken alsof ze denken dat ik naar een kwijtgeraakte tas zoek. Ik loop de pub binnen waar een paar plaatselijke vissers aan de rijkbewerkte bar met hun biertje bij elkaar zitten, hun buik uit hun overall puilend. 'Is er hier een man met donker haar geweest?' vraag ik. 'Noordelijk accent? Leuk om te zien?' ''k Zou 't niet weet, schatje, ben ik te bezopen voor,' zegt er een. De anderen lachen en kijken me aan, alsof ik van een andere planeet kom. Ik kijk in de toiletten en geef het daarna op. Ik denk erover om hem met mijn mobiel te bellen, maar dat vind ik geen stijl, dat moet mijn laatste toevlucht zijn. Dus sta ik een poosje op het strand en bedenk wat ik nu zal doen. Ik kijk uit over de zee en probeer hem te beschrijven, net als Jim en ik op het strand deden, maar er komt niets in me op. Het lijkt wel alsof mijn verbeeldingskracht net als die dag tot het verleden behoort. Of is het zo dat het me alleen maar lukt als ik gelukkig ben?

Ik loop het strand af, de trap op naar de boulevard en besluit door te lopen. Wat kan ik anders doen? Het strand wordt breder; het is hetzelfde stuk waar we hebben gezeten, en daarna wordt het stuk kiezelstrand smaller en een minuut of tien later sta ik weer bij het groepje strandhutten die erbij staan als felgekleurde, kokend hete snoepjes in de zon. Daar sta ik stil, besluiteloos. Ik tuur in hutten waar hele bedden in staan, banken en fauteuils, mini-woon-decoratieprojecten, gezellig gemaakt met ouderwetse theeketels.

'Aha, dus jíj zou er nu ook wel een willen.'

Ik schrik en kijk om me heen. Ik weet niet waar de stem vandaan komt. En dan zie ik Jim. Hij zit op het trapje van een bouwvallige hut, een glas bier in de hand, tegen de zon in te kijken.

'Hallo,' zeg ik onwillekeurig stralend. Hij heeft de pijpen van zijn spijkerbroek opgerold en zijn schenen gloeien al rood op. 'Wat doe jij hier?'

'Dat kan ik beter aan jou vragen,' zegt hij. 'Ik neem een afzakkertje, nou ja, een vroege dan.'

'Mag ik bij je komen zitten?' vraag ik voorzichtig. Hij maakt een gebaar naast zich en ik ga zitten, waarbij de schelpen onder mijn voeten knetteren alsof het een vuur is.

'Je hoefde niet te komen, zo bedoelde ik het niet. Hoe wist je trouwens dat ik hier zat?'

'Je had de computer aan gelaten, er stond nog "B&B's in Whitstable" ingetypt.'

Hij klakt met zijn tong.

'Kon er toch geen één vinden. Alles zit vol. Zal wel door het begin van de schoolvakantie komen.'

We zitten daar en de onuitgesproken woorden blijven gonzend als kolibries boven ons hoofd hangen.

'Jim, gaat het goed met je?' vraag ik, niet in staat langer te blijven zwijgen. 'Het spijt me zo. Je zult wel heel boos op me zijn.'

'Nee,' zegt Jim. 'Niet meer.' Hij haalt een velletje papier uit zijn zak en vouwt het open. 'Dit heb ik voor jou geschreven. Ik weet dat het niets verandert, en misschien had ik het gewoon zelf gehouden, nooit aan jou laten zien, maar het deed me goed om het op te schrijven.'

Ik neem het aan. 'Zal ik het nu lezen?'

'Neu.' Jim trekt rimpels in zijn neus. 'Doe dat maar als ik er niet bij ben.'

'Waar gaat het over?' vraag ik.

'O, niets. Gewoon om dankjewel te zeggen, meer niet.'

'Dankjewel? Waarvoor?'

'Dat ik dit heb gevoeld. Ik heb het gedaan, Tess.' Hij kijkt me nu aan. 'Ik heb het gedaan. Ik ben verliefd geworden, weet je.'

'Net als je vriend van school,' zeg ik. Jim kijkt naar de grond en glimlacht, want hij weet wat ik denk en ook dat ik gelijk heb.

'Ja,' zegt hij, 'net als mijn vriend van school.'

Ik ben duizelig. Het is net of al mijn gevoelens, alle positieve, blije gevoelens die ik ooit heb gehad zijn samengepakt en in mijn hoofd rondsuizen als een bom die op ontploffen staat.

'Maar Jim...'

'Nee, echt, niet doen. Het is goed zo,' zegt hij. 'Ik weet dat we niet het "nog lang en gelukkig" kunnen krijgen, maar wat mij betreft, ik ben gelukkig. Ik ben blij dat ik je ken, ik ben blij dat dit is gebeurd, en het heeft gevoelens in me wakker gemaakt waarvan ik niet wist dat ik ze had. En als ik me nooit meer zo zou voelen, dan weet ik dat ik het één keer wel heb gevoeld. En dat is genoeg. Misschien is dat genoeg.'

'Maar Jím,' ik leg een hand op zijn arm. 'Je kunt het wél krijgen, besef je dat niet?'

'Wat?'

'Dat "en ze leefden nog lang en gelukkig". Nou, misschien dat niet, dat is allemaal onzin, maar mij, een echt gezin.'

Hij kijkt me verbijsterd aan.

'Ik voel het ook, Jim. Ik hou ook van jou!' zeg ik met glanzende ogen.

'Hou jij van mij?'

'Oké, verliefd op je dan. God...' Ik lach. 'Ik ben zo verliefd dat het belachelijk is!'

'Wat? En hoe zit het dan met Laurence? Je zei toch dat...'

'Laurence? Ik heb Laurence nooit gewild, Jim. Laurence was maar een afleiding. Ik heb altijd alleen maar jou gewild, maar het leek alsof je geen belangstelling had. Ik bedoel maar, je kon verdomme amper wachten voor je me in die flat in Camberwell kon stoppen. Je deed het nog beter dan Craig van Kinleigh Vreet en Kokhals met me die flat verkopen!'

Jim kijkt me ongelovig aan en lacht.

'Alleen maar omdat ik er niet meer tegen kon! Dat jij in mijn huis woonde, dat jij zou weggaan, dat ik met je wilde vrijen, de hele tijd; heb je enig idee wat dat met een man doet? En je liefhebben.' Hij laat zijn hoofd op zijn knieën rusten en kijkt me aan. 'Jezus, ik wilde je zo verdomd graag liefhebben.'

De hitte van de dag heeft de lucht wazig gemaakt zodat hij met de zee versmelt en je niet kunt zien waar de een ophoudt en de ander begint.

Ik kijk Jim aan. Er scheert een speedboot langs de horizon, die een ritssluiting door het water trekt. Dan draait hij zich naar me om. 'Kom eens hier,' zegt hij. En als we zoenend op het zand vallen, heb ik het gevoel dat ik spontaan kan ontvlammen van vreugde en van het gevoel dat niets in mijn hele leven ooit zo heerlijk heeft gevoeld.

'Enne, Jocelyn, hè...' zeg ik. Ik moet dapper zijn. We liggen nu met verstrengelde vingers naast elkaar op het strand en kijken op naar een onbewolkte hemel. 'Wat zei ze eigenlijk?'

'Geen flauw idee,' zegt Jim. 'Wat gezwets over een zilverkleurige teddybeer die ze heeft gezien en of we ons kind laten dopen?'

Ik glimlach en knijp stevig in zijn hand. Ik heb tóch altijd geluk. En voor het eerst in maanden verlang ik niet terug naar het verleden, of kijk ik niet verlangend uit naar de toekomst, maar ben ik eenvoudig hier, in het hier en nu.

32

Oudejaarsavond, vijf maanden later.

'Toen ik zes maanden zwanger was, waren we in Memphis. Iedereen zei dat het een meisje werd: de hotelreceptioniste, een oude blueszanger die Razor heette en die nog op Beale Street zong, een Elvis-lookalike voor de deur bij Sun Studios. Toen hij uiteindelijk werd geboren, op 8 januari, niet te geloven, hebben we geen ruzie gehad over de naam. De wedergeboorte van de King!'
Sarah-Jane, 41, Cardiff

'Handen op elkaar voor Victoria Peddlar – woehoe!!' Onze huiskamer staat op zijn kop. Het spandoek met *Merry Christmas* boven de schouw wappert in de door ons in gang gebrachte wind.

Jim balt zijn vuist, trekt zijn elleboog strak tegen zijn borst. 'Kom op, Vicky!' roept hij. Hij klemt zijn kaken op elkaar, zo serieus is hij in zijn steun aan haar. Ik kijk naar hem, zoals hij daar ingeklemd zit tussen Rotkop en Rich, en onwillekeurig moet ik proesten.

Vicky hijst zich van haar stoel, gaat op het geïmproviseerde podium voor onze erker staan en drukt de microfoon tegen haar buik. Die is volmaakt rond en steekt in haar gouden lovertjesjurk naar voren als een reliek die erom vraagt om aangeraakt te worden.

De jurk is kort, meisjesachtig mini, en in haar haar – het resultaat van vier uur bij Aveda, vanmiddag, een kerstcadeautje van Rich – zitten highlights en het is achter op haar hoofd vastgezet. De kerstlichtjes glinsteren achter haar en doen haar jurk twinkelen alsof ze betoverd is en elk moment in een sliertje rook kan verdwijnen.

Ze trekt haar brede grijns in een grimas, dat zijn de zenuwen, en strijkt een haarlok achter haar oor. Ze ziet er kwetsbaar en beeldschoon uit, je kunt de trots bijna als rook uit Rich zien opstijgen. De muziek begint en dan begint ze *Mack the Knife* van Frank Sinatra te zingen. En ja, ze heeft het nog.

Mam en pap staan als eersten op de vloer. Ze hoeven niets te zeggen of naar elkaars voeten te kijken. Ze nemen hun plaats in, zo vanzelfsprekend en natuurlijk als het is om op een fiets te stappen. Mam strekt een mollige arm uit om bij paps schouder te kunnen. Pap heeft zijn hand – ruw, gebruind en verweerd – in de holte van haar rug liggen. Ik vraag me af hoe vaak ze dit ritueel hebben uitgevoerd, en hoe vaak ze het nog zullen doen. De wetenschap dat ze dat doen, wat er ook gebeurt, vind ik bemoedigend. Wat er ook gebeurt, wat voor ellende ze ook te verstouwen krijgen, ze gaan door. Het leven gaat door.

Iedereen staat nu te dansen, en door al die zwoegende lijven stijgt het kwik in onze kleine huiskamer. Rich, die er geweldig uitziet in zijn glitterblazer, danst met Rachel, die er ontspannen uitziet in een smaakvolle, mosgroene jurk. Mathilda en zij komen vaak bij ons over de vloer sinds ze eindelijk de stap heeft gezet; eindelijk bij Alan weg is gegaan en bij haar moeder is ingetrokken. De eerste keer dat Mathilda een fikse driftbui kreeg (toevallig op tweede kerstdag bij ons thuis) zag ik een verrukte uitdrukking op Rachels gezicht. Het blijkt dat ze toch geen ongewoon lieve baby is. Als ik zag dat mijn moeder elke keer een pak slaag kreeg als ik een keel opzette, dan zou ik ook wel leren mijn mond te houden.

Ik zit nu op de armleuning van de gebobbelde groene fauteuil (Jim zegt dat sommige dingen gewoon blijven, punt uit) naar het tafereel te kijken. Het is grappig dat er een feestje voor nodig is om mensen echt tot elkaar te brengen. Alsof we deze paar uur het leven en alles wat ons gescheiden houdt even op pauze hebben gezet. Zelfs Joyless heeft zich laten betrappen op een lachje toen ze door de kamer werd gegooid door mijn broer, wiens uitbundige dansbewegingen meer op die van een tienjarig jochie op een bruiloft lijken dan op die van een volwassen man. Gina is in een diepblauwe baljurk gesnoerd en doet een min of meer gecoördineerd dansje met Rotkop, met kicks en swinghandjes. Rotkop heeft zijn schoenen uitgedaan en zijn voeten stinken, maar dat vindt Gina niet erg want Rotkop is haar vriendje niet. Die jongen met de sproeten die in onze keuken cocktails staat te mixen is dat wel. Ik heb gelijk gekregen over haar en Simon. Het is nu een halfjaar aan – het langst dat Gina het met een vriendje heeft uitgehouden – en ze heeft eindelijk een bed, bij hem thuis. Ze zijn in oktober gaan samenwonen.

Vicky gooit de laatste zinnen eruit. Als ze zingt danst of deint ze niet. Ze doet alleen haar ogen dicht en dan golft dat geluid van ergens in haar buik naar buiten en hecht zich als warme bijenwas aan je huid. De cocktails gaan hoog op een dienblad boven Simons hoofd de kamer door. Gina pakt er één en kust hem op de mond waar mijn moeder bij staat, die ernaar staart en dan de andere kant op kijkt, alsof ze het helemaal niet heeft gezien. Buiten roffelt een groep luidruchtige feestvierders op het raam. 'Gelukkig Nieuwjaar!' roepen ze voordat ze wegrennen. Rotkop laat zijn blote billen zien en mijn moeder maakt een geluid alsof ze net op een windkussen is gaan zitten. En dan zie ik Jim die met glanzende ogen, een verhit gezicht van het dansen, het haar aan zijn slapen nat van het zweet, recht op me af komt, waardoor iedereen ruimte voor hem maakt. Hij pakt me bij de schouders: 'Behaagt het madame om te dansen *ce soir*?' vraagt hij. En ik moet lachen omdat hij mij dat altijd vroeg als we in Frankie's waren. Maar hij heeft het niet tegen mij, maar tegen het kleine, donkerharige wezentje dat opgekruld in een draagdoek op mijn buik hangt. Hij praat tegen onze dochter.

Freya Kate Ashcroft besloot haar reis naar de buitenwereld aan te vangen toen haar vader mee was met schoolkamp en zijn mobiel uit stond. Dus terwijl Jim zich samen met een stel brugklassers opperbest vermaakte bij een middagvoorstelling van *The History Boys*, lag ik bij elke wee in een emmer te braken en sprak daarna onfatsoenlijke berichten in op zijn voicemail. (Dat weet ik omdat hij ze heeft laten horen.)

Gina was de enige die ik te pakken kon krijgen (wat mijn moeder zichzelf nooit zal vergeven. Zij stond in Matalan een luchtbed te kopen). Ik geef toe dat ik mijn bedenkingen had; je weet bijvoorbeeld nooit of Gina op zaterdagmiddag nuchter is. Maar ze was een kei. Toen mijn vliezen braken dweilde ze alles op en installeerde de Tensmachine. Ze is met me gaan wandelen en vertrok geen spier als ik me aan een lantaarnpaal vastklemde en geluiden maakte van twee sumoworstelaars die aan het seksen waren en er mensen voorbij kwamen. Toen de vroedvrouw beweerde dat mijn weeën nog niet zo dicht op elkaar kwamen dat ik naar het ziekenhuis moest, werd ze fel. Ze beschuldigde haar ervan zelf nooit een kind te hebben gekregen. (Ze had er vijf. Dat was niet zo'n goede zet.) Maar afgezien daarvan was ze geweldig. Zonder haar had ik het nooit doorstaan.

Die 'thuisbevalling in het ziekenhuis' op de kraamafdeling was een leuk idee. Maar als dit 'thuis' was, dan moet ik er niet aan denken wat voor ervaring de hel moet zijn. Mijn babydoll en geurkaarsen van de kraamwinkel heeft niemand gezien. Mijn blote kont wel, want die hing uit zo'n kraamhemd met open achterkant terwijl ik als een ontsnapt boerderijdier over de kraamafdeling zwierf en op de trap weeën wegpufte.

Tegen de tijd dat Jim aankwam en met doodsangst op zijn gezicht de kraamkamer binnenstormde, lag ik met mijn hoofd in de wolken door het lachgas te smeken of iemand me wilde afmaken. Maar uiteindelijk was ze er dan, onze kleine meid, met het punthoofd en de wijsheid van Gandalf. Ze was net een ziel die de ene wereld uit en de andere in glipte als een arm die een mouw in schuift. En toen, ach, toen deed de rest er niets meer toe.

Ik sta nu in de keuken water te koken voor het flesje gekolfde melk waarvoor ik drie kwartier aan het kolfapparaat heb gehangen, zodat ik vanavond mocht drinken. Als ik kolf, zie ik er volgens Jim uit alsof ik voor Willie Wonka werk, alsof ik samen met andere mama's in een gesteriliseerde kamer in de chocoladefabriek moet werken om Supersonische Mama Melkchocolade te maken.

Mijn moeder maakt zich los van de massa. Ze is een beetje aangeschoten en helemaal in fluweel gehuld. Ik bedenk hoe veel ik van haar houd. Ze komt naast me staan en gluurt naar haar kleindochter in de buikdrager en legt dan een hand op haar hart, alsof ze wil zeggen: 'Kíjk dan toch eens!'

Mam is de afgelopen paar maanden heel relaxed geworden. Voorheen waren papa's 'rare buien' en de gevaren die haar kleindochter op het feestje liep (epileptische aanvallen van de lichten, gescheurde trommelvliezen van het lawaai) te veel voor haar. Tegenwoordig kan ze zich veel beter ontspannen. Het lijkt wel of ze zich de afgelopen dertig jaar, sinds papa's eerste 'rare bui', zorgen heeft gemaakt over het ergste wat zou kunnen gebeuren. En toen gebéúrde het ergste ook en heeft ze gezien dat we het allemaal hebben overleefd.

We kijken toe hoe papa met Julia door de kamer zwiert. Ze heeft weer haar oude maat zesendertig en ziet er weergaloos uit in een zwart-wit minirokje.

'Het gaat nu wel goed met hem, hè? Met je vader,' zeg mama.

'Ja, mam, natuurlijk gaat het goed,' zeg ik.

Oké, niet helemáál goed, niet perfect, maar met wie wel, zeg. Hij moet nog steeds naar het 'hoofdkwartier der geestelijk getikten' voor therapie, maar hij slikt geen medicijnen meer en, wat nog belangrijker is, nu zijn geheim bekend is, praten we erover – de Donderwolk – hij is bij ons leven gaan horen.

Vicky's lied is afgelopen. Ze krijgt een vurig applaus en waggelt het podium af om weer te gaan zitten. Ze zingt weer. Ze heeft haar eerste paar boekingen voor kerstfeestjes van bedrijven gehad en volgend jaar heeft ze er nog meer. Rich heeft zijn script naar twintig agenten gestuurd: van acht geen reactie gehad, van elf een 'nee, dank u' en van één een 'veelbelovend' met een velletje vol suggesties. Maar er is er maar één voor nodig, zegt hij, en Vicky en hij zijn het aan het herschrijven. Wie weet, misschien krijgen ze de hoofdrollen als het ooit nog eens op tv komt! Waarschijnlijk wordt het geen klapper, maar wat zou het ontzettend gaaf zijn als het dat wel wordt. Het wordt tenslotte in mei een gezin van vijf, bij hen thuis. Ja, er zitten twee Moons onder die glitterjurk.

Ik loop met Freya naar boven en ga in de voedstoel zitten, bij het raam. Vreemd, nu deze kamer eindelijk is ingericht – lila muren, witte vloerplanken, bloemenelfjes, het hele verhaal, is het alsof het nooit mijn kamer is geweest, alsof die periode in mijn leven helemaal niet heeft plaatsgevonden.

Ze ligt nu zoet te zuigen. Buiten valt er een fijne regen van motsneeuw; het ziet eruit als spinrag in de lichtbundel van de straatlantaarn. Ik kijk naar de rode neoncijfers op de wekker boven op de kast: 23:26. Een halfuur voordat het nieuwe jaar begint. Ik vraag me af wat het zal brengen: fantastische dagen, shitdagen, schrikmomenten en verrassingen, momenten van vreugde, de Donderwolk... Als iets zeker is, dan is het dat het leven niets zal weglaten, maar dit jaar voel ik me alsof ik er klaar voor ben. Voor het eerst van mijn leven ben ik niet bang.

Ik hoor het vertrouwde gefluit en het loopje met twee treden tegelijk de trap op: Jim. Hij steekt zijn hoofd om de hoek.

'Alles goed?' vraagt hij. 'Mag ik binnenkomen?'

'Tuurlijk.' Ik glimlach en Jim gaat op het kleine roze stoeltje zitten dat we bij Ikea hebben gekocht. Hij trekt het naar ons toe; met zijn knieën naast zijn schouders ziet hij eruit als een dwerg.

'Wauw, ze valt erop aan als Lisa van *The Simpsons*, vind je niet?' zegt hij lachend, als hij haar ziet zuigen alsof ze een week niets te eten heeft gehad.

'Ze heeft jouw haar,' zeg ik, terwijl ik het streel. 'Het groeit alle kanten op.'

'Maar ze heeft ook mijn prachtige voeten, en haar moeders ogen.'

De vloer trilt door het dreunen van de muziek. We horen mijn moeders verrukte gilletje en moeten lachen.

Jim streelt Freya's hoofdje.

'Ik hou zo ongelooflijk veel van haar,' zegt hij.

'Jim Ashcroft,' zeg ik, 'wat ben je toch een softie.'

23:40. Nog twintig minuten tot 2008. We horen het intro van *Mr Brightside* van The Killers, en Gina's kreet: 'Yes, ik ben gek op dit nummer!'

Jim glimlacht naar me, buigt zich voorover en kust me op mijn mond. 'Ik wil je iets vragen,' zegt hij, 'iets wat ik helder wil hebben.'

Ik kus hem terug. 'O ja, wat dan?'

Hij komt van het stoeltje, valt op zijn knieën en ik lach nerveus, want ik heb wel een vermoeden van wat hij gaat doen, en ik weet niet hoe ik erop moet reageren. Het gaat toch goed zoals het nu gaat? Ik weet niet of ik dit wel wil – nu althans! Het hele idee van de bruiloft in wit trekt me niet zo erg meer, en ik weet niet of ik dat huis in een doodlopende straat en onze trouwfoto op de schoorsteenmantel en de Center Parks-vakanties wel zo graag wil. Ik weet niet of ik wil zijn als iedereen en een 'normaal' gezin wil vormen. Wat houdt dat trouwens in? Als je goed genoeg kijkt, is iedereen wel een beetje maf.

Maar hij zit op zijn knieën en pakt met een glinstering in zijn ogen mijn hand. Ik pijnig mijn hersens om het juiste antwoord te vinden, en dan zegt hij: 'Tess?'

'Ja?' zeg ik, alsof ik aan de rand van een afgrond sta, op het punt erin te vallen.

'Wil je met me gaan?'

Dan barst ik in lachen uit en schrikt Freya. Jim lacht ook en kijkt me afwachtend aan. Dan buig ik me voorover, voorzichtig om Freya niet te pletten, leg mijn linkerhand om Jims gezicht en zoen hem tot hij geen adem meer heeft, waarna ik zeg: 'Tuurlijk, waarom niet?'

23:51

'Kom op, Jim.'

Haastig ritst hij zijn spijkerbroek dicht. Ik trek mijn rok op en bekijk mezelf in de spiegel. Ik slaak een kreet vanwege mijn warrige haardos en de veelzeggende gloed die zich over mijn borst heeft verspreid.

'Nog negen minuten en het is Nieuwjaar. We kunnen haar maar beter in bed leggen en naar beneden gaan, *pronto!*'

'Laten we haar meenemen,' zegt Jim, die zich plotseling naar me omdraait. 'Het is haar eerste Nieuwjaar, laten we het samen met haar in gaan. Ze zal er niets van krijgen.'

Ik kijk naar onze dochter, naar die lachwekkende, permanent verschrikte uitdrukking op haar gezichtje, dat verwonderd naar de discobal staart, nog klaarwakker.

'Oké,' zeg ik, 'als jij haar straks maar op bed legt.'

'Prima,' zegt Jim. 'Maar dan breng jij je broer naar het station.'

Ik til haar uit haar bedje, een teer nachtwezentje, en geef haar aan haar vader, die een kus drukt op haar zachte hoofdje.

'Kom dan, sexy mama,' zegt Jim, en hij slaat me op mijn billen terwijl ik het licht uitdoe.

Ik kijk hem aan.

'Shit, denk je dat mijn moeder het kan zien?' vraag ik.

'Welnee,' zegt Jim, 'die is te ver heen.'

23:56

We houden allemaal elkaars hand vast, bezweet van het dansen en met glanzende ogen van plezier en de drank en de wetenschap dat dit zo'n gouden moment is.

23:58

Nog twee minuten...

23:59

En dan? Begint het volgende hoofdstuk van ons leven, denk ik. En wat zal er daarin met ons gebeuren?

00:00

Gelukkig Nieuwjaar!!! De kurken knallen, de muziek gaat uit terwijl we elkaar in onze huiskamer om de hals vallen en juichen, de huiskamer van ons gezin, en we genieten van dit moment alsof het ons laatste is.

Alsof ik er van bovenaf op neerkijk, zie ik ons zoenen, juichen en op en neer springen. We zijn scherpzinnig en dom, gezegend en gedoemd. Maar nu, op dit moment, hier in deze kamer, *zijn* we alleen maar.

Buiten sist het vuurwerk, en het spat in de hemel krakend en knallend uit elkaar. De muziek begint weer. Mam en pap nemen hun positie in. Ik kijk Freya aan, die met wijd open ogen over Jims schouder kijkt en vang dan mijn vaders blik op, over mijn moeders schouder. Ik denk terug aan die dag in de kas. Het lijkt een heel leven geleden. Maar ik denk, nee, ik wéét hoezeer hij gelijk had.

Dankwoord

Nou, van het een kwam het ander en ik heb alleen maar een boek geschreven! Zonder al die fantastische, getalenteerde mensen zou het nooit zijn gebeurd. Mijn dank gaat vooral uit naar mijn agent Lizzy Kremer voor haar niet aflatende geloof in dit boek, haar eindeloze ideeën (alle briljante waren van haar! Zo, ik heb bekend...) en voor het feit dat ze gewoon een schat is. Naar mijn redacteur, Claire Bond – het meest bescheiden meesterbrein dat ik ken. Hoe jij het klaarspeelt het zo makkelijk te laten lijken en er zo rustig bij te blijven, zal ik nooit weten. Ik heb geboft met jou.

Ik wil iedereen bij HarperCollins en David Highham Associates bedanken. Ik heb versteld gestaan van ieders steun en enthousiasme voor dit boek.

Aan Marie O'Riordan en Charlotte Moore – de column zou zonder jullie nooit tot stand gekomen zijn, en het boek al helemaal niet – ben ik eeuwige dank verschuldigd. Aan het hele team van *Marie Claire* en van www.marieclaire.co.uk in heden en verleden: bedankt voor jullie aanmoediging en enthousiasme.

Dank aan mijn vader en moeder, zussen, familie en al mijn fantastische vrienden. Zie je wel! Ik heb niet gelogen, ik was echt een boek aan het schrijven, ook al heb ik er vijfenzeventig jaar over gedaan. Bedankt voor jullie steun en liefde. Zoveel van dit boek is geïnspireerd op momenten die ik met jullie heb meegemaakt.

Mijn immense dank aan Louis, mijn vriend, vader van mijn kind, eerste lezer en zoveel meer. Jij hebt je eigen rol opgewaardeerd tot 'eerste redacteur' en terecht! Jij hebt me de tijd gegeven om te schrijven en het vertrouwen in mezelf, en je bent zo wijs geweest het te zeggen als wat ik schreef 'saai, saai, saai!' was. Waar heb ik jou aan verdiend?

En *last but not least*: mijn grootste dank gaat uit naar Fergus, de mooiste verrassing van mijn leven.

Dit boek is voor jou.

Ik werp een kritische blik in de spiegel. Kan ik op tegen een dom blondje van begin dertig? Hè, dat is nou onaardig van me, om haar een dom blondje te noemen. Dat is een fout die vrouwen altijd maken. Ze leggen de schuld bij de minnares en niet bij hun eigen man. Niet eerlijk en ik zou beter moeten weten. Maar vooralsnog trek ik het liefst al die blonde haren uit haar domme hoofdje. Hij is van mij, van mij!

ISBN 978 90 229 9573 0

Marian Mudder
Geluksblind

Isabelle Hubar-Harteveld is niet gelukkig. Ze leidt een heel ander leven dan ze echt zou willen. Als ze erachter komt dat haar man vreemdgaat, heeft ze eindelijk een goede reden om hem te verlaten.
En daar zit ze dan, in haar nieuwe huis in Amsterdam Oud-Zuid, met haar nieuwe leven. Ze zoekt haar toevlucht tot *The Secret* en andere hedendaagse wondermiddelen en warempel, het werkt! In de wasserette komt ze de liefde van haar leven tegen en ze storten zich in een onstuimig liefdesavontuur. Maar met het geluk komt ook de angst boven datzelfde geluk te verliezen...

'Met humor geschreven, vol herkenbare situaties en emoties.' – ESTA

'Wil je me ervan beschuldigen dat ik met je beste vriend naar bed ben geweest?' vroeg Laura verontwaardigd. 'Denk je dat dit daarover gaat?' 'Nou, het moet wel iets knap dramatisch zijn om te rechtvaardigen dat jij op mijn verjaardag stiekem een afspraak met een huwelijkstherapeut regelt,' antwoordde Sam, die zijn evenwicht deels had hervonden nu hij haar met succes op het verkeerde been had gezet.

ISBN 978 90 229 9507 5

Fiona Neill
Vriendschap, liefde en andere stommiteiten

Nu Sam en Laura Diamond en hun vrienden allemaal rond de veertig zijn, is hun leven opeens een stuk minder zeker dan twintig jaar geleden. Laura is een hardwerkende neurologe die een derde kind en parttime werk wil, terwijl Sam als ploeterende scriptschrijver erover denkt om te stoppen met werken en zich te laten steriliseren.

De juriste Janey is pas getrouwd met de gladde hedgefondsmanager Steve (in plaats van met haar grote liefde Patrick), en zwanger van haar eerste kind. Jonathan, de oudste vriend van Sam en een succesvolle chef-kok die stiekem niet kan koken, flirt bij het leven, terwijl zijn vrouw Hannah afleiding zoekt in hun nieuwe huis op het platteland, waar hun tieners ook geheel een eigen leven leiden.

Als de zes vrienden besluiten om voor Jonathans verjaardag met z'n allen op vakantie te gaan, komen de geheimen die ze voor elkaar hebben, langzaam bovendrijven, en vragen ze zich af waar het is misgegaan.

'Lekker leesbaar en vermakelijk boek over typische veertigersproblemen als uitgebluste relaties en ongelijkwaardige vriendschappen.' – ESTA